LE CYCLE D'ENDER **4**

Les enfants de l'esprit

Du même auteur
aux Éditions J'ai lu

Abyss, *J'ai lu* 2657

ORSON SCOTT CARD

LE CYCLE D'ENDER **4**
Les enfants de l'esprit

Traduit de l'américain
par Jean-Marc Chambon

Titre original :

CHILDREN OF THE MIND
A Tor Book published by Tom Doherty Associates, Inc.

À Barbara Bova, dont la rigueur, la sagesse et la compréhension en font un agent hors pair et une amie plus précieuse encore.

REMERCIEMENTS

Je remercie vivement :

Glenn Makitka, pour le titre, qui me paraît tellement évident aujourd'hui, mais ne m'avait pas traversé l'esprit avant qu'il ne me le suggère lors d'une conversation à Hatrack River sur America Online.

Van Vessel, pour m'avoir fait connaître Hikari et Kenzaburo Oe, et pour sa traduction exceptionnelle du livre de Shûsaku Endô, *Deep River*.

Les lecteurs inspirés de Hatrack River, tels que Stephen Boulet et Sandi Golden, qui ont repéré des erreurs typographiques ainsi que certaines incohérences dans le manuscrit.

Tom Doherty et Beth Meacham à Tor, qui m'ont permis de diviser *Xénocide* en deux parties, afin de développer la deuxième partie comme il se devait.

Mon amie et collègue lorsqu'il s'agit de défricher la littérature, Kathryn H. Kidd, pour ses encouragements chapitre par chapitre.

Kathleen Bellamy et Scott J. Allen pour leur aide digne de Sisyphe.

Kristine et Geoff pour leur lecture approfondie, qui m'a permis de régler quelques incohérences et autres imprécisions.

Et enfin ma femme, Kristine, et mes enfants Geoffrey, Emily, Charlie Ben et Zina, pour avoir fait preuve de compréhension face à mes horaires impossibles et mes absences durant le travail d'écriture, et m'avoir appris ce qui justifie le travail de conteur.

L'écriture de ce roman a commencé chez moi à Greensboro, Caroline du Nord, et s'est achevée sur la route de Xanadu II à Myrtle Beach, à l'hôtel Panama, San Rafael, ainsi que dans la maison de Los Angeles de mes chers cousins Mark et Margaret Park, que je remercie pour leur gentillesse et leur hospitalité. Certains chapitres ont été diffusés sur America Online lors de la rencontre avec la ville de Hatrack River ; des dizaines de citoyens amis de cette communauté virtuelle ont pu les télécharger, les lire et me faire part de leurs remarques pour le bénéfice du livre et le mien.

1

« JE NE SUIS PAS MOI-MÊME »

« Mère. Père. Ai-je bien fait ? »
Dernières paroles de Han QING-JAO,
d'après *Murmures Divins de Han Qing-Jao*

Si Wang-mu s'avança. Le jeune homme nommé Peter lui prit la main et la guida dans le vaisseau spatial. La porte se referma derrière eux.

Wang-mu s'assit sur l'un des sièges pivotants de la petite salle aux parois métalliques. Elle regarda autour d'elle, s'attendant à voir quelque chose de nouveau et d'étrange. Or, les parois métalliques mises à part, elle aurait pu se trouver dans un quelconque bureau sur la planète La Voie. C'était propre, mais sans exagération. Meublé de manière très fonctionnelle. Elle avait vu des hologrammes de vaisseaux en déplacement : des vaisseaux de combats aérodynamiques et des navettes entrant et sortant de l'atmosphère ; des vaisseaux aux énormes structures arrondies frôlant la vitesse de la lumière autant que la matière le permettait. D'un côté, la puissance affûtée d'une aiguille, de l'autre la puissance destructrice d'une masse de forgeron. Mais dans cette salle, point de démonstration de puissance. Il s'agissait d'une simple salle.

Où se trouvait le pilote ? Il devait fatalement y avoir un pilote, car le jeune homme assis de l'autre côté de

9

la pièce qui murmurait devant son ordinateur pouvait difficilement contrôler un vaisseau capable de se déplacer plus vite que la lumière.

Et pourtant, ce devait bien être ce qu'il faisait, car il n'y avait aucune autre porte donnant sur d'autres salles. Le vaisseau lui avait semblé petit de l'extérieur ; cette pièce devait vraisemblablement remplir tout l'espace disponible. Là, dans un coin, se trouvaient les batteries servant à engranger l'énergie des capteurs solaires situés sur la superstructure du vaisseau. Et dans un coffre qui semblait protégé par une isolation rappelant celle d'un réfrigérateur, devait se trouver de la nourriture et de quoi boire. Voilà ce qu'il en était des systèmes de survie. Où était passé le côté romanesque du voyage dans l'espace, quand tout se résumait à cela ? Une simple salle.

Comme rien d'autre n'attirait son regard, elle reporta son attention sur le jeune homme devant l'ordinateur. Il avait dit s'appeler Peter Wiggin. Le nom de l'ancien Hégémon, le premier homme à avoir rassemblé la race humaine sous son contrôle à une époque où les hommes ne vivaient que sur une seule planète. Toutes ces nations, ces races, ces religions et ces philosophies vivant coude à coude, sans autre endroit où aller à part chez le voisin. Car le ciel était alors un plafond, et l'espace un vaste gouffre dont la traversée était impossible. Peter Wiggin, l'homme qui avait régné sur la race humaine. Ce n'était pas lui, bien sûr, et il l'avait admis. Andrew Wiggin l'avait envoyé ; Wang-mu se souvenait, selon les dires de Maître Han, qu'Andrew Wiggin l'avait en quelque sorte créé. Est-ce que cela impliquait que le Porte-Parole des Morts était le père de Peter ? Ou bien était-il en quelque sorte le frère d'Ender, non seulement le représentant mais aussi l'incarnation de l'Hégémon mort depuis bientôt trois mille ans ?

Peter cessa de murmurer, s'enfonça dans son fauteuil et lâcha un profond soupir. Il se frotta les yeux, s'étira, puis poussa un grognement. Ce qui faisait preuve d'un certain manque de délicatesse à l'égard de son hôte. Le

10

genre de réaction que l'on s'attendrait plutôt à voir chez un manœuvre rustre.

Il parut remarquer la désapprobation de Wang-mu. Ou peut-être l'avait-il simplement oubliée et venait-il tout juste de se rappeler qu'il avait de la compagnie. Toujours avachi dans son fauteuil, il tourna la tête et la fixa.

« Excusez-moi, dit-il. J'avais oublié que je n'étais pas seul. »

Wang-mu mourait d'envie de lui répondre avec impudence, malgré une vie entière passée à s'interdire de telles réactions. Après tout, il s'était bien adressé à elle avec une certaine impudence agressive lorsque son vaisseau était apparu tel un champignon sur la berge de la rivière et qu'il s'était présenté avec une simple fiole contenant un antivirus destiné à guérir sa planète d'origine, La Voie, de sa maladie génétique. Il n'y avait pas un quart d'heure qu'il l'avait regardée dans les yeux avant de lui dire : « Venez avec moi, et vous inscrirez votre nom dans l'histoire. Vous ferez l'histoire. » Et, malgré sa peur, elle avait accepté.

Elle avait dit oui, et se retrouvait maintenant à l'observer sur son siège pivotant, se comportant comme un rustre et s'étirant comme un tigre devant elle. Était-ce là sa bête de cœur, le tigre ? Wang-mu avait lu *l'Hégémon*. Elle pouvait croire sans problème qu'il y avait quelque chose du tigre dans ce terrible et imposant personnage. Mais lui ? Ce garçon ? Il avait beau être plus vieux que Wang-mu, elle était assez âgée pour reconnaître un être immature quand elle en voyait un. Alors comme ça, il allait changer le cours de l'histoire ! Nettoyer le Congrès de sa corruption. Arrêter la Flotte lusitanienne. Faire de toutes les planètes colonisées des membres à part entière des Cent Planètes. Lui, ce garçon qui était là à s'étirer comme un chat sauvage.

« Vous semblez ne pas approuver », dit-il. Il paraissait agacé et amusé à la fois. Cela dit, elle n'était pas forcément apte à repérer les inflexions d'une telle personne. Il était en effet difficile de déchiffrer les grimaces d'un homme aux yeux si ronds. Son visage et sa voix contenaient tous deux des langages cachés qu'elle ne pouvait déchiffrer.

« Vous devez comprendre, lui dit-il. Je ne suis pas moi-même. »

Wang-mu parlait assez couramment la langue usuelle pour comprendre l'expression idiomatique. « Ça ne va pas aujourd'hui ? » Mais tout en disant cela, elle s'avisa qu'il n'utilisait pas cette expression dans son sens idiomatique.

« Je ne suis pas moi-même, répéta-t-il. Je ne suis pas vraiment Peter Wiggin.

— J'espère bien que non, dit Wang-mu. J'ai lu ce que l'on disait sur son enterrement quand j'étais à l'école.

— Je lui ressemble quand même, non ? » Il fit apparaître un hologramme au-dessus de son ordinateur. L'image pivota pour faire face à Wang-mu ; Peter se leva pour se placer à côté, prenant la même pose.

« Il y a une certaine ressemblance, admit-elle.

— Bien sûr, je suis plus jeune, dit Peter. Parce que Ender ne m'a plus revu depuis qu'il a quitté la Terre à... quel âge avait-il déjà, cinq ans ? Un avorton en tout cas. J'étais donc encore un enfant. C'est ce qu'il avait en tête lorsqu'il m'a fait apparaître comme ça.

— Pas comme ça, dit-elle. De nulle part.

— Pas vraiment de nulle part non plus. Toujours est-il qu'il m'a fait apparaître. » Il eut un rictus. « Je peux appeler les esprits des abîmes. »

Ces mots avaient un sens pour lui, mais pas pour elle. Sur La Voie, on attendait d'elle qu'elle soit une servante, elle avait donc été très peu éduquée. Plus tard, dans la maison de Han Fei-Tzu, ses talents avaient été reconnus, d'abord par son ancienne maîtresse, Han Qing-Jao, et plus tard par le maître lui-même. Grâce à eux, elle avait pu recevoir, de manière informelle, un minimum d'éducation. L'enseignement qu'elle avait reçu avait surtout été d'ordre technique, et le peu de littérature qu'elle avait apprise était celle du Royaume Intermédiaire ou de La Voie. Elle aurait pu citer à longueur de journée le fameux poète Li Qing-Jao, à qui sa maîtresse d'un temps devait son nom. Mais du poète qu'il venait de citer, elle ne savait rien.

« Je peux appeler les esprits des abîmes », répéta-t-il. Puis il modifia sa voix et sa gestuelle pour se répondre à lui-même. « Tout comme moi et tant d'autres hommes. Mais répondront-ils à votre appel ?

— Shakespeare ? » tenta-t-elle.

Il esquissa un rictus. Elle pensa aussitôt au sourire d'un chat jouant avec sa proie. « C'est toujours le meilleur choix lorsque la citation vient d'un Européen, dit-il.

— La citation est amusante. Un homme se vante de pouvoir appeler les morts. Mais l'autre lui fait remarquer que la difficulté ne réside pas tellement dans le fait de les appeler mais de réussir à les faire venir. »

Il s'esclaffa. « Vous avez une étrange conception de l'humour.

— Cette citation représente quelque chose à vos yeux, parce que Ender vous a rappelé du royaume des morts. »

Il parut surpris. « Comment le saviez-vous ? »

Elle eut un frisson d'angoisse. Était-ce possible ? « Je ne le savais pas, je disais cela pour rire.

— En fait, ce n'est pas tout à fait exact. Pas à la lettre, du moins. Il n'a pas ressuscité les morts. Même s'il était persuadé d'en être capable si besoin était. » Peter lâcha un soupir. « Je suis mauvaise langue. Ce sont juste des mots qui me passent par la tête. Ils ne reflètent pas vraiment ce que je pense. Ils viennent d'eux-mêmes.

— Est-il possible que les mots vous passent par la tête sans que vous les formuliez à haute voix ? »

Il roula des yeux. « Je n'ai pas été formé pour la servilité, comme vous l'avez été. »

Telle était donc l'attitude de quelqu'un issu d'un monde d'hommes libres – se moquer d'une personne qui avait été bien malgré elle une servante. « Au cours de mon éducation, on m'a appris à garder les paroles blessantes pour moi-même, par simple politesse, dit-elle. Mais peut-être que pour vous il ne s'agit là que d'une autre forme de servilité.

— Comme je vous l'ai dit, Mère Royale de l'Ouest, la méchanceté sort de ma bouche sans que je puisse la contrôler.

— Je ne suis pas la Mère Royale, dit Wang-mu. Ce nom est une blague cruelle...

— Et seule une personne cruelle pourrait se moquer de votre nom. » Peter grimaça. « Mais on m'a donné pour nom celui de l'Hégémon. Je pensais que porter des noms complètement insensés était quelque chose que nous pouvions avoir en commun. »

Elle demeura assise en silence en se demandant s'il ne s'agissait pas là d'une tentative pour sympathiser.

« Il y a peu de temps que je suis au monde, dit-il. Cela se compte en semaines. J'ai pensé qu'il valait mieux que vous soyez au courant de ce détail me concernant. »

Elle ne voyait pas où il voulait en venir.

« Vous savez comment fonctionne ce vaisseau ? » dit-il.

Il passait du coq à l'âne. Pour la tester. Eh bien, elle en avait assez d'être testée. « Selon toute apparence, en restant assis à l'intérieur sous les yeux d'un inconnu mal-poli, dit-elle. »

Il sourit et acquiesça. « Un prêté pour un rendu. Ender m'avait dit que vous n'étiez pas du genre à jouer les servantes.

— J'étais la fidèle servante de Qing-Jao. J'espère qu'Ender ne vous a pas menti à ce sujet. »

Il préféra ignorer sa façon de tout prendre au pied de la lettre. « Avec cependant une personnalité bien à vous. » De nouveau ses yeux la scrutèrent ; de nouveau elle sentit que son regard soutenu lisait à travers elle comme la première fois, sur la berge de la rivière. « Wang-mu, quand je dis que je viens à peine d'être créé, ce n'est pas une façon de parler. Je dis bien d'être créé et non de naître. Et la façon dont j'ai été créé est en étroit rapport avec la façon dont ce vaisseau fonctionne.

Je ne veux pas vous ennuyer à vous expliquer ce qui est déjà du domaine de votre compréhension, mais vous devez savoir ce que je suis – et non pas qui je suis – pour comprendre pourquoi j'ai besoin de vous ici. Je vais donc vous reposer la question – savez-vous comment fonctionne ce vaisseau ? »

Elle acquiesça. « Je crois que oui. Jane, l'être qui habite les ordinateurs, a une image extrêmement précise du vaisseau et de ceux qui se trouvent à l'intérieur. Les gens eux aussi possèdent leur propre image et savent qui ils sont et ainsi de suite. Elle déplace alors le tout du monde réel dans le néant, ce qui se fait en un rien de temps, puis le ramène à la réalité dans un endroit qu'elle a choisi. Ce qui se fait aussi en un rien de temps. Ainsi, au lieu d'avoir des vaisseaux voyageant pendant des années d'un monde à un autre, tout se passe en un clin d'œil. »

Peter acquiesça. « Excellent. À un détail près. Ce que vous devez comprendre, c'est que lorsque le vaisseau est Dehors, il n'est pas entouré par le néant. Il est en fait entouré d'un nombre incalculable d'aiúas. »

Elle détourna le visage.

« Vous ne comprenez pas ce que sont les aiúas ?

— Une façon de dire que tous les êtres humains ont toujours existé ? Que nous sommes plus vieux que les plus anciens dieux...

— En quelque sorte, oui. Seulement en ce qui concerne les aiúas du Dehors, on ne peut pas dire qu'ils ont une existence à part entière, du moins pas de la manière dont nous la concevons. Ils sont simplement... là. Et encore ce n'est pas tout à fait exact, puisqu'il n'y a pas de notion d'emplacement, pas d'endroit où ils peuvent se trouver. Ils sont, tout simplement. Jusqu'à ce qu'une intelligence, quelle qu'elle soit, les appelle, leur donne un nom, les classe selon un ordre donné, et leur attribue une forme précise.

— La glaise peut devenir un ours, dit-elle. Mais pas tant qu'elle demeure froide au fond du lit d'une rivière.

— Exactement. Et c'est ainsi qu'Ender Wiggin et plusieurs autres personnes, que vous n'aurez pas – espérons-le – à rencontrer, se sont retrouvés à faire le premier voyage Dehors. Ils n'avaient pas vraiment de destination précise. Le but de ce voyage était de rester assez longtemps Dehors, pour que l'une de ces personnes, une scientifique plutôt douée, experte en génétique, puisse créer une nouvelle molécule, extrêmement complexe, d'après l'image mentale qu'elle en avait. Ou plutôt l'image des modifications qu'il lui était nécessaire de faire dans un... enfin, passons, vous n'avez pas les connaissances nécessaires en biologie. Quoi qu'il en soit, elle a fait ce qu'elle devait faire, créer une nouvelle molécule, calloo callay, le seul problème étant qu'elle n'était pas la seule personne à se livrer à l'acte créateur ce jour-là.

— L'esprit d'Ender vous a créé ? demanda Wang-mu.

— Involontairement. J'étais, dirons-nous, un tragique accident. Un effet secondaire malencontreux. Disons que tout le monde, et même tout, à vrai dire, était pris de frénésie créatrice. Voyez-vous, les aiúas se trouvant là-bas ont un besoin urgent d'être transformés en quelque chose. Des vaisseaux furtifs se créaient tout autour de nous. Toutes sortes de constructions fragiles, faibles, fragmentées et éphémères qui se construisaient et se déconstruisaient à chaque instant. Seulement quatre de ces constructions se sont révélées suffisamment solides. L'une de celles-ci était la molécule qu'Elanora Ribiera avait créée.

— Et vous faisiez partie des trois autres ?

— La moins intéressante, je le crains. La moins aimée et la moins importante. L'un des membres du vaisseau était un homme du nom de Miro. Il avait été mutilé à la suite d'un terrible accident quelques années auparavant. Le cerveau avait été touché. Parlant difficilement, maladroit de ses mains et boitant, il avait gardé en lui la précieuse et vivante image de ce qu'il avait été. Et à partir de cette vision parfaite de lui-même, un grand nombre d'aiúas se sont assemblés pour en reproduire une copie exacte, pas tel qu'il était à ce moment-là, mais tel qu'il avait été et tel qu'il voulait redevenir. Même sa mémoire avait été préservée – une copie parfaitement identique. Tellement parfaite qu'elle partageait avec lui la même répulsion envers ce corps mutilé. Ainsi, le nouveau Miro amélioré – ou plutôt la copie de l'ancien Miro, de parfaite constitution... bref, Miro se retrouvait là tel un reproche vivant de son double mutilé. Et devant leurs yeux, ce vieux corps rejeté s'est recroquevillé pour disparaître dans le néant. »

Wang-mu en eut le souffle coupé ; elle s'imaginait la scène. « Il est mort ?

— Non, tout est là, ne comprenez-vous pas ? Il était vivant. Son propre aiúa – non les milliards d'aiúas qui composaient les molécules et les atomes de son corps, mais celui qui les contrôlait tous, celui qui était lui, ou plutôt son esprit – est tout simplement passé dans l'autre corps qui, lui, était parfait. C'était son vrai lui. Et l'ancien...

— N'était plus nécessaire.

— N'avait plus rien pour lui donner forme. Vous voyez, je suis convaincu que nos corps demeurent en place grâce à une forme d'amour. L'amour qu'éprouve l'aiúa majeur envers le puissant et glorieux corps lui obéissant, c'est ce qui donne au moi toute son expérience du monde. Même Miro, malgré toute la haine qu'il éprouvait envers son corps mutilé, devait quand même garder un semblant d'amour pour ce corps pathétique qui lui restait. Jusqu'à ce qu'il en ait un neuf.

— Et c'est là qu'il a changé de corps.

— Sans même se rendre compte du processus. Il a suivi son amour. »

L'histoire fantasque que Wang-mu venait d'écouter devait être vraie, car elle avait souvent entendu parler de ces aiúas dans des conversations entre Han Fei-Tzu et Jane ; après ce que venait de raconter Peter Wiggin, tout cela prenait un sens. Ce devait être vrai, ne serait-ce que parce que le vaisseau avait surgi de nulle part sur la berge de la rivière derrière la maison de Han Fei-Tzu.

« Vous devez certainement vous demander comment quelqu'un comme moi, si conscient d'être mal aimé et indigne de l'être, a pu être mis au monde.

— Vous l'avez déjà dit. C'est grâce à l'esprit d'Ender.

— L'image la plus vivante dans l'esprit de Miro était celle de sa propre personne, plus jeune, plus forte et en meilleure santé. Mais les images qu'Ender chérissait le plus étaient celles de sa sœur aînée Valentine et de son frère aîné Peter. Pas tels qu'ils sont devenus, cependant, étant donné que son vrai frère, Peter, était mort depuis longtemps – quant à Valentine, ayant accompagné son frère à chacun de ses séjours dans l'espace, elle est toujours vivante, mais le temps a passé et elle a vieilli. C'est une personne plus mûre. Une vraie personne. Et pourtant, dans ce vaisseau, alors qu'il était Dehors, il a créé une copie de sa sœur telle qu'elle avait été. Une jeune Valentine. Pauvre vieille Valentine ! Elle n'a pas pris conscience d'être vieille avant de voir cette version jeune d'elle-même, cet être parfait, cet ange né de l'esprit torturé d'Ender dès son enfance. Je dois avouer que c'est la victime la plus à plaindre de ce petit drame. Apprendre que votre frère garde une telle image de vous, au lieu de vous aimer pour ce que vous êtes... Bref, il est clair que la patience de la Vieille Valentine – elle déteste ce nom, mais c'est comme cela que tout le monde la voit, et qu'elle-même se voit, la pauvre –, il est clair que sa patience est vraiment mise à rude épreuve.

— Mais si la première Valentine est toujours vivante, qui est la nouvelle Valentine ? dit Wang-mu, perplexe. Qui est-elle vraiment ? Vous pouvez être Peter parce que le vrai Peter est mort et que personne ne porte son nom, mais...

— C'est étonnant, non ? Mais là où je voulais en venir, c'est que mort ou non, je ne suis pas Peter Wiggin. Comme je l'ai dit plus tôt, je ne suis pas moi-même. »

Il se renversa dans le fauteuil et fixa le plafond. L'holo-gramme qui planait au-dessus de l'ordinateur se tourna vers lui. Il n'avait pas touché aux commandes.

« Jane est avec nous, dit Wang-mu.

— Elle est toujours avec nous, dit Peter. C'est l'espion d'Ender. »

L'hologramme se mit à parler. « Ender n'a pas besoin d'espions. Il a besoin d'amis, s'il en trouve. Ou du moins, d'alliés. »

Peter tendit négligemment la main vers l'ordinateur pour l'éteindre. L'hologramme disparut.

Cet incident perturba Wang-mu. Comme si Peter venait de gifler un enfant. Ou de battre un serviteur. « Jane est une personne trop noble pour mériter un tel manque de respect.

— Jane est un programme d'ordinateur avec un défaut dans le disque dur. »

Il était d'humeur sombre, ce garçon qui était venu l'enlever à bord de son vaisseau spatial pour lui faire quitter La Voie. Mais quoi qu'il en fût, une fois l'holo-gramme disparu, elle comprenait ce qu'elle venait de voir. « Ce n'est pas uniquement parce que vous êtes si jeune et que les hologrammes de Peter Wiggin l'Hégé-mon sont ceux d'un homme mûr, dit Wang-mu.

— Quoi ? dit-il, d'un ton impatient. Qu'est-ce qui n'est pas quoi ?

— La différence physique entre vous et l'Hégémon.

— Et c'est quoi alors ?

— Il a un air... satisfait.

— Il a conquis le monde.

— Et lorsque vous aurez accompli la même chose, vous aurez cet air-là ?

— Je suppose que oui. C'est là le but de ma vie. C'est la mission pour laquelle Ender m'a désigné.

— Ne me mentez pas. Au bord de la rivière vous m'avez parlé des terribles choses que j'avais accomplies au nom de mon ambition. J'étais ambitieuse, je le recon-nais, j'avais désespérément besoin de m'élever au-dessus de ma modeste condition. J'en connais le goût, l'odeur, et je la sens sur vous. On dirait l'odeur du goudron un jour de chaleur. Oui, vous puez l'ambition.

— L'ambition aurait-elle une odeur ?

— Au point de me faire tourner la tête. »

Il sourit, puis toucha le joyau qu'il avait à l'oreille. « Rappelez-vous que Jane nous écoute, et qu'elle répète tout à Ender. »

Wang-mu se tut, mais pas parce qu'elle était mal à l'aise. Elle n'avait simplement plus rien à dire.

« Donc, je suis ambitieux. Mais c'est ainsi qu'Ender m'a imaginé. Ambitieux, retors et cruel.

— Mais je croyais que vous n'étiez pas vous-même... »

Une lueur de défi passa dans ses yeux. « Exact. » Il se détourna. « Désolé, Gepetto, mais je ne peux pas être un véritable petit garçon. Je n'ai pas d'âme. »

Elle n'avait pas bien saisi le nom qu'il avait prononcé, mais elle comprenait le mot âme. « Pendant toute mon enfance j'ai été conditionnée à accepter mon statut de servante. À ne pas avoir d'âme. Et puis un jour, on s'est aperçu que j'en avais bel et bien une. À ce jour, cela ne m'a pas rendue plus heureuse.

— Je ne suis pas en train de parler d'un quelconque concept religieux. Je parle de l'aiúa. Je n'en possède pas. Rappelez-vous ce qui est arrivé au corps mutilé de Miro lorsque son aiúa l'a abandonné.

— Mais vous ne tombez pas en poussière, vous avez donc bien un aiúa.

— Non, c'est lui qui m'a. Je continue à exister parce que l'aiúa, dont la volonté irrésistible m'a créé, continue de m'imaginer. D'avoir besoin de moi, de me contrôler, d'être ma volonté.

— Ender Wiggin ?

— Mon frère, mon créateur, mon bourreau, mon dieu, mon être même.

— Et la jeune Valentine ? Elle aussi ?

— Ah, mais elle, il l'aime. Il est fier d'elle. Il est content de l'avoir créée. Moi, il me déteste. Et pourtant c'est sa volonté qui me fait dire toutes ces choses déplaisantes. Lorsque je me montre sous mon côté le plus méprisable, souvenez-vous que je ne fais que ce que mon frère m'ordonne de faire.

— Ainsi, vous l'accusez de...

— Je ne l'accuse pas, Wang-mu. Je ne fais qu'exprimer la pure vérité. Sa volonté contrôle désormais trois corps. Le mien, celui de mon angélique et impossible sœur, et son propre corps de vieillard fatigué. Chaque aiúa de mon corps reçoit de lui ses ordres et sa place. Je suis, en tout état de cause, Ender Wiggin. Sauf qu'il m'a créé pour être l'acteur de toutes les pulsions qu'il craint et déteste en lui. Son ambition – oui, c'est en effet son ambition que vous pouvez sentir lorsque vous sentez la mienne. Son agressivité. Sa rage. Sa méchanceté. Sa cruauté. Ce sont les siennes, pas les miennes, parce que en ce qui me concerne, je suis mort, et de toute manière je n'ai jamais été comme ça, tel qu'il me voyait. La personne que vous avez devant vous est un déguisement, un leurre ! Je suis un souvenir corrompu. Un rêve méprisable. Un cauchemar. Le monstre sous le lit, c'est moi. Il m'a tiré du chaos pour être la terreur de son enfance.

— Dans ce cas, ne soyez rien de tel. Si vous ne voulez pas être ce que vous dites, ne le devenez pas. »

Il soupira puis ferma les yeux. « Puisque vous êtes si intelligente, pourquoi n'avez-vous pas compris un traître mot de ce que je viens de vous dire ? »

Elle avait pourtant bien compris. « Quelle est votre volonté, après tout ? Personne ne la voit. Vous n'entendez pas ses pensées. Vous ne pouvez savoir ce qu'est votre véritable volonté qu'après coup, quand vous faites le bilan de votre vie.

— C'est la blague la plus cruelle qu'il m'ait faite, dit Peter d'une voix douce, les yeux toujours fermés. Je passe ma vie en revue, et je n'y vois que les souvenirs qu'il a imaginés. Il a été arraché à notre famille lorsqu'il n'avait que cinq ans. Que peut-il savoir de moi ou de ma vie ?

— Il a écrit *L'Hégémon*.

— Ce livre. Oui, fondé sur les souvenirs de Valentine tels qu'elle les lui a racontés. Ainsi que les documents publics de mon extraordinaire carrière. Et bien sûr les quelques bribes de conversation entre Ender et mon double avant que je... qu'il disparaisse. Je n'ai que quelques semaines d'existence, et pourtant je peux citer *Henri IV*. Owen Glendower se vantant devant Hotspur. Henry Percy. Comment puis-je connaître cela ? Quand suis-je allé à l'école ? Combien de nuits blanches ai-je passées à lire de vieilles pièces de théâtre pour mémoriser des répliques entières ? Est-ce qu'Ender a fourni à ce corps toute l'éducation qu'avait reçue son frère ? Toutes ses pensées intimes ? Ender n'a connu le vrai Peter Wiggin que lors de ses cinq premières années. Les souvenirs que je possède ne sont pas ceux d'une vraie personne. Ce sont ceux qu'Ender pense que je devrais avoir.

— Il pense que vous devriez connaître Shakespeare, donc vous le connaissez ? demanda-t-elle, dubitative.

— Si seulement il ne s'agissait que de Shakespeare. Les grands écrivains, les grands philosophes. Si seulement il s'agissait là des seuls souvenirs présents en moi. »

Elle s'attendait à ce qu'il lui énumère la liste de ces souvenirs. Mais il se contenta de frissonner.

« Mais si Ender vous contrôle vraiment... alors vous êtes lui. C'est en cela que vous êtes vous-même. Vous êtes Andrew Wiggin. Vous avez un aiúa.

— Je suis le cauchemar d'Andrew Wiggin. Je représente le dégoût qu'il a pour lui-même. Je suis tout ce qu'il craint et déteste en lui. Voilà le scénario qu'on m'a donné. Et c'est celui que je dois suivre. »

Il serra le poing, puis écarta à demi les doigts, faisant de sa main une griffe. Le tigre à nouveau. Et l'espace d'un instant, Wang-mu eut peur de lui. Mais un instant seulement. Il relâcha ses doigts. Un ange passa. « Quel rôle votre scénario prévoit-il pour moi ?

— Je ne sais pas, dit Peter. Vous êtes très futée. Bien plus que moi, j'espère. Bien que je sois tellement imbu de moi-même que j'ai du mal à imaginer que l'on puisse être plus futé que moi. Un bon conseil m'est donc d'autant plus nécessaire que je ne pense pas en avoir besoin.

— Vous tournez autour du pot.

— Cela fait partie de ma cruauté. Je vous torture avec ma conversation. Mais peut-être suis-je censé aller beaucoup plus loin. Peut-être suis-je supposé vous torturer et vous tuer comme je me rappelle l'avoir fait jadis avec des écureuils. Peut-être suis-je censé traîner votre corps encore vivant dans les bois pour vous écarteler entre quatre arbres et vous découper en lamelles, guettant le moment où les mouches viendront pondre leurs œufs dans votre chair. »

Elle eut un haut-le-cœur en visualisant la scène. « J'ai lu le livre. Je sais que l'Hégémon n'était pas un monstre !

— Ce n'est pas le Porte-Parole des Morts qui m'a créé Dehors. C'était Ender, le petit garçon effrayé. Je ne suis pas le Peter Wiggin qu'il a si sagement décrit dans le livre. Je suis le Peter Wiggin qui lui donnait des cauchemars. Celui qui dépeçait les écureuils.

— Il vous a vu faire ça ?

— Non, pas moi, s'énerva-t-il. Et il n'a pas vu l'autre le faire non plus. C'est Valentine qui le lui a dit plus tard. Elle a trouvé le corps de l'écureuil dans les bois près de la maison de leur enfance à Greensboro, Caroline du Nord, dans le continent nord-américain, sur Terre. Mais cette image était si nette dans ses cauchemars qu'il a décidé de me la faire partager. Je vis avec ces souvenirs. Sur un plan intellectuel, je ne pense pas que le vrai Peter Wiggin ait été réellement cruel. Il était studieux et très cultivé. Il n'a eu aucune compassion pour l'écureuil parce qu'il ne ressentait rien pour lui. Ce n'était qu'un simple animal. Sans plus d'importance qu'une feuille de salade. Le découper ne lui semblait sans doute pas plus immoral que de préparer une salade. Mais ce n'était pas ainsi qu'Ender s'en souvenait, ce n'est donc pas ainsi que je m'en souviens.

— Et comment vous en souvenez-vous ?

— Comme pour mes autres prétendus souvenirs. D'un point de vue extérieur. En m'observant avec une terrible fascination alors que je me complais avec délice dans la cruauté. Tous ces souvenirs antérieurs à ma naissance, lorsque Ender était Dehors... dans chacun d'entre eux, je me vois à travers les yeux de quelqu'un d'autre. C'est une sensation très bizarre, croyez-moi.

— Mais maintenant ?

— Maintenant je ne me vois plus du tout. Parce que je n'ai plus de moi. Je ne suis pas moi-même.

— Mais vous vous rappelez. Vous avez des souvenirs. Cette conversation par exemple, vous vous en souvenez déjà. Rien qu'en me regardant. Vous en êtes sûrement capable.

— Oui, je me souviens de vous. Et je me souviens d'être ici et de vous voir. Mais il n'y a aucun moi derrière ce regard. Je me sens stupide et las, même lorsque je suis aussi brillant et astucieux que je sais l'être. »

Il esquissa un sourire charmeur et Wang-mu remarqua à cet instant la différence qui séparait Peter de l'hologramme de l'Hégémon. C'était comme il l'avait dit : même lorsqu'il se dénigrait, les yeux de ce Peter Wiggin lançaient les éclairs d'une rage intérieure. Il était dangereux. Cela se voyait tout de suite. Lorsqu'il plongeait ses yeux dans les vôtres, on devinait qu'il cherchait quand et comment vous tuer.

« Je ne suis pas moi-même, répéta Peter.

— Vous dites cela pour vous maîtriser, dit Wang-mu, certaine d'avoir vu juste. C'est une sorte de mantra pour vous empêcher de faire ce que vous désirez. »

Peter soupira et se pencha jusqu'à appuyer sa tête sur l'ordinateur, son oreille collée sur la froide surface en plastique.

« Que désirez-vous ? dit-elle, craignant la réponse.

— Fichez le camp.

— Pour aller où ? Il n'y a qu'une seule pièce dans votre beau vaisseau.

— Ouvrez la porte et sortez.

« — Vous avez l'intention de me tuer ? De m'envoyer dans l'espace, où je serai congelée avant même d'avoir le temps d'étouffer ? »

Il se redressa et la considéra avec étonnement. « L'espace ? »

Sa stupéfaction la rendit perplexe à son tour. Où pouvaient-ils bien être sinon dans l'espace ? C'était là qu'étaient censés aller les vaisseaux spatiaux, dans l'espace.

Sauf celui-ci, bien entendu.

Constatant qu'elle commençait à comprendre, il s'esclaffa.

« Ah, ça, vous êtes bien la lumière annoncée, ils ont remodelé La Voie tout entière pour avoir votre génie ! »

Elle préféra ignorer la pique.

« Je m'attendais à ce qu'il y ait une sensation de mouvement. Ou quelque chose de ce genre. Nous sommes-nous déplacés ? Sommes-nous déjà arrivés ?

— Le temps d'un clin d'œil. Nous sommes passés Dehors puis de nouveau Dedans, mais à un autre endroit, en si peu de temps que seul un ordinateur pourrait évaluer la durée du voyage. Jane a accompli cela avant la fin de notre conversation. Avant que je vous adresse la parole.

— Mais alors où sommes-nous ? Qu'y a-t-il derrière la porte ?

— Nous sommes au milieu des bois quelque part sur la planète Vent Divin. L'air y est respirable. Vous ne gèlerez pas. C'est l'été à l'extérieur. »

Elle s'avança vers la porte et abaissa la poignée, ce qui relâcha le sas hermétique. La porte s'ouvrit sans difficulté. La lumière du soleil pénétra dans la pièce.

« Vent Divin, dit-elle. J'en ai entendu parler – ce devait être une planète shintoïste, tout comme La Voie devait être taoïste. Toute la pureté de la culture japonaise traditionnelle. Mais je ne crois pas qu'elle soit aussi pure de nos jours.

— Pour être plus précis, c'est la planète sur laquelle Andrew, Jane et moi-même avons senti – si l'on peut admettre que je puisse ressentir des émotions autres que celles d'Ender – que ce monde risquait d'être le lieu du pouvoir central des planètes contrôlées par le Congrès. L'endroit où se trouvaient les décideurs. Le pouvoir derrière le trône.

— Pour les renverser et dominer la race humaine ?

— Pour arrêter la Flotte lusitanienne. La domination de la race humaine n'est prévue que pour un peu plus tard sur notre calendrier. La Flotte lusitanienne est pour l'instant notre urgence. Il ne nous reste que quelques semaines avant que la flotte n'arrive ici et n'utilise le Petit Docteur, le Dispositif DM, pour réduire Lusitania en poussière. Pendant ce temps, et parce que Ender et les autres s'attendent à me voir échouer, ils sont en train de se dépêcher de construire ces petits vaisseaux en fer-blanc pour transporter le maximum de Lusitaniens – humains, piggies, et doryphores – vers d'autres planètes inhabitées mais habitables. Ma chère sœur Valentine – la jeune – est partie avec Miro – dans son corps tout neuf – afin de trouver d'autres planètes aussi vite que leur vaisseau le leur permettra. C'est un vaste projet. Ils ont tous parié sur mon... sur notre échec. Essayons de les décevoir.

— Les décevoir ?

— En réussissant. Nous devons réussir. Trouvons le pouvoir central de la race humaine et essayons de les convaincre d'arrêter la flotte avant qu'elle ne détruise inutilement une planète. »

Wang-mu lui lança un regard dubitatif. Les persuader d'arrêter la flotte ? Ce garçon cruel à l'esprit tordu ? Comment pourrait-il persuader qui que ce soit d'accomplir quoi que ce soit ?

Comme s'il lisait dans ses pensées, il répondit à son doute non formulé. « Vous comprenez pourquoi je vous ai proposé de venir avec moi ? Lorsque Ender m'a inventé, il a oublié qu'il ne connaissait rien de la période de ma vie où je persuadais des gens de se regrouper en alliances variables – enfin, ce genre de bêtise. Par conséquent, le Peter Wiggin qu'il a créé est tellement méchant, ouvertement ambitieux et cruel, qu'il n'irait même pas conseiller à quelqu'un ayant le cul irrité de se gratter. »

Elle détourna de nouveau les yeux.

« Vous voyez ? dit-il. Je ne cesse de vous offenser. Regardez-moi. Vous comprenez mon dilemme ? Le vrai Peter, l'original, lui seul aurait pu accomplir la tâche qui m'a été assignée. Il aurait pu le faire les yeux fermés. Il aurait déjà un plan en tête. Il aurait conquis le cœur des gens, les aurait rassurés, se serait faufilé jusque dans leurs conseils. L'autre Peter Wiggin ! Il pourrait retirer le dard d'une abeille en lui faisant du charme. Mais moi ? En suis-je capable ? J'en doute. Car, voyez-vous, je ne suis pas moi-même. »

Il se leva de son siège, passa devant elle sans ménagement, et quitta la cabine métallique qui les avait transportés d'un monde à l'autre pour prendre pied sur la prairie environnante. Wang-mu se retrouva sur le pas de la porte à le regarder s'éloigner – mais pas trop – du vaisseau.

Je pense comprendre ce qu'il peut ressentir, pensa-t-elle. Je sais ce que c'est que de devoir immerger sa volonté dans celle des autres. De vivre à leur place, comme s'ils tenaient les premiers rôles dans le film de votre vie et que vous n'étiez qu'un second couteau. J'ai été esclave. Mais au moins, pendant tout ce temps, je savais qui j'étais. Je savais ce que je pensais vraiment, même lorsque je faisais ce que l'on me demandait, quel que soit le prix à payer pour obtenir ce que je voulais d'eux. Peter Wiggin, en revanche, ne sait pas vraiment ce qu'il veut, car même la frustration que lui inspire son manque de liberté n'est pas la sienne, c'est aussi celle d'Andrew Wiggin. Même son dégoût de lui-même est celui d'Andrew et...

Et tout cela tournait en rond, comme le chemin qu'il était en train de suivre, le nez en l'air, dans la prairie.

Wang-mu pensait à sa maîtresse – ou plutôt, à son ancienne maîtresse – Qing-Jao. Elle aussi dessinait des motifs étranges. C'était ce que les dieux lui ordonnaient de faire. Non, c'est une façon de penser dépassée. C'était ce que son problème compulsif obsessionnel la poussait à faire. S'asseoir à même le sol et suivre les motifs du bois de chaque planche, suivre une même ligne sur toute sa longueur, et répéter ce geste ligne après ligne. Cela ne rimait à rien, et pourtant elle devait s'y résoudre car c'était grâce à cette seule soumission, aussi abrutissante que dépourvue de sens, qu'elle pouvait se libérer en partie de ses pulsions. Qing-Jao, elle, a toujours été esclave ; moi, non. Car le maître qui la contrôlait opérait de l'intérieur de son esprit. Alors que j'avais toujours mon maître en face de moi, de sorte que mon être profond n'a jamais été atteint.

Peter Wiggin sait qu'il est contrôlé par les peurs et les passions inconscientes d'un homme complexe se trouvant à des années-lumière de lui. Qing-Jao, de son côté, pensait que les dieux étaient à l'origine de ses obsessions. À quoi bon se répéter que ce qui vous contrôle vient de l'extérieur, si vous le ressentez au plus profond de vous-même ? Comment le fuir ? Comment s'en cacher ? Qing-Jao devait être libre désormais, délivrée par le virus porteur que Peter avait apporté avec lui sur La Voie pour le remettre à Han Fei-Tzu. Mais Peter... quelle liberté pouvait-il espérer ?

Et pourtant il faut qu'il vive comme s'il était libre. Il doit lutter pour sa liberté, même si cette lutte elle-même est une autre manifestation de son esclavage. Une part de lui veut être lui-même. Non, pas lui-même. Un être.

Alors quel est mon rôle dans tout cela ? Dois-je accomplir un miracle et lui donner un aiúa ? Je n'en ai pas le pouvoir.

Et pourtant je possède un pouvoir, pensa-t-elle.

Elle devait avoir un pouvoir, sinon pourquoi lui aurait-il parlé si librement ? Tout étranger qu'il était, il s'était confié à elle sans hésiter. Pourquoi ? Parce qu'elle était dans le secret, certainement, mais il y avait autre chose.

Ah, bien sûr. Il pouvait lui parler librement parce qu'elle n'avait jamais connu Andrew Wiggin. Peut-être que Peter n'était rien d'autre qu'une facette d'Ender, tout ce qu'Ender craignait et détestait en lui-même. Mais elle ne pouvait pas les comparer. Quoi que puisse être Peter, et quel que soit celui qui le contrôlait, elle était sa confidente.

Ce qui faisait d'elle, une fois de plus, la servante d'un autre. Elle avait aussi été la confidente de Qing-Jao.

Elle frissonna, comme pour se débarrasser de la triste comparaison. Non, se dit-elle. Ce n'est pas pareil. Parce que ce jeune homme vagabondant parmi les fleurs sauvages n'a aucune emprise sur moi ; il se borne à me faire part de sa douleur en espérant que je vais le comprendre. Quoi que je lui donne, ce sera de mon plein gré.

Elle ferma les yeux et appuya la tête contre l'encadrement de la porte. Oui, je le lui donnerai de mon plein gré, pensa-t-elle. Mais que pourrais-je bien lui donner ? Eh bien, exactement ce qu'il attend de moi – ma loyauté, mon dévouement, mon aide dans toutes les tâches qu'il doit accomplir. M'immerger en lui. Mais pourquoi suis-je en train d'anticiper tout ce que je vais faire ? Parce que malgré les doutes qui le rongent, il a le pouvoir de rallier les hommes à sa cause.

Elle ouvrit de nouveau les yeux, puis alla le rejoindre dans les hautes herbes. Il la vit et demeura silencieux alors qu'elle s'approchait de lui. Des abeilles bourdonnaient autour d'elle, des papillons virevoltaient dans l'air, l'évitant malgré leur vol apparemment désordonné. Au dernier moment, elle tendit la main pour attraper une abeille qui butinait une fleur et referma sa main sur elle, puis, brusquement – avant qu'elle ne la pique –, la jeta au visage de Peter.

Surpris et agacé, il agita les bras pour éloigner l'abeille agressive, se baissa pour l'éviter, et fit quelques pas en courant jusqu'à ce qu'elle se désintéresse de lui pour retourner vers les champs de fleurs. Il put alors se tourner vers Wang-mu, furieux.

« Pourquoi avez-vous fait ça ? »

Elle gloussa – sans pouvoir s'en empêcher. Il avait eu l'air si ridicule.

« C'est ça, marrez-vous. Je sens que vous allez être de charmante compagnie.

— Fâchez-vous, je m'en moque, dit Wang-mu. Je vais vous dire quelque chose. Vous croyez que là-bas, sur Lusitania, l'aiúa d'Ender s'est dit : "Oh, une abeille !" et vous a poussé à la faire partir en vous débattant comme un clown ? »

Il roula des yeux. « Comme vous êtes futée ! Ah ça, mademoiselle Mère Royale de l'Ouest, on peut dire que vous avez réglé tous mes problèmes ! Je m'aperçois enfin que j'ai toujours été un véritable garçon ! Et pendant tout ce temps, ces chaussons rouges avaient le pouvoir de me ramener au Kansas !

— Quel Kansas ? demanda-t-elle, en regardant ses chaussures, qui n'étaient pas rouges du tout.

— Un souvenir de plus qu'Ender et moi partageons. »

Il resta là à la considérer, les mains dans les poches.

Elle demeura silencieuse elle aussi, les mains croisées devant elle, lui retournant son regard.

« Alors vous êtes avec moi ? lui demanda-t-il enfin.

— Il faudra que vous fassiez un effort pour ne pas être méchant avec moi.

— Il faudra voir ça avec Ender.

— Je me moque de savoir quels aiúas vous contrôlent. Vous avez quand même vos propres pensées, et elles sont différentes de celles d'Ender – vous avez eu peur de l'abeille, alors qu'il ne pensait même pas à une abeille à ce moment-là, vous le savez très bien. Donc, quelle que soit la partie de vous qui contrôle le reste, ou quel que soit votre vrai « vous », c'est cette bouche qui se trouve là, sous votre nez, qui va m'adresser la parole. Et si vous voulez que l'on travaille ensemble, vous avez intérêt à être aimable avec moi.

— Alors plus de bataille d'abeilles ? demanda-t-il.

— C'est d'accord.

— C'est mieux comme ça. Avec ma chance, Ender m'aura donné un corps allergique aux piqûres d'abeille.

— Il peut aussi être très dangereux pour les abeilles. »

Il esquissa un sourire. « Je commence à vous apprécier. Et je ne suis pas certain que cela me plaise. »

Il se dirigea vers le vaisseau. « Allez, venez ! lui cria-t-il. Voyons voir quelles informations Jane peut nous donner sur la planète que nous sommes supposés envahir. »

2

« Tu ne crois pas en Dieu »

« Lorsque je suis le chemin des dieux dans les bois,
Mes yeux suivent chaque courbe du grain,
Mais mon corps suit les planches en ligne droite,
Ainsi ceux qui m'observent peuvent voir que
le chemin des dieux est droit,
Alors que j'erre dans un monde sans ligne droite. »
Murmures Divins de Han Qing-Jao

Novinha ne voulait pas le rejoindre. La brave vieille enseignante semblait sincèrement chagrinée en expliquant cela à Ender. « Elle n'est pas fâchée, expliqua-t-elle. Elle m'a dit que... »

Ender acquiesça, comprenant le dilemme de l'enseignante prise entre sa compassion envers lui et son honnêteté. « Vous pouvez me rapporter ses paroles. Après tout, c'est ma femme, je suis en mesure de supporter ça. »

La vieille enseignante roula des yeux. « Je suis moi-même mariée, vous savez. »

Bien sûr qu'il le savait. Tous les membres de l'Ordre des Enfants de L'Esprit du Christ – Os Filhos da Mente de Cristo – étaient mariés. C'était la règle.

« Je suis mariée, je sais donc parfaitement que votre épouse est la seule personne qui connaisse les mots que vous ne supportez pas d'entendre.

— Alors permettez-moi de m'exprimer autrement, énonça Ender d'un ton affable. C'est ma femme, je suis donc prêt à entendre ce qu'elle a dit, que je le supporte ou non.

— Elle dit qu'elle doit terminer le désherbage et qu'elle n'a pas de temps à consacrer à des luttes de moindre importance. »

Oui, c'était bien de Novinha. Elle pouvait se convaincre d'avoir pris le manteau du Christ sur ses épaules, mais dans ce cas c'était le Christ qui dénonçait les Pharisiens, qui disait toutes ces choses cruelles et sarcastiques aux ennemis comme aux amis, et non cet homme doux à la patience sans limites.

N'empêche qu'Ender n'était pas homme à capituler parce que son amour-propre avait été touché. « Alors qu'attendons-nous ? demanda-t-il. Dites-moi où je peux trouver une binette. »

La vieille enseignante le fixa un long moment, puis sourit et le guida jusqu'aux jardins. Un peu plus tard, muni de gants et une binette à la main, il se tenait au bout de la rangée dans laquelle Novinha travaillait. Courbée sous les rayons du soleil, les yeux rivés au sol, elle coupait les racines des mauvaises herbes en les retournant pour qu'elles se dessèchent sous le soleil brûlant. Elle venait dans sa direction.

Ender gagna la rangée de mauvaises herbes qui longeait celle de Novinha, puis se mit à biner en avançant vers elle. Ils ne se croiseraient pas, mais passeraient très près l'un de l'autre. Elle le remarquerait ou non. Elle lui parlerait ou non. Elle l'aimait toujours et avait encore besoin de lui. Ou non. Mais quoi qu'il en soit, à la fin de la journée il aurait arraché les mauvaises herbes dans le même champ que sa femme, sa présence aurait rendu son travail moins pénible, et il serait ainsi toujours son mari, si réticente soit-elle à le voir tenir ce rôle aujourd'hui.

La première fois qu'ils se croisèrent, elle ne prit même pas la peine de lever les yeux. Mais cela n'était pas vraiment nécessaire. Elle pouvait deviner sans même le regarder que celui qui venait l'aider à désherber si peu de temps après qu'elle avait refusé de voir son mari devait fatalement être son mari. Il savait qu'elle le saurait, comme il savait qu'elle était trop fière pour le regarder et lui montrer qu'elle avait envie de le revoir. Elle allait garder les yeux rivés sur les mauvaises herbes jusqu'à s'en rendre presque aveugle, parce que Novinha n'était pas du genre à se plier à la volonté de qui que ce soit.

Sauf bien entendu à celle de Jésus. Tel était le message qu'elle lui avait envoyé, le message qui l'avait amené ici, bien résolu à lui parler. Un bref message formulé dans le langage de l'Église. Elle se séparait de lui pour servir le Christ parmi les Filhos. Elle s'était sentie désignée pour accomplir cette tâche. Il devait considérer qu'il n'avait plus aucune obligation envers elle, et n'attendre rien d'autre d'elle que ce qu'elle était prête à donner à tout enfant de Dieu. C'était un message froid, malgré toute la douceur du style.

Ender n'était pas non plus du genre à se plier facilement à la volonté d'autrui. Au lieu d'obéir à ce message, il avait décidé de venir ici, bien résolu à faire le contraire de ce qu'elle lui avait demandé. Et pourquoi pas, après tout ? Ce n'était pas la première fois que Novinha prenait les décisions. Chaque fois qu'elle choisissait d'agir pour le bien de quelqu'un d'autre, elle finissait par le détruire malgré elle. Comme Libo, son ami d'enfance et amant secret, le père de tous les enfants qu'elle avait eus pendant son mariage avec cet homme violent mais stérile, qui était resté son mari jusqu'à sa mort. Craignant qu'il ne meure, comme son père, entre les mains des pequeninos, Novinha lui avait caché le résultat vital de ses recherches sur la biologie de Lusitania de peur que cela ne le tue. En fait, c'était cette ignorance qui l'avait mené à sa mort. Ce qu'elle avait voulu faire pour son bien et à son insu avait fini par le tuer.

On aurait pu croire qu'elle en aurait tiré une leçon, pensa Ender. Mais elle continue à agir de la même manière. À prendre des décisions qui pèsent sur la vie des autres, sans les consulter, sans même se poser la question de savoir s'ils désirent vraiment être sauvés du malheur dont elle est censée les délivrer.

Et si elle s'était contentée d'épouser Libo, si elle lui avait dit dès le départ tout ce qu'elle savait, il serait probablement encore vivant et Ender n'aurait jamais épousé sa veuve ni aidé celle-ci à élever son plus jeune enfant. C'était la seule famille qu'Ender ait jamais eue ou puisse espérer avoir. Si malheureuses qu'aient pu être les décisions de Novinha, il devait la plus belle partie de sa vie à l'une de ses plus fatales erreurs de jugement.

Au deuxième passage, Ender se rendit compte que dans son obstination, elle ne lui parlerait pas ; aussi, comme d'habitude, il céda le premier et rompit le silence.

« Les Filhos sont mariés, tu sais. Le mariage fait partie des institutions de cet ordre. Tu ne pourras pas en faire partie sans moi. »

Elle abandonna son travail un instant. Le tranchant de sa binette se posa sur le sol sans l'entamer, le manche à l'abandon dans ses doigts gantés. « Je peux désherber les betteraves sans toi », dit-elle enfin.

Il se sentit soulagé d'avoir réussi à briser le mur de silence qu'elle avait dressé. « Non, répliqua-t-il. Puisque je suis là.

— Tu te trouves sur les pommes de terre. Je ne peux pas t'empêcher de désherber les pommes de terre. »

Ils ne purent s'empêcher d'éclater de rire, puis elle se redressa en laissant échapper un gémissement, lâcha la binette, et prit la main d'Ender dans la sienne. Ce contact le fit frissonner, malgré les deux épaisseurs de gants de jardinage qui séparaient leurs paumes et leurs doigts. « Si je profane de mon contact..., commença Ender.

— Pas de Shakespeare, l'interrompit-elle. Pas de "lèvres pareilles à deux pèlerins rougissants".

— Tu me manques, reprit-il.

— Il faudra t'y habituer.

— Ce n'est pas nécessaire. Si tu rejoins les Filhos, moi aussi. »

Elle s'esclaffa.

Ender n'aimait pas qu'elle se moque ainsi de lui. « Si une xénobiologiste peut quitter un monde de souffrances inutiles, pourquoi un vieux Porte-Parole des Morts à la retraite ne pourrait-il pas en faire autant ?

— Andrew, dit-elle, je ne suis pas ici parce que j'ai renoncé à la vie. Je suis ici parce que j'ai réellement offert mon cœur au Rédempteur. Ce dont tu seras toujours incapable. Tu n'as rien à faire ici.

— Si tu y es, j'ai toutes les raisons d'y être moi aussi. Nous avons prêté serment. Fait une promesse solennelle à laquelle la Sainte Église ne nous laissera pas renoncer. Au cas où tu l'aurais oublié. »

Elle lâcha un soupir et son regard s'égara au-delà des murs du monastère, vers le ciel. Au-delà des murs, des prairies, par-delà une barrière, une colline, dans les bois... là où le grand amour de sa vie, Libo, était parti, là où il était mort. Où Pipo, le père de celui-ci, qui avait été pour elle comme son propre père, était parti mourir lui aussi. C'était dans un autre bois que son propre fils, Estevão, avait trouvé la mort à son tour, mais Ender comprenait en la voyant que lorsqu'elle contemplait le monde extérieur, celui-ci lui rappelait toutes ces morts. Deux d'entre elles avaient eu lieu avant l'arrivée d'Ender sur Lusitania. Mais en ce qui concernait la mort d'Estevão... elle avait supplié Ender de le dissuader d'aller dans les zones dangereuses où les pequeninos parlaient de faire la guerre et de tuer les humains. Elle savait aussi bien qu'Ender qu'arrêter Estevão l'aurait tué tout aussi sûrement car il n'était pas devenu prêtre pour trouver une sécurité, mais pour aller prêcher le message du Christ à ces créatures qui ressemblaient à des arbres. Quelle qu'ait pu être la joie des premiers martyrs chrétiens, Estevão avait certainement dû ressentir une émotion semblable alors qu'il mourait lentement, enlacé par un arbre meurtrier. Quel qu'ait été le réconfort que Dieu leur avait envoyé au moment du sacrifice suprême. Mais aucune joie de ce type n'était venue réconforter Novinha. Dieu n'avait manifestement pas étendu les bienfaits de ses services à ses proches parents. Et dans sa rage et sa douleur, elle avait accusé Ender. Pourquoi l'avait-elle épousé, si ce n'était pour qu'il la protège de pareilles catastrophes ?

Il ne lui avait jamais dit ce qui était l'évidence même, à savoir que si quelqu'un devait être tenu pour responsable, c'était Dieu, et non lui. Après tout Dieu avait fait des saints – ou presque – de ses parents, morts en découvrant l'antidote du virus de la descolada lorsqu'elle était encore enfant. Et c'était sans nul doute Dieu qui avait guidé Estevão pour aller porter la bonne parole chez les pequeninos les plus dangereux. Pourtant, dans sa douleur, c'était vers Dieu qu'elle s'était tournée, tout en s'éloignant d'Ender qui, lui, ne voulait que son bien.

Il ne le lui avait jamais dit, car il savait qu'elle ne l'aurait pas écouté. Et puis, elle voyait les choses différemment. Si Dieu lui avait enlevé son père, sa mère, Pipo, Libo, et enfin Estevão, c'était parce qu'Il avait voulu la punir de ses péchés. Mais si Ender n'avait pas réussi à empêcher Estevão de partir effectuer cette mission suicide chez les pequeninos, c'était parce qu'il s'était montré aveugle, entêté, rebelle, et parce qu'il ne l'aimait pas assez.

Pourtant il l'aimait. Il l'aimait de tout son cœur.

De tout son cœur ?

De la partie qu'il connaissait, en tout cas. Car quand ses secrets les plus enfouis avaient été révélés, lors de ce premier voyage Dehors, ce n'était pas Novinha que son cœur avait fait apparaître. Apparemment, il y avait quelqu'un d'autre qui lui importait davantage.

De toute façon, il ne pouvait pas contrôler ce qui se passait dans son subconscient – pas plus que Novinha. Tout ce qu'il pouvait contrôler c'était ce qu'il faisait lui-même, et ce qu'il faisait en ce moment même, c'était montrer à Novinha que malgré ses efforts pour le repousser, il ne s'en irait pas. Et elle pouvait toujours s'imaginer qu'il aimait davantage Jane, ou le rôle qu'il tenait dans les grandes tâches de l'humanité. C'était elle qu'il aimait plus que tout. Il était prêt à tout abandonner pour elle. Il resterait cloîtré derrière les murs d'un monastère pour elle. Il désherberait des rangées entières de plantes inconnues en pleine chaleur. Pour elle.

Mais même cela n'était pas suffisant. Elle voulait qu'il agisse non pour elle, mais pour le Christ. Eh bien, dommage. Il n'était pas marié au Christ, et elle non plus. Et puis, qu'un homme et une femme se donnent entièrement l'un à l'autre n'allait pas vraiment contrarier Dieu. Après tout, cela faisait partie de ce que Dieu attendait des humains.

« Tu sais, je ne t'en veux pas pour la mort de Quim, dit-elle, utilisant le surnom donné à Estevão par la famille.

— Je l'ignorais. Mais je suis content de l'apprendre.

— Je t'en ai voulu au début, mais je savais bien que ce n'était pas raisonnable. Il est parti parce qu'il le voulait, et il était suffisamment grand pour ne pas se laisser dicter sa conduite par des parents possessifs. Je n'ai pas su le retenir, comment y serais-tu arrivé ?

— Je ne le souhaitais même pas. Je voulais qu'il y aille. C'était l'aboutissement de toute sa vie.

— Ça aussi, je le sais désormais. C'est juste. Comme il était juste qu'il parte, comme il était juste qu'il meure, car sa mort représentait quelque chose. Non ?

— Elle a permis de sauver Lusitania d'un holocauste.

— Et a poussé de nombreux fidèles vers le Christ. » Elle s'esclaffa, de son ancien rire, ce rire ironique qu'il avait fini par apprécier d'autant plus qu'il était devenu rare. « Des arbres pour Jésus, dit-elle. Qui aurait pu le croire ?

— On l'appelle déjà saint Stephen des Arbres.

— C'est un peu prématuré. Il faut du temps. Il doit d'abord être béatifié. Puis des guérisons miraculeuses auront lieu sur sa tombe. Fais-moi confiance, je sais de quoi je parle.

— Les martyrs ne courent pas les rues de nos jours. Il sera béatifié. Puis canonisé. Les gens iront prier pour qu'il leur serve d'intermédiaire avec Jésus, et cela marchera, parce que si quelqu'un a le droit d'être écouté par Jésus, c'est bien ton fils. »

Des larmes coulèrent le long de sa joue alors même qu'elle s'était remise à rire. « Mes parents ont été des martyrs, ils deviendront des saints ; mon fils aussi. La piété a sauté une génération.

— C'est vrai, la tienne a été une génération d'hédonisme égoïste. »

Elle se retourna enfin pour lui faire face, lui offrant le spectacle de ses joues ruisselantes de larmes, de son visage souriant, de ses yeux pétillants qui lisaient au plus profond de son cœur. La femme qu'il aimait.

« Je ne regrette pas mon adultère, dit-elle. Comment le Christ peut-Il me pardonner, alors que je ne me suis même pas repentie ? Si je n'avais pas couché avec Libo, mes enfants ne seraient pas venus au monde. Dieu ne peut tout de même pas être contre cela ?

— Je crois que Jésus a dit ceci : « Moi, le Seigneur, je pardonnerai à ceux à qui je pardonnerai. Mais vous, vous devez pardonner à tous les hommes.

— Plus ou moins. Je ne suis pas experte en Saintes écritures. » Elle tendit la main et lui caressa la joue. « Tu es si fort, Ender. Mais tu as l'air fatigué. Comment peux-tu être fatigué ? L'univers de l'humanité dépend encore de toi. Du moins la race humaine tout entière. Tu appartiens donc à ce monde. Pour le défendre. Mais tu es fatigué.

— De l'intérieur, oui. Tu m'as vidé de la substance vitale qui me restait.

— Comme c'est étrange. Je pensais plutôt que je t'avais débarrassé du cancer qui te rongeait.

— Tu as du mal à comprendre ce que les autres veulent de toi et ce dont ils ont besoin, Novinha. Personne ne le peut. Nous risquons tous de blesser ceux que nous essayons d'aider.

— C'est pour cela que je suis ici, Ender. J'en ai assez de prendre les décisions. Je me suis fiée à mon propre jugement. Puis, je me suis fiée à toi. Je me suis fiée à Libo, à Pipo, à Père, à Mère, à Quim, et à chaque fois ils m'ont déçue, ou ils sont partis, ou encore... non, je sais bien que tu n'es pas parti, et je sais que ce n'est pas toi qui... oh, écoute-moi Andrew, écoute-moi. Le problème n'était pas ceux en qui j'avais confiance, le problème était que je leur faisais confiance quand aucun être humain au monde ne pouvait me donner ce dont j'avais besoin. Et vois-tu, j'avais besoin de délivrance. J'avais besoin... j'avais besoin de rédemption. Et tu ne peux pas me l'apporter – ces mains généreuses me donnent plus que ce que tu me dois, Andrew, mais toujours est-il que tu ne peux me donner ce dont j'ai besoin. Seul mon Sauveur, seul Celui-Qui-Est-Sacré peut me donner cela. Tu comprends ? La seule façon que ma vie vaille la peine d'être vécue est de la Lui offrir. Voilà où j'en suis.

— À faire du désherbage.

— À séparer les mauvaises herbes des bonnes, je crois. Les gens auront de meilleures pommes de terre parce que j'aurai enlevé les mauvaises herbes. Je n'ai pas besoin d'être d'une quelconque importance ou de me faire remarquer pour être satisfaite de ma vie. Pourtant, tu viens ici me rappeler que même ma quête de bonheur finira tôt ou tard par blesser quelqu'un.

— Ça ne se produira pas. Parce que je t'accompagne. Je vais rejoindre les Filhos avec toi. C'est un ordre qui impose le mariage et nous sommes mariés. Sans moi tu ne peux pas les rejoindre, et tu as besoin de les rejoindre. Avec moi, tu le pourras. Peut-on faire plus simple ?

— Plus simple ? » Elle secoua la tête. « Que tu ne croies pas en Dieu, ce n'est pas un problème peut-être ?

— Mais je crois en Dieu moi aussi ! protesta Ender.

— Tu es sans doute prêt à admettre l'existence de Dieu, mais ce n'est pas ce que je voulais dire par là. Je parlais de croire en Lui comme lorsqu'une mère dit à son fils qu'elle croit en lui. Elle ne veut pas dire par là qu'elle croit en son existence – quel intérêt ? Ce qu'elle veut dire c'est qu'elle croit en son avenir, qu'elle est convaincue qu'il accomplira tout ce qu'il y a de bon en lui. Elle lui met son avenir entre les mains, voilà comment elle croit en lui. Tu ne peux pas croire au Christ comme tu le fais, Andrew. Tu crois toujours en toi-même. Et aux autres. Tu as envoyé tes représentants, ces enfants que tu as créés lors de ton séjour en enfer... tu es peut-être avec moi entre ces murs, en cet instant, mais ton cœur est là-bas, explorant de nouvelles planètes et essayant d'arrêter la flotte. Tu ne laisses rien à Dieu. Tu ne crois pas en Lui.

— Excuse-moi, mais si Dieu veut tout faire lui-même, pourquoi nous a-t-Il créés ?

— En effet, je crois me souvenir qu'un de tes parents était un hérétique ; c'est sans doute de là que tu tiens toutes ces idées saugrenues. » C'était une vieille plaisanterie entre eux, mais cette fois ni l'un ni l'autre n'eut envie de rire.

« Je crois en toi, dit Ender.

— Mais c'est Jane que tu écoutes. »

Il plongea la main dans sa poche pour lui montrer ce qu'il venait d'y trouver. C'était un bijou, que prolongeaient quelques fils d'une extrême finesse. Comme un organisme palpitant qui aurait été arraché à la vie de son habitat délicat dans les profondeurs de la mer. Elle le contempla un instant, sans comprendre, puis se rendit compte de ce que c'était et regarda l'oreille qui avait porté le joyau le reliant à Jane pendant toutes ces années, Jane l'ordinateur devenu vivant, celle qui avait été sa plus vieille, plus chère et plus fidèle compagne.

« Andrew, non, pas pour moi, tu n'y penses pas.

— Je ne peux pas vraiment dire que ces murs me coupent du monde, pas tant que Jane pouvait me parler à l'oreille. Je lui en ai parlé. Je lui ai expliqué. Elle me comprend. Nous sommes toujours amis, mais nous ne sommes plus des compagnons.

— Oh, Andrew... » Laissant couler ses larmes, Novinha le prit dans ses bras et le serra contre elle. « Si seulement tu avais fait cela quelques années plus tôt, ou même quelques mois.

— Je ne crois peut-être pas au Christ comme toi. Mais n'est-ce pas suffisant que je croie en toi, et toi en Lui ?

— Ta place n'est pas ici, Andrew.

— Elle l'est plus qu'ailleurs, puisque tu y es. Ce n'est pas tant une lassitude du monde que j'éprouve, qu'un manque de motivation, Novinha. J'en ai assez de prendre des décisions. J'en ai assez d'essayer de tout résoudre.

— Nous sommes en train d'essayer de résoudre quelque chose ici même, dit-elle en se reculant.

— Mais ici nous pouvons être, non pas l'esprit, mais les enfants de l'esprit. Nous pouvons être les mains et les pieds, les lèvres et la langue. Nous pouvons agir, mais nous n'avons aucun pouvoir de décision. » Il se mit à genoux, puis s'assit à même le sol, au milieu de jeunes pousses qui le chatouillaient. Il porta ses mains sales à son visage et se frotta les yeux, ce en quoi il ne fit que rajouter de la boue sur de la terre.

« Oh, je voudrais tant te croire, Andrew, tu sais si bien t'y prendre. Tu as donc décidé de ne plus être le héros de ta propre aventure ? Ou est-ce là une autre de tes ruses ? Devenir le serviteur de tous pour pouvoir être le meilleur d'entre nous ?

— Tu sais, je n'ai jamais cherché l'excellence, je ne l'ai d'ailleurs jamais atteinte.

— Oh, Andrew, tu es un tel fabulateur que tu finis par croire en tes propres contes de fées. »

Ender plongea son regard dans le sien. « Je t'en prie, Novinha, laisse-moi vivre ici avec toi. Tu es ma femme. Ma vie n'a aucun sens si je dois te perdre.

— Nous vivons ici comme mari et femme, mais nous ne faisons pas... enfin, tu sais bien...

— Je sais que les Filhos désavouent les relations sexuelles. Je suis ton mari. Si je dois me passer de relations sexuelles, autant que ce soit avec toi. » Il eut un sourire désabusé.

Celui qu'elle lui retourna n'exprimait que tristesse et compassion.

« Novinha, reprit-il, ma propre vie ne m'intéresse plus. Tu peux comprendre cela ? La seule vie qui m'intéresse dans ce monde, c'est la tienne. Si je devais te perdre, qu'est-ce qui pourrait me retenir ici ? »

Il n'était pas certain de ce qu'il cherchait à dire. Les mots étaient venus spontanément. Mais il savait en les formulant qu'il ne cherchait pas à s'apitoyer sur son sort, mais plutôt à voir la vérité en face. Non qu'il ait envisagé le suicide, l'exil ou toute autre solution dramatique. Il avait plutôt l'impression de s'effacer. De lâcher prise en quelque sorte. Lusitania lui paraissait de moins en moins réelle. Valentine était toujours ici, sa chère sœur, son amie, solide comme un roc, menant une vie tout ce qu'il y avait de réel, mais elle ne lui paraissait pas réelle, puisqu'elle n'avait pas besoin de lui. Plikt, la disciple dont il n'avait jamais vraiment voulu, avait peut-être besoin de lui, mais pas de la réalité qui était sienne, seulement de l'idée qu'elle s'en faisait. Qui d'autre y avait-il ? Les enfants de Novinha et de Libo, ces enfants qu'il avait élevés comme les siens, qu'il aimait toujours, même s'ils étaient désormais adultes et n'avaient plus besoin de lui. Jane, qu'il avait pour ainsi dire détruite à cause d'une heure d'inattention de sa part, elle non plus n'avait plus besoin de lui, puisqu'elle se trouvait maintenant dans les joyaux que Miro et Peter portaient à l'oreille...

Peter. La jeune Valentine. D'où venaient-ils ? Ils lui avaient pris son âme lorsqu'ils étaient partis. Ils accomplissaient ce qu'il aurait dû lui-même accomplir à une certaine époque. Alors qu'il patientait sur Lusitania... à se sentir lâcher prise. Voilà ce qu'il cherchait à dire. S'il perdait Novinha, qu'est-ce qui pourrait bien le lier au corps qu'il avait traîné dans l'univers pendant des milliers d'années ?

« La décision ne dépend pas de moi, dit Novinha.

— Elle dépend de toi si tu souhaites que je t'accompagne comme membre des Filhos da Mente de Cristo. Si tu le souhaites, je pense pouvoir franchir les autres obstacles. »

Elle eut un rire mauvais. « Les obstacles ? Pour les hommes comme toi, les obstacles sont de simples pierres de gué.

— Les hommes comme moi ?

— Oui, comme toi. Ce n'est pas parce que je n'en ai pas rencontré d'autres ; ni parce que Libo, aussi grand qu'ait pu être mon amour pour lui, n'a jamais été aussi vivant dans toute une vie que tu peux l'être en l'espace d'une minute ; ni parce que je me suis mise à aimer en adulte pour la première fois lorsque je t'ai aimé ; ni parce que tu m'as manqué plus que mes propres enfants, mes parents ou les autres amours disparus de ma vie ; ni parce que je ne peux pas rêver de quelqu'un d'autre que toi... ce n'est pas pour ça qu'il n'existe pas quelque part une autre personne comme toi. L'univers est vaste. Tu ne peux tout de même pas être unique à ce point, non ? »

Il passa une main à travers les plants de pommes de terre pour la poser sur sa cuisse. « Alors tu m'aimes toujours ? demanda-t-il.

— C'est pour cela que tu es ici ? Pour savoir si je t'aime toujours ? »

Il acquiesça. « En partie.

— Je t'aime, dit-elle.

— Alors je peux rester ? »

Elle éclata en sanglots. Puis se laissa tomber à terre. Il se rapprocha d'elle pour la prendre dans ses bras, sans se soucier des feuilles qu'il écrasait. Après qu'il l'eut serrée contre lui un long moment, elle cessa de pleurer, puis l'étreignit à son tour avec autant d'énergie.

« Oh, Andrew, murmura-t-elle, des sanglots dans la voix. Dieu m'aime-t-il assez pour te rendre enfin à moi, au moment où j'ai tant besoin de toi ?

— Jusqu'à ma mort.

— Je connais bien ce passage, dit-elle. Mais je prie le ciel pour que cette fois ce soit moi qui parte la première. »

3

« NOUS SOMMES TROP NOMBREUX »

« Laissez-moi vous raconter la plus belle histoire que je connaisse.
On avait donné à un homme un chien que celui-ci adorait.
Le chien l'accompagnait partout,
mais l'homme n'avait pu lui apprendre à faire quoi que ce soit d'utile.
Le chien refusait d'aller chercher ou de tomber en arrêt,
il ne courait pas, ne le protégeait pas, ne gardait pas la maison.
Au lieu de cela, il s'asseyait à côté de lui et l'observait, avec la même
expression indéfinissable.
« Ce n'est pas un chien, c'est un loup », dit sa femme.
« C'est le seul qui me soit fidèle », répondit l'homme,
et sa femme n'aborda plus jamais le sujet avec lui.
Un jour l'homme emmena le chien dans son avion particulier.
Alors qu'il survolait les hautes montagnes enneigées,
les moteurs tombèrent en panne
et l'avion s'écrasa dans les arbres.
L'homme était allongé, baignant dans son sang,
le ventre ouvert par des lames de métal en charpie,
ses entrailles fumant dans l'air glacial,
mais sa seule et unique pensée fut pour son chien fidèle.
Était-il vivant ? Était-il blessé ?
Vous imaginez son soulagement lorsqu'il vit son chien s'approcher
et le regarder de ce même regard profond.
Quelques instants plus tard le chien renifla ses entrailles,
puis se mit à sortir les intestins, la rate et le foie
pour les dévorer,
tout en observant le visage de l'homme.
« Dieu merci, dit l'homme.
L'un de nous deux au moins ne mourra pas de faim. »
Murmures Divins de Han Qing-jao

De tous les vaisseaux voyageant à la vitesse de la lumière Dehors puis Dedans sous le contrôle de Jane, seul celui de Miro ressemblait à n'importe quel autre vaisseau, pour la simple raison qu'il s'agissait de l'ancienne navette qui transportait jadis des passagers et du fret vers les grands vaisseaux se trouvant sur l'orbite de Lusitania. Maintenant que les vaisseaux pouvaient aller instantanément d'une planète à l'autre, il n'y avait plus besoin d'équipements de survie, ni même de carburant, et comme Jane devait garder en mémoire une image précise des structures de chaque vaisseau, plus ils étaient simples, plus cela lui était facile. En effet, on pouvait difficilement continuer à les appeler des véhicules. Ils se résumaient désormais à de simples cabines, dépourvues de hublots, pratiquement sans équipement, aussi vides qu'une salle de classe réduite à sa plus simple expression. Les habitants de Lusitania les appelaient maintenant des encaixarse, ce qui en portugais signifiait « entrer dans la boîte » ou littéralement, « s'enfermer dans la boîte ».

Miro, quant à lui, était parti explorer de nouvelles planètes pouvant accueillir les trois espèces intelligentes, à savoir les humains, les pequeninos et les reines. Pour cela il avait besoin d'un vaisseau traditionnel, car bien que circulant toujours de planète en planète grâce au raccourci instantané de Jane pour aller Dehors, il ne pouvait pas toujours espérer arriver sur une planète dont l'air était respirable. Du coup, Jane avait l'habitude de l'envoyer en orbite autour des planètes choisies, pour qu'il puisse observer, analyser, et se poser uniquement sur les plus prometteuses afin de définir si, oui ou non, elles offraient toutes les conditions nécessaires à une implantation.

Il ne voyageait jamais seul. Cela représentait trop de travail pour un seul homme, et il avait besoin de vérifier plutôt deux fois qu'une tout ce qu'il faisait. Pourtant, de tous les travaux sur Lusitania, celui-ci était le plus dangereux, car il ne savait jamais quelle menace l'attendait derrière la porte du vaisseau lorsqu'il débarquait sur une nouvelle planète. Miro avait toujours considéré que sa vie était sacrifiable. Plusieurs années durant, prisonnier d'un corps ravagé par des lésions cérébrales, il avait voulu mourir ; puis, lorsque son premier voyage Dehors lui permit de recréer un corps possédant la perfection de la jeunesse, il considéra que chaque moment, chaque heure, chaque jour de sa vie était un cadeau qu'il ne méritait pas. Il n'allait pas la gâcher, mais il n'allait pas non plus reculer s'il fallait la risquer pour le bien des autres. Mais avec qui pouvait-il partager sa propre indifférence ?

La jeune Valentine avait été conditionnée pour obéir, dans tous les sens du terme, semblait-il. Miro l'avait vue venir au monde en même temps que lui. Elle n'avait pas de passé, pas de famille, aucun lien avec quelque monde que ce soit, sauf à travers Ender, son créateur, et Peter, né en même temps qu'elle. Elle était reliée, dans une certaine mesure, avec la Valentine d'origine, la « vraie Valentine », ainsi que la jeune Val l'appelait, mais ce n'était un secret pour personne : la vraie Valentine n'avait pas le moindre désir de passer ne serait-ce qu'un seul instant avec cette jeune beauté, dont la propre existence la narguait. De plus, la jeune Val avait été créée selon l'image vertueuse que s'en était fait Ender. Non seulement elle n'avait aucune famille, mais elle était authentiquement altruiste, et aurait volontairement donné sa vie pour aider quelqu'un. Ainsi, chaque fois que Miro entrait dans la navette, la jeune Val était là, dans son rôle de compagne, d'assistante dévouée, et de soutien permanent.

Mais ce n'était pas son amie. Car Miro savait parfaitement ce qu'elle était réellement : un déguisement d'Ender. Pas une femme. Son amour et sa loyauté étaient tout simplement ceux d'Ender. Ils étaient souvent mis à l'épreuve, on pouvait s'y fier, mais au bout du compte c'étaient ceux d'Ender et non les siens. Rien en elle ne lui était propre. Ainsi, même si Miro s'était habitué à elle, riant et blaguant avec elle comme il ne l'avait jamais fait avec quiconque, il ne partageait pas ses confidences, et s'interdisait envers elle tout autre sentiment que la camaraderie. Si elle avait remarqué une certaine distance, elle n'en avait rien dit ; si elle en souffrait, cela ne se voyait pas.

Ce qui se voyait, c'était le plaisir qu'elle avait lorsqu'ils réussissaient quelque chose, et son insistance à vouloir aller plus loin. « Nous ne pouvons pas passer une journée entière par planète », avait-elle dit dès le départ. Elle avait d'ailleurs confirmé ses propos en s'en tenant à un emploi du temps strict qui leur permettait de faire trois voyages dans la même journée. Ils revenaient ensuite sur Lusitania, plongée alors dans un paisible sommeil ; ils dormaient dans la navette et ne parlaient aux colons que pour leur faire part des éventuels problèmes qu'ils pourraient rencontrer sur une des planètes visitées ce jour-là. Par ailleurs, ils ne suivaient cet emploi du temps que les jours où ils tombaient sur des planètes viables. Lorsque Jane les envoyait sur une planète impropre – une zone marine, par exemple, ou dépourvue de biotope –, ils poursuivaient leur route sans délai, vérifiant la planète suivante, et ainsi de suite, allant parfois jusqu'à en visiter cinq ou six, lors de ces journées déprimantes où rien ne semblait fonctionner comme ils le souhaitaient. Val les poussait au bout de leurs limites d'endurance, jour après jour, et Miro acceptait cela d'elle parce qu'il savait que c'était nécessaire.

Sa véritable amie, en revanche, n'avait pas de forme humaine. Pour lui, elle logeait dans la pierre qu'il portait à l'oreille. Jane, le chuchotement qu'il avait dans la tête dès le réveil, l'amie qui entendait tout ce qu'il exprimait à voix basse, qui connaissait ses propres besoins avant lui. Jane, qui partageait toutes ses pensées et tous ses rêves, qui l'avait accompagné toute sa vie lorsqu'il était handicapé, et guidé Dehors pour y renaître. Jane, sa plus fidèle amie, qui allait bientôt mourir.

Telle était la limite imposée. Jane allait mourir, et dès lors le voyage instantané dans l'espace prendrait fin, car personne d'autre ne possédait la puissance mentale capable d'envoyer autre chose qu'une simple balle Dehors avant de la ramener Dedans. La mort de Jane était inévitable, pas de cause naturelle, mais parce que le Congrès Stellaire, ayant découvert l'existence d'un programme subversif pouvant, sinon contrôler, du moins avoir accès à n'importe lequel de leurs ordinateurs, avait décidé de fermer, de déconnecter et de vider tous leurs réseaux informatiques. Elle commençait déjà à ressentir la douleur que lui procurait la fermeture de certains réseaux désormais inaccessibles. Un jour ou l'autre, les codes chargés de la déconnecter instantanément et défi- nitivement finiraient par être déclenchés. Et ce jour-là, tous ceux n'ayant pu être envoyés sur une des quatre planètes se retrouveraient bloqués sur Lusitania, à atten- dre sans défense que la Flotte lusitanienne, qui se rap- prochait chaque jour davantage, vienne les détruire.

Une triste histoire, dans laquelle Miro, malgré toute sa bonne volonté, ne pouvait empêcher la mort de son amie la plus chère. Ce qui, il le savait bien, était une des raisons pour lesquelles il ne voulait pas sympathiser outre mesure avec Val – il aurait été en effet déloyal de s'attacher à quelqu'un d'autre, sachant qu'il ne restait à Jane que quelques semaines, voire quelques jours à vivre.

La vie de Miro était donc une routine de travail sans fin et de concentration intense. Il devait étudier les résul- tats des recherches des appareils de la navette, analyser des photographies aériennes, piloter vers des zones dan- gereuses encore inexplorées, pour finalement – mais trop rarement – ouvrir la porte et respirer une atmo- sphère étrangère. À la fin de chaque voyage, il n'y avait pas le temps de s'apitoyer, se réjouir, ou même se repo- ser : il refermait le sas, faisait son rapport, et Jane les ramenait sur Lusitania, où tout pouvait recommencer.

Ce retour, cependant, fut légèrement différent. Lorsque Miro ouvrit la porte, il ne trouva pas Ender, son père adoptif, ni les pequeninos qui, en général, leur préparaient à manger, ni les dirigeants de la colonie avides de nouvelles, mais ses frères Ohaldo et Grego, sa sœur Elanora, ainsi que la sœur d'Ender, Valentine. La vieille Valentine était présente ? alors qu'elle était sûre de tomber sur sa jeune et indésirable copie ? Miro repéra immédiatement le regard qu'échangèrent Valentine et Val, sans que leurs yeux se croisent vraiment, avant qu'elles ne détournent la tête pour ne pas se voir davantage. Mais était-ce là la vraie raison ? Val évitait peut-être le regard de Valentine parce qu'elle voulait, en toute bonne foi, ne pas risquer de l'offenser. Si elle avait eu le choix, nul doute que Val aurait préféré s'éloigner plutôt que de blesser Valentine. Mais en l'espèce, il ne lui restait qu'à se montrer la plus discrète possible.

« Pourquoi cette réunion ? demanda Miro. Est-ce que Mère est malade ?

— Non, tout le monde va bien, dit Ohaldo.

— Sauf peut-être sur le plan psychologique, rajouta Grego. Mère est complètement dingue, et Ender suit le même chemin. »

Miro acquiesça en souriant. « Laissez-moi deviner. Il l'a suivie chez les Filhos ? »

Grego et Ohaldo regardèrent aussitôt la pierre à l'oreille de Miro.

« Non, Jane ne m'a rien dit, expliqua Miro. Mais je connais bien Ender. Il tient à son mariage.

— Peut-être, mais ça laisse un vide au niveau du commandement, dit Ohaldo. Non que chacun ne fasse son travail comme il le doit. Tout fonctionne à merveille. Mais nous avions l'habitude de nous tourner vers Ender lorsque quelque chose n'allait pas. Si tu vois ce que je veux dire.

— Je vois très bien ce que tu veux dire. Et tu peux en parler devant Jane. Elle sait parfaitement qu'elle sera déconnectée dès que le dispositif du Congrès Stellaire sera en place.

— C'est un peu plus compliqué que cela, dit Grego. Beaucoup ne sont pas au courant du danger que court Jane – pour la bonne raison que certains ignorent encore jusqu'à son existence. Mais ils n'ont pas besoin d'être des génies en mathématiques appliquées pour deviner que même à plein régime, il lui sera impossible d'évacuer tous les humains de Lusitania avant l'arrivée de la flotte. Et je ne parle pas des pequeninos. Ils savent donc très bien que si la flotte n'est pas arrêtée, une partie d'entre eux devront rester ici et attendre la mort. Certains disent même que nous avons déjà assez perdu de temps avec les arbres et les insectes. »

Les « arbres » faisaient évidemment référence aux pequeninos qui, d'ailleurs, ne déplaçaient pas les arbres-pères et les arbres-mères, et les « insectes » renvoyaient à la Reine qui, elle non plus, n'utilisait pas la place disponible pour envoyer un grand nombre d'ouvrières dans l'espace, bien qu'il y eût sur chacune des planètes colonisées un contingent de pequeninos ainsi qu'une reine accompagnée d'une poignée d'ouvrières pour la mise en place. Peu importait que ce fût la reine de chaque colonie qui produisait les ouvrières chargées de mettre en route l'agriculture ; peu importait que, les pequeninos n'emmenant pas d'arbres avec eux, au moins un couple par groupe dût être « planté » – en d'autres termes, mourir à petit feu et dans la douleur pour qu'un arbre-père et un arbre-mère puissent prendre racine et maintenir le cycle de vie des pequeninos. Tout le monde savait – Grego plus que tout autre, pour y avoir été mêlé de très près – que sous cette surface bien polie se jouait une compétition entre espèces.

Cela ne concernait pas seulement les humains. Tandis que sur Lusitania les pequeninos dépassaient les humains en nombre, sur les colonies ces derniers étaient majoritaires. « C'est votre flotte qui vient détruire Lusitania, avait dit Humain, l'actuel chef des arbres-pères. Et même si chaque humain de Lusitania devait trouver la mort, la race humaine continuerait quand même d'exister. En revanche, pour la Reine et pour nous, il ne s'agit ni plus ni moins que de la survie de notre espèce. Nous savons cependant que les humains doivent régner un certain temps sur ces colonies, parce que vous possédez des connaissances et un savoir-faire que nous ne maîtrisons pas encore, parce que vous avez l'habitude de conquérir de nouveaux mondes, et parce que vous pouvez toujours incendier nos forêts. » Ce qu'Humain avait dit en termes raisonnés, exprimant ses réserves de manière très diplomatique, d'autres pequeninos et arbres-pères l'avaient verbalisé avec plus de passion : « Pourquoi devrions-nous laisser ces envahisseurs humains, qui ont apporté avec eux tant de maux, sauver pratiquement toute leur population en laissant la plupart d'entre nous mourir ? »

« Les tensions entre espèces ne datent pas d'aujourd'hui, commenta Miro.

— Mais jusqu'ici Ender était là pour les contenir, répondit Grego. Les pequeninos, la Reine, et la plupart des humains voyaient en Ender un arbitre impartial, quelqu'un en qui ils avaient confiance. Ils savaient tous que tant qu'il était aux commandes, tant que sa voix était entendue, leurs intérêts seraient protégés.

— Ender n'est pas le seul à pouvoir mener à bien cet exode, dit Miro.

— C'est une question de confiance, et non de compétence, intervint Valentine. Les non-humains savent qu'Ender est le Porte-Parole des Morts. Aucun être humain n'a jamais parlé au nom d'une autre espèce comme il l'a fait. Et pourtant les humains savent qu'Ender est le Xénocide. Lorsque la race humaine était menacée par un ennemi, il y a nombre de générations de cela, il a su agir et éviter – comme on le craignait alors – l'extermination totale. Il n'y a pas vraiment de candidat possédant des compétences similaires.

— En quoi cela me concerne-t-il ? demanda abruptement Miro. Personne ne m'écoute ici. Je n'ai aucun contact. Je ne peux certainement pas remplacer Ender, et pour l'instant je suis fatigué et j'ai besoin de dormir. Regardez Val, elle tombe de sommeil. »

C'était vrai ; elle tenait à peine debout. Miro s'approcha d'elle pour la soutenir et elle ne se fit pas prier pour poser la tête sur son épaule.

« Nous ne te demandons pas de prendre la place d'Ender, dit Ohaldo. Nous ne demandons à personne de prendre sa place. Nous voulons qu'il reprenne sa place. »

Miro s'esclaffa. « Et vous croyez que je peux le convaincre ? Vous avez sa sœur, là, à côté de vous ! Qu'elle y aille, elle ! »

Valentine fit la moue. « Il ne voudra pas me voir, Miro.

— Et qu'est-ce qui te fait croire qu'il voudra me voir, moi ?

— Pas toi, Miro. Jane. La pierre que tu portes à l'oreille. »

Miro les regarda, ébahi. « Vous voulez dire qu'Ender a enlevé sa pierre ? »

Il entendit Jane lui murmurer dans l'oreille : « J'ai été très occupée. Je n'ai pas jugé important de te le dire. »

Mais Miro savait à quel point Jane avait été blessée lorsque Ender avait coupé leur contact. Certes, elle avait désormais de nouveaux amis, mais cela ne signifiait pas que ce serait sans souffrance.

Valentine poursuivit : « Si tu pouvais aller le voir et lui demander de parler à Jane... »

Miro secoua la tête. « Il a enlevé la pierre. Ne vois-tu pas que c'est définitif ? Il s'est mis en tête de s'exiler avec Mère. Ender ne revient jamais sur une décision. »

Ils savaient tous que c'était vrai. Comme ils savaient qu'ils n'avaient pas approché Miro dans l'espoir de le voir faire ce qu'on lui demandait, mais plutôt comme un dernier recours. « Alors laissons les choses se tasser, dit Grego. Laissons le chaos s'installer lentement. Et une fois submergés par les guerres interraciales, nous pourrons mourir de honte lorsque la flotte sera là. À mon avis, Jane a plus de chance que nous ; elle sera morte avant l'arrivée de la flotte.

— Remercie-le de ma part, dit Jane à Miro.

— Jane te remercie, transmit Miro. Tu as vraiment un cœur en or, Grego. »

Grego rougit mais ne revint pas sur ce qu'il avait dit.

« Ender n'est pas Dieu, reprit Miro. Il faudra simplement faire de notre mieux sans lui. Mais pour l'instant le mieux que je puisse faire, c'est...

— Dormir, on sait, coupa Valentine. Mais pas à bord du vaisseau cette fois. S'il te plaît. Ça nous fait de la peine de vous voir aussi fatigués, tous les deux. Jakt a ramené le taxi. Il vaut mieux rentrer à la maison et dormir dans un vrai lit. »

Miro se tourna vers Val, toujours appuyée sur son épaule.

« C'est valable pour tous les deux, bien sûr, dit Valentine. Son existence ne me fait pas autant de peine que vous l'imaginez.

— On n'en a jamais douté », dit Val. Elle tendit une main lasse, et ces deux femmes portant le même nom unirent leurs mains. Miro regarda Val se détacher de lui pour saisir la main de Valentine et prendre appui sur elle. Il fut étonné de ce qu'il ressentait. Au lieu de se réjouir de constater que la tension entre les deux femmes était moins importante qu'il ne le croyait, il se surprit à ressentir de la colère. Une colère née de la jalousie, oui, c'était tout à fait ça. C'est sur moi qu'elle s'appuyait, avait-il envie de dire. Une attitude franchement puérile.

Puis, tandis qu'il les regardait s'éloigner, il vit ce qu'il n'aurait pas dû voir – le frisson de Valentine. Une réaction au froid ? La nuit était fraîche, après tout. Non, Miro était convaincu que c'était le contact avec son jeune double, et non l'air frais qui avait provoqué ce frisson chez Valentine.

« Allez, viens, Miro, dit Ohaldo. Nous allons t'emmener en hovercar jusqu'à la maison de Valentine pour te mettre au lit.

— On s'arrête manger en route ?

— Oui, chez Jakt, dit Elanora. Il y a toujours quelque chose à manger là-bas. »

Alors que l'hovercar les transportait jusqu'à Milagre, la ville des humains, ils passèrent devant les douzaines de vaisseaux en service. Les opérations liées à l'émigration se poursuivaient même de nuit. Des stevedores – dont beaucoup étaient des pequeninos – chargeaient les réserves et l'équipement destinés au transport. Des familles faisaient la queue dans l'espoir d'occuper d'éventuelles places libres à bord. Jane ne se reposerait pas ce soir, avec tous les caissons qu'elle avait à transporter Dehors pour les ramener Dedans. Sur d'autres planètes, de nouvelles maisons se construisaient, de nouveaux champs étaient labourés. Faisait-il jour ou nuit, là-bas ? Cela avait peu d'importance. Finalement, c'était déjà une réussite – de nouveaux mondes étaient colonisés, en bien ou en mal, chacun d'entre eux avait sa reine, sa forêt de pequeninos, et son village d'humains.

Si Jane devait mourir aujourd'hui, pensa-t-il, si la flotte devait arriver demain et nous réduire en poussière, comme c'était dans l'ordre des choses, quelle importance après tout ? Les graines ont été semées, certaines d'entre elles pousseront. Et si le voyage à vitesse supraluminique devait mourir avec Jane, ce ne serait peut-être pas plus mal, car cela obligerait chacune de ces planètes à se débrouiller seule. Certaines colonies échoueraient vraisemblablement et finiraient par mourir. Sur d'autres, une guerre finirait par éclater et anéantirait l'une des espèces présentes. Mais ce ne seraient pas les mêmes espèces qui mourraient ou survivraient d'une planète à l'autre ; et sur d'autres, à tout le moins, on apprendrait à vivre en paix. Il ne nous reste plus qu'à régler des points de détail. Que tel ou tel individu survive ou meure est important, certes. Mais moins que la survie de toute une espèce.

Il avait dû formuler ses pensées à voix basse, car Jane lui répondit : « Un programme d'ordinateur est-il forcément sourd et aveugle ? N'ai-je donc pas un cœur et un esprit ? Lorsque tu me chatouilles, est-ce que je ne ris pas ?

— Pour être honnête, non », dit Miro, sans parler à haute voix, mais en bougeant les lèvres pour formuler des mots qu'elle seule pouvait entendre.

« Mais lorsque je mourrai, tous les êtres qui me ressemblent mourront à leur tour, dit-elle. Excuse-moi de donner une dimension cosmique à cet événement. Je n'arrive pas à faire preuve de la même abnégation que toi, Miro. Je ne me considérais pas comme en sursis. J'avais bien l'intention de vivre éternellement, devoir rabaisser mes prétentions est donc une déception.

— Dis-moi ce que je peux faire et je le ferai. S'il le fallait, je serais prêt à donner ma vie pour sauver la tienne.

— Fort heureusement, tu finiras par mourir d'une manière ou d'une autre. C'est là ma seule consolation : en mourant je ne feraique suivre le destin logique de n'importe quelle autre créature vivante. Comme ces arbres à longue vie. Comme les reines qui transmettent leur mémoire de génération en génération. Malheureusement, je n'ai pas de descendance. Comment pourrais-je en avoir ? Je suis une créature de pensée pure. Il n'a pas été prévu d'accouplement mental.

— Et c'est bien dommage, reconnut Miro. Tu serais terrible dans un plumard virtuel.

— La meilleure. »

S'ensuivit un moment de silence.

Ce n'est que lorsqu'ils approchèrent de la maison de Jakt, aux abords de la ville de Milagre, que Jane s'adressa de nouveau à lui. « Rappelle-toi, Miro, que où que soit Ender, lorsque Val parle, il s'agit toujours de l'aiúa d'Ender.

— Il en va de même pour Peter. En voilà un beau parleur. Disons seulement que Val, aussi adorable soit-elle, ne représente pas un point de vue totalement impartial. Ender la contrôle peut-être, mais elle n'est pas Ender.

— Il existe beaucoup trop d'exemplaires de lui, tu ne trouves pas ? dit Jane. Et apparemment, de moi aussi, du moins de l'avis du Congrès Stellaire.

— Nous sommes trop nombreux. Et jamais assez nombreux à la fois. »

Ils arrivèrent à destination. Miro et Val furent guidés à l'intérieur. Ils mangèrent sans grand appétit, puis s'endormirent aussitôt couchés. Miro se rendit compte que des conversations se prolongeaient tard dans la nuit, car il avait du mal à trouver le sommeil, se réveillait régulièrement, trouvant le matelas trop mou, peu confortable, et se sentant un peu coupable d'avoir délaissé son travail, un peu comme un soldat qui aurait abandonné son poste.

Malgré sa fatigue, il ne fit pas la grasse matinée. Le ciel était d'ailleurs toujours sombre malgré la coulée lumineuse de l'aube se profilant à l'horizon. Comme de coutume, il sauta du lit, frissonnant légèrement une fois debout alors qu'un reste de sommeil quittait son corps. Il se couvrit et passa dans le couloir pour aller aux toilettes soulager sa vessie. En sortant, il entendit des voix provenant de la cuisine. Soit la conversation de la veille se poursuivait, soit quelques courageux lève-tôt avaient renoncé à leur solitude matinale pour aller bavarder, contredisant ainsi l'idée que l'aube est l'heure sombre du désespoir.

Il se tenait devant la porte ouverte de sa chambre, prêt à se mettre à l'abri de ces voix trop sérieuses, lorsqu'il s'avisa que l'une d'entre elles était celle de Val. Puis il reconnut l'autre comme étant celle de Valentine. Il retourna sur ses pas et se dirigea vers la cuisine, marquant un temps d'hésitation dans l'encadrement de la porte.

Les deux Valentine étaient bien assises à la table de la cuisine, mais elles ne se faisaient pas face : elles regardaient toutes les deux par la fenêtre en sirotant une des décoctions de fruits de Valentine.

« Tu en veux, Miro ? demanda celle-ci, sans même lui lancer un regard.

— Je n'en voudrais pas sur mon lit de mort. Je n'avais pas l'intention de vous interrompre.

— Tant mieux », dit Valentine.

Val était restée silencieuse.

Miro entra dans la cuisine et alla à l'évier se servir un verre d'eau qu'il but d'un trait.

« Je t'avais bien dit que ce devait être Miro dans la salle de bains, dit Valentine. Personne n'utilise autant d'eau en une journée que ce brave garçon. »

Miro gloussa mais n'entendit pas le rire de Val.

« Je suis bel et bien en train d'interrompre votre conversation, dit-il. Je m'en vais.

— Non, reste, fit Valentine.

— S'il te plaît, ajouta Val.

— Qu'est-ce qui est censé me plaire ? » Miro se tourna vers elle en esquissant un sourire.

Elle poussa une chaise du pied. « Assieds-toi. La dame et moi discutions du problème d'être jumelles.

— Nous étions en train de dire que je me devais de mourir la première.

— Au contraire, dit Val. Nous avons décrété que Gepetto n'avait pas créé Pinocchio pour avoir un vrai fils. C'était bel et bien une poupée qu'il désirait. Cette histoire de petit garçon ne tenait qu'à la paresse de Gepetto. Il voulait que la poupée danse – mais il ne voulait pas s'embêter à installer les fils et à les manipuler.

— Tu serais donc Pinocchio. Et Ender...

— Mon frère ne t'a pas créée volontairement, dit Valentine. Et il ne souhaite pas te contrôler non plus.

— Je le sais bien. » Les yeux de Val s'embuèrent de larmes.

Miro avança la main pour la poser sur la sienne, mais elle la retira. Elle ne voulait pas se dérober à lui, mais simplement chasser de ses yeux ces larmes embarrassantes.

« Je sais bien qu'il couperait les fils s'il le pouvait, dit-elle. Comme Miro l'a fait avec son ancien corps mutilé. »

Miro s'en souvenait parfaitement. Il était assis tranquillement dans le vaisseau, à observer la copie conforme de son double ; et l'instant d'après il devenait cette image, l'avait toujours été, et ce qu'il voyait désormais c'était cette autre version de lui-même, mutilé, brisé et handicapé mental. Puis sous ses yeux, ce corps tellement haï, tellement indésirable s'était réduit en poussière.

« Je ne pense pas qu'il te hait comme j'ai pu haïr mon ancien corps, dit Miro.

— Il n'a pas besoin de me haïr. Et puis, ce n'est pas la haine qui a tué ton ancien corps. » Val évita son regard. Jamais, au cours de toutes les heures passées ensemble à explorer des mondes, ils n'avaient eu une conversation aussi personnelle. Elle n'avait jamais osé parler avec lui de l'instant au cours duquel ils avaient tous deux été créés. « Tu détestais déjà ton ancien corps, mais dès que tu t'es retrouvé dans le nouveau, tu as simplement ignoré l'ancien. Il ne faisait plus partie de toi. Ton aiúa n'avait plus aucune obligation envers lui. Et sans rien pour lui maintenir sa cohérence, il a disparu comme le furet de la comptine.

— D'abord une poupée en bois, maintenant un furet, dit Miro. Que vais-je devenir ensuite ? »

Valentine ignora ce trait d'humour. « Es-tu en train de dire qu'Ender se désintéresse de toi ?

— Il m'admire, dit Val. Mais il me trouve banale.

— Admettons, mais il en va de même pour moi, rétorqua Valentine.

— C'est absurde, dit Miro.

— Vraiment ? fit Valentine. Il ne m'a jamais suivie

nulle part ; c'était toujours moi qui le suivais. Il se cherchait une mission dans la vie, je pense. Quelque tâche hors du commun à accomplir, pour contrebalancer l'acte terrible qui a mis fin à son enfance. Il pensait qu'écrire *La Reine* serait une solution. Et puis, avec mon aide, il a écrit *L'Hégémon*, et il pensait que cela aussi serait une solution, mais il n'en a rien été. Il n'a cessé dès lors de chercher quelque chose qui accaparerait son attention, et n'a cessé d'échouer dans cette quête, ou de n'y arriver que l'espace d'une semaine ou d'un mois, mais une chose était certaine : ce n'était jamais moi qui occupais son attention, parce que je l'ai accompagné sur ces milliards de kilomètres qu'il a parcourus, j'étais là pendant ces trois mille ans. Toutes ces tranches d'histoire que j'ai écrites – ce n'était pas par passion pour l'histoire, mais simplement parce que cela l'aidait dans sa tâche. Comme mes écrits pouvaient aider Peter dans son travail. Et lorsque j'en avais terminé, l'espace de quelques heures de lectures et de débats, j'avais alors toute son attention. Sauf qu'à chaque fois cela devenait de moins en moins valorisant parce que ce n'était pas moi qui l'intéressais, mais les histoires que j'avais écrites. Et puis un jour j'ai rencontré un homme qui m'a offert son cœur sans concession, et je suis restée avec lui. Tandis que mon frère, encore adolescent, a continué sans moi, jusqu'à ce qu'il trouve à son tour une famille qui a accaparé tout son cœur, et on s'est retrouvés à des planètes de distance, mais finalement plus heureux ainsi que durant tout le temps que nous avons passé ensemble.

— Alors pourquoi es-tu revenue vers lui ? demanda Miro.

— Je ne suis pas revenue pour lui, je suis revenue pour toi. » Valentine sourit. « Je suis venue aider un monde menacé de destruction. Mais j'étais heureuse de revoir Ender, même si je savais qu'il ne serait jamais à moi.

— C'est sans doute une description très précise de ce que tu as pu ressentir, dit Val. Mais tu as bien dû, à un moment ou un autre, attirer son attention. J'existe précisément parce qu'il t'a toujours gardée dans son cœur.

— Un fantasme de son enfance, peut-être. Pas moi.

— Regarde-moi, dit Val. Est-ce le corps que tu avais lorsqu'on l'a arraché de chez lui à l'âge de cinq ans pour l'envoyer à l'École de Guerre ? Est-ce même la jeune fille qu'il a rencontrée cet été-là, à côté du lac en Caroline du Nord ? Tu as bien dû attirer son attention même lorsque tu étais plus âgée, parce que l'image qu'il se faisait de toi s'est modifiée pour devenir ce que je suis.

— Tu es telle que j'étais lorsque je travaillais avec lui sur *L'Hégémon*, dit Valentine avec tristesse.

— Étais-tu aussi fatiguée ? demanda la jeune Val.

— Moi, je le suis, dit Miro.

— Mais non, protesta Valentine. Tu es la vigueur incarnée. Tu profites pleinement de ton nouveau corps. Ma jumelle ici présente est déjà fatiguée de vivre.

— L'attention d'Ender a toujours été fluctuante, dit Val. Vois-tu, j'ai en moi tous ses souvenirs – ou plutôt les souvenirs qu'inconsciemment il souhaitait que j'aie, mais bien entendu, ils concernent surtout ce qu'il pouvait se rappeler au sujet de mon amie ici présente ; en d'autres termes, tout ce dont je me souviens, c'est du temps passé avec Ender. Et puis, il avait toujours Jane à l'oreille, les gens dont il racontait la mort, ses élèves, la Reine et son cocon, et tout le reste. Mais c'étaient là des liens typiques de l'adolescence. Tel le héros itinérant d'une épopée classique, il allait d'un endroit à un autre, influençant la vie des autres tout en demeurant lui-même intact. Jusqu'à ce qu'il vienne ici pour se donner entièrement à quelqu'un d'autre. Toi et ta famille, Miro. Novinha. Pour la première fois il donnait aux autres la possibilité de l'atteindre sur un plan émotionnel, ce qui était pour lui une expérience à la fois euphorisante et douloureuse, mais cela aussi il pouvait le gérer ; c'est un homme fort, et les hommes forts peuvent subir pire que cela. Mais il s'agit de tout autre chose aujourd'hui. Nos vies, celle de Peter et la mienne, ne représentent rien sans lui. Dire que lui et Novinha ne font qu'un est une métaphore, mais l'expression prend un sens littéral lorsqu'il s'agit de Peter et de moi. Il est nous. Et son aiúa n'est pas assez grand, ni assez fort, ni en quantité suffisante. Il ne peut répartir équitablement son attention sur trois vies qui dépendent de lui. J'ai compris cela dès que j'ai été... comment dire, créée ? fabriquée ?

— Mise au monde, dit Valentine.

— Tu es un rêve devenu réalité, dit Miro avec une pointe d'ironie.

— Il ne peut s'occuper de nous trois. Ender, Peter, moi. L'un de nous doit disparaître. En tout cas, l'un de nous va mourir. Et ce sera moi. Je l'ai su dès le départ. C'est moi qui vais mourir. »

Miro aurait voulu la rassurer. Mais comment rassurer quelqu'un sans citer des situations semblables ayant connu un dénouement heureux ? Il n'y avait pas d'antécédents dans le cas présent.

« Le problème est que quelle que soit la partie de l'aiúa d'Ender qui est en moi, elle est bien décidée à vivre. C'est pour cela que je suis convaincue qu'il s'intéresse encore à moi : je ne veux pas mourir.

— Dans ce cas, va le voir, dit Valentine. Parle-lui. »

Val lâcha un rire amer et détourna son regard. « S'il te plaît, papa, laisse-moi vivre, dit-elle en imitant la voix d'une petite fille. Si ce n'est pas quelque chose qu'il contrôle consciemment, que pourrait-il faire, à part se sentir coupable ? Et pourquoi devrait-il se sentir coupable ? Si je cesse d'exister, c'est uniquement parce que je n'ai plus d'estime pour moi-même. Il est ce que je suis. Est-ce que les rognures d'ongles sont tristes quand on se sépare d'elles ?

— Mais tu es pourtant en train d'essayer de capter son attention, objecta Miro.

— J'espérais que la quête de planètes colonisables le motiverait. Je me suis donc donnée à fond, en m'efforçant de trouver cela exaltant. Mais en vérité, tout cela n'est que routine. Important certes, mais ça n'en demeure pas moins une routine. »

Miro acquiesça. « C'est vrai. Jane trouve les planètes pour nous. Et nous les exploitons.

— Et nous avons assez de planètes désormais. Assez de colonies. Deux douzaines pour être précise – les pequeninos et les reines ne risquent plus de disparaître, même si Lusitania est détruite. Le problème, c'est le manque de vaisseaux, pas de planètes. Tout le travail que nous accomplissons... cela n'attire plus l'attention d'Ender. Mon corps le sait bien. Il sent qu'on n'a plus besoin de lui. »

Elle prit une touffe de ses cheveux, tira – pas très fort, avec même une certaine douceur – et celle-ci lui resta dans la main. Une grosse touffe de cheveux, sans qu'elle paraisse ressentir la moindre douleur. Elle laissa tomber la mèche sur la table. Elle reposait là, tel un membre arraché, grotesque, impossible. « Je crois, murmura-t-elle, que dans un moment d'étourderie je pourrais en faire autant avec mes doigts. Le processus est plus lent, mais je vais tomber en poussière comme ton vieux corps, Miro. Parce qu'il se désintéresse de moi. Peter est là-bas sur d'autres planètes à résoudre des mystères et à mener des combats politiques. Ender est en train de se battre pour garder la femme qu'il aime. Mais moi, je... »

À cet instant, alors que sa mèche de cheveux exprimait sa misère, sa solitude, son rejet d'elle-même, Miro comprit ce qu'il avait refusé d'admettre jusqu'ici : pendant tout le temps passé à voyager d'une planète à une autre avec elle, il avait fini par l'aimer, et sa tristesse commençait à déteindre sur lui. Peut-être même était-elle un reflet de la sienne au souvenir du dégoût que lui avait inspiré son corps. Mais la raison importait peu, ce qu'il éprouvait lui semblait être autre chose que de la simple compassion. C'était une forme de désir. Oui, c'était bien cela, une manifestation d'amour. Si cette belle jeune femme, intelligente et pleine de sagesse, était rejetée par son propre cœur, celui de Miro était quant à lui suffisamment grand pour prendre le relais. Si Ender ne veut pas être en toi, accorde-moi ce privilège ! cria-t-il en silence, s'avisant au moment même où il formulait cette pensée inédite qu'elle était en lui depuis des jours, des semaines, des mois. Même s'il ne pourrait jamais être pour elle ce qu'Ender avait été.

Et pourtant, l'amour ne pouvait-il pas transformer Val, comme c'était le cas pour Ender ? Cela pourrait-il attirer suffisamment son attention pour la maintenir en vie ? Lui redonner force ?

Miro avança la main pour attraper la mèche de cheveux, la fit passer entre ses doigts, puis la glissa dans la poche de sa tunique. « Je ne veux pas que tu disparaisses », dit-il. Des paroles bien audacieuses dans sa bouche.

Val le considéra d'un air curieux. « Je croyais que le grand amour de ta vie était Ouanda.

— C'est une femme âgée aujourd'hui. Mariée, heureuse, avec une famille. Il serait dommage que le grand amour de ma vie soit une femme qui n'existe plus. Et quand bien même, elle ne voudrait plus de moi.

— C'est gentil de ta part, dit Val. Mais je ne pense pas que nous allons forcer Ender à s'intéresser à moi en faisant semblant de tomber amoureux l'un de l'autre. »

Ses mots eurent l'effet d'un coup de massue : elle avait bien vu que la déclaration de Miro était inspirée par la pitié. Pourtant, ce n'était pas tout à fait le cas ; tout cela était déjà enfoui dans son inconscient, attendant le moment propice pour rejaillir à la surface. « Je ne pensais pas berner qui que ce soit », dit Miro. Si ce n'est moi-même, pensa-t-il. Parce qu'il y a peu de chance que Val puisse m'aimer un jour. Après tout, ce n'est pas vraiment une femme. C'est Ender.

Mais ce raisonnement était absurde. Son corps était celui d'une femme. Et d'où procédaient les sentiments amoureux sinon du corps ? Y avait-il quoi que ce soit de masculin ou de féminin dans l'aiúa ? Avant de contrôler la chair et les os, était-il plutôt homme ou plutôt femme ? Et dans ce cas, cela impliquait-il que les aiúas constituant les atomes et les molécules, les rochers et les étoiles, la lumière et les vents, que tout cet amalgame se ramenait à « garçons d'un côté et filles de l'autre » ? Absurde. L'aiúa d'Ender pouvait très bien être une femme, et pouvait donc aimer comme une femme, de la même manière qu'Ender aimait comme un homme, avec un corps d'homme, la propre mère de Miro. Ce n'était pas par faiblesse que Val le regardait avec pitié. La faiblesse venait de lui. Même avec son corps de nouveau intact, il n'était pas le genre d'homme qu'une femme – du moins cette femme, pour l'instant la plus désirable de toutes – pouvait aimer, ni souhaiter aimer, ni espérer conquérir un jour.

« Je n'aurais pas dû venir », murmura-t-il. Il se leva et s'empressa de quitter la pièce. Il avança à pas rapides dans le couloir pour s'arrêter de nouveau devant la porte de sa chambre. Leurs voix continuaient de lui parvenir.

« Non, ne le suis pas », dit Valentine. Elle ajouta quelque chose à voix basse. Puis continua : « Il possède peut-être un nouveau corps, mais il n'est pas guéri de son propre dégoût. »

Murmure de Val.

« C'est le cœur de Miro qui parlait, lui assura Valentine. C'était très courageux et très honnête de sa part. »

Val parla de nouveau si bas que Miro ne put l'entendre.

« Comment pouvais-tu savoir ? dit Valentine. Il faut que tu te rendes bien compte d'une chose : nous avons fait un long voyage ensemble il n'y a pas si longtemps que cela, et j'ai l'impression qu'il s'est amouraché de moi durant ce vol. »

C'était peut-être le cas. C'était certainement le cas. Miro devait se rendre à l'évidence : ce qu'il ressentait pour Val était ce qu'il avait ressenti pour Valentine, et ses sentiments envers cette femme constamment hors de portée s'étaient reportés sur cette jeune femme qui, elle, était accessible, du moins l'avait-il espéré.

Leurs voix étaient devenues si faibles que Miro ne put entendre le moindre mot. Mais il demeura là, les mains posées sur le montant de la porte, à écouter la mélodie des deux voix, si semblables, et pourtant parfaitement connues de lui. C'était une musique qu'il aurait aimé entendre à l'infini.

« Si quelqu'un dans cet univers ressemble à Ender, c'est bien Miro, dit Valentine en élevant brusquement la voix. Il s'est brisé en essayant de sauver des innocents de la destruction. Il ne s'en est toujours pas remis. »

Elle voulait que j'entende cela, pensa Miro. Elle a parlé à voix haute, sachant pertinemment que j'étais ici, que je l'écoutais. Cette vieille sorcière guettait le bruit qu'allait faire ma porte en se refermant, elle ne l'a pas entendu, elle sait donc que je suis à portée de voix, et elle essaie de me donner un moyen de la percevoir. Mais je ne suis pas Ender, je suis à peine Miro, et en disant cela de moi, elle montre qu'elle ne me connaît pas vraiment.

Une voix lui chuchota à l'oreille. « Il vaut mieux te taire que de continuer à te mentir à toi-même. »

Jane avait bien évidemment tout entendu. Même ses propres pensées, puisque, comme d'habitude, elles se formaient silencieusement sur ses lèvres. Il ne pouvait même pas penser sans bouger les lèvres. Avec Jane collée à son oreille, il passait ses journées en perpétuelle confession.

« Tu aimes donc cette fille, dit Jane. Pourquoi pas, après tout ? Tes raisons se compliquent à cause de tes sentiments envers Ender, Valentine, Ouanda et toi-même. Et alors ? Quel amour a toujours été pur, quel amant dépourvu de complications ? Imagine-la en succube. Tu l'aimeras, et elle te tombera dans les bras. »

La raillerie de Jane l'exaspérait et l'amusait à la fois. Il entra dans sa chambre et referma doucement la porte.

Puis il s'adressa à elle à voix basse. « Tu n'es qu'une salope jalouse, Jane. Tu me veux rien que pour toi.

— J'en suis convaincue, dit-elle. Si Ender m'avait vraiment aimée, il m'aurait donné un corps lorsqu'il était si productif Dehors. Je pourrais alors te jouer la comédie moi aussi.

— Tu as déjà gagné mon cœur telle que tu es.

— Quel menteur tu fais. Je ne suis qu'un agenda – un agenda et une calculatrice parlants, et tu le sais très bien.

— Mais tu es très riche. Je suis prêt à t'épouser pour ton argent.

— Au fait, elle a quand même tort sur un point.

— Ah bon ? Lequel ? » Miro se demandait de qui elle parlait.

« Tu n'en as pas fini avec tes explorations. Qu'Ender s'intéresse à elle ou non – et je crois que c'est le cas, puisque pour l'instant, elle n'a pas été réduite en poussière –, le travail ne va pas s'arrêter parce qu'il y a suffisamment de planètes habitables pour sauver les piggies et les doryphores. »

Jane avait l'habitude d'utiliser ces diminutifs péjoratifs pour les désigner. Miro s'était souvent demandé si elle en avait de semblables pour les humains. Mais il pensait connaître sa réponse à ce sujet : « Le mot humain est déjà péjoratif », dirait-elle.

« Alors que cherchons-nous ? demanda Miro.

— Toutes les planètes que l'on pourra trouver avant ma mort », dit Jane.

Allongé sur son lit, il médita sur ces paroles. Il y réfléchit longuement en se tournant et se retournant, puis se releva, s'habilla et alla faire un tour dans l'aube naissante parmi d'autres lève-tôt, des gens occupés à leurs affaires qui, pour la plupart, ne le connaissaient pas ou ignoraient jusqu'à son existence. Étant un descendant de l'étrange famille Ribeira, il n'avait pas eu d'amis d'enfance au ginásio ; à la fois brillant et timide, il avait encore moins partagé ces amitiés turbulentes d'adolescents au colégio. Son unique petite amie avait été Ouanda, jusqu'à ce que son passage à travers le périmètre hermétique de la colonie humaine ne lui cause des lésions irréversibles au cerveau et qu'il décide de ne plus la revoir. Puis il y avait eu le voyage au cours duquel il avait rencontré Valentine et qui avait eu raison de ce qui restait des liens fragiles entre lui et son monde d'origine. En ce qui le concernait, cela ne représentait que quelques mois dans l'espace, mais lorsqu'il était revenu, des années s'étaient écoulées, et il était désormais devenu le plus jeune fils de sa mère, le seul dont la vie n'avait pas encore débuté. Les enfants qu'il avait jadis surveillés étaient devenus des adultes qui voyaient en lui un tendre souvenir de leur jeunesse. Seul Ender n'avait pas changé. Qu'importaient les années. Qu'importaient les événements. Ender était le même.

Pouvait-il en être encore ainsi ? Était-il toujours le même homme, alors qu'il se cloîtrait dans un monastère en une période de crise, parce que Mère avait baissé les bras face à la vie ? Miro connaissait les grandes lignes de la vie d'Ender. Enlevé à sa famille à l'âge de cinq ans. Envoyé à l'École de Guerre orbitale, où il s'était révélé l'ultime meilleur espoir de l'humanité dans sa guerre contre les envahisseurs sans pitié appelés doryphores. Transféré ensuite à la base de commandement sur Éros, où on lui avait annoncé qu'il était en phase d'apprentissage avancé, mais où il commandait à son insu de véritables flottes se trouvant à des années-lumière, ses ordres étant transmis par ansible. Il avait gagné la guerre grâce à son génie, et sur la fin, grâce à la destruction inconsciente de la planète des doryphores. Et pendant tout ce temps, il avait cru à un jeu.

Cru à un jeu, tout en sachant qu'il s'agissait d'une simulation de la réalité. Au cours du jeu, il avait choisi de commettre l'innommable ; cela impliquait, du moins pour Ender, qu'il n'était pas dénué de remords lorsque le jeu s'était avéré bien réel. Bien que la dernière Reine lui eût pardonné et se fût placée – alors dans son cocon

– entre ses mains, il n'avait pu se débarrasser de ce sentiment. Il n'était qu'un enfant qui avait accompli ce que les adultes l'avaient poussé à faire ; mais au fond de lui-même, il savait qu'un enfant n'en demeure pas moins une personne à part entière, que ses actes sont bien réels, que même un jeu d'enfant n'est pas dénué de valeurs morales.

C'est ainsi qu'avant le lever du soleil, Miro se retrouva face à Ender, alors que tous deux se dirigeaient vers un banc de pierre qui serait baigné par la lumière du soleil quelques instants plus tard, mais qui pour le moment était encore enveloppé par le froid matinal. Et Miro ne trouva rien d'autre à dire à cet homme intact et inébranlable que : « Qu'est-ce que c'est que cette histoire de monastère, Andrew Wiggin, à part une façon lâche et déloyale de te crucifier ?

— Toi aussi tu m'as manqué, Miro, dit Ender. Mais tu m'as l'air fatigué. Tu as besoin de te reposer. »

Miro lâcha un soupir et secoua la tête. « Ce n'est pas ce que je voulais dire. J'essaye simplement de te comprendre. Vraiment. Valentine dit que je te ressemble.

— Tu parles de la vraie Valentine ?

— Elles sont toutes les deux vraies.

— Eh bien, si je te ressemble, regarde-toi bien et dis-moi ce que tu vois. »

Miro l'observa en se demandant s'il pensait vraiment ce qu'il disait.

Ender lui donna une petite tape sur le genou. « Je ne suis plus vraiment indispensable là-bas, dit-il.

— Je suis sûr que tu n'en crois rien.

— Je pense que si, et en ce qui me concerne, cela me suffit. Je t'en prie, ne me retire pas mes dernières illusions. Je n'ai pas encore pris mon petit déjeuner.

— Non, tu es en train de tirer un avantage d'être séparé en trois parties. Cette partie de toi-même, l'homme d'âge mûr, peut se permettre le luxe de se consacrer uniquement à sa femme – mais seulement parce qu'il a deux marionnettes pour accomplir le travail qui l'intéresse vraiment.

— Mais cela ne m'intéresse pas. Je m'en moque complètement.

— Tu t'en moques en tant qu'Ender, parce que Peter et Valentine, tes doubles, s'occupent de tout le reste à ta place. Mais voilà, Valentine ne va pas bien. Tu ne te soucies pas assez de ce qu'elle fait. Ce qui est arrivé à mon ancien corps mutilé est en train de lui arriver. Plus lentement, mais cela revient au même. C'est ce qu'elle pense, et l'autre Valentine pense la même chose. Je partage leur avis. Jane aussi.

— Transmets-lui toute mon affection, elle me manque vraiment.

— Je lui donne déjà mon affection, Ender. »

Ender grimaça en constatant sa résistance. « Si tu devais être fusillé, Miro, tu insisterais pour boire une telle quantité d'eau qu'on serait obligé de transporter un cadavre couvert d'urine.

— Valentine n'est ni un rêve ni une illusion, Ender, dit Miro, qui refusait de se laisser entraîner vers une discussion sur son propre tempérament rebelle. Elle est bien réelle, et tu es en train de la tuer.

— C'est une façon affreusement dramatique de présenter les choses.

— Si seulement tu l'avais vue ce matin s'arracher des touffes de cheveux...

— J'en conclus qu'elle aime un certain effet théâtral. Toi aussi, tu as cette tendance. Je ne suis pas surpris que vous vous entendiez si bien.

— Andrew, je suis en train de te dire que tu dois... »

Ender se raidit subitement et sa voix couvrit celle de Miro sans qu'il ait à l'élever. « Réfléchis, Miro ! Est-ce que le passage de ton ancien corps à un autre émanait d'une décision consciente ? As-tu vraiment pensé : "Allez, je crois bien que je vais laisser ce vieux corps se réduire en poussière parce que ce nouveau corps est quand même plus agréable à habiter" ? »

Miro comprit immédiatement où il voulait en venir. Ender ne pouvait pas contrôler son attention. Même si son aiúa représentait tout ce qu'il était, il ne recevait d'ordre de personne.

« J'ai conscience de ce que je veux vraiment en observant ce que je fais, dit Ender. C'est l'attitude générale, lorsque l'on est honnête envers soi-même. Nous avons des sentiments, nous prenons des décisions, mais au bout du compte il nous arrive de regarder derrière nous et d'admettre que nous avons parfois ignoré nos sentiments profonds, que nos décisions n'étaient en fait que de simples rationalisations, puisque nous les avions déjà prises inconsciemment avant même de nous l'avouer. Je n'y peux rien si la part de moi-même qui contrôle la fille dont tu partages l'existence n'est pas aussi importante que tu le voudrais. Qu'elle le souhaiterait. Je n'y peux strictement rien. »

Miro inclina la tête.

Le soleil dépassait la cime des arbres. Le banc fut baigné de lumière, Miro leva les yeux pour voir le soleil dessiner un halo lumineux autour des cheveux en bataille d'Ender.

« Les soins corporels sont-ils en contradiction avec la règle monastique ? demanda Miro.

— Elle t'attire, n'est-ce pas ? dit Ender, sans réellement poser une question. Et ce qui te met mal à l'aise c'est qu'en fait, elle est moi. »

Miro haussa les épaules. « C'est une épine dans le pied, mais je pense que je peux résoudre cela.

— Et si je n'étais pas attiré par toi ? » demanda Ender d'un ton jovial.

Miro étendit les bras et pivota pour faire admirer son profil. « Impensable, dit-il.

— Tu es mignon comme un petit lapin, dit Ender. Je suis sûr que Val ne rêve que de toi. Mais comment le saurais-je ? Je ne pense qu'à des explosions de planètes et à la mort de ceux que j'aime.

— Je sais bien que tu n'as pas oublié le reste du monde, Andrew. » C'était là une façon de présenter ses excuses, mais Ender balaya l'intention d'un geste de la main.

« Je ne peux pas l'oublier, mais je peux l'ignorer. Je suis en train d'ignorer le monde, Miro. Je suis en train de t'ignorer, tout comme j'ignore ces deux psychoses ambulantes que j'ai créées. En ce moment même, j'essaye de tout ignorer, sauf ta mère.

— Et Dieu. Tu ne dois pas oublier Dieu.

— Pas un seul instant. En fait, j'ai du mal à oublier qui ou quoi que ce soit, mais c'est vrai, je suis en train d'ignorer Dieu – à quelques entorses près pour faire plaisir à Novinha. Je suis en train de devenir le mari dont elle a besoin.

— Pourquoi, Andrew ? Tu sais bien que Mère est complètement cinglée.

— Il n'en est rien, dit Ender d'un ton de reproche. Et même si c'était le cas... ce serait justement une bonne raison.

— Ce que Dieu a uni, aucun homme ne peut le désunir. Cela se respecte sur un plan philosophique, mais tu ne sais pas si... » Miro sentit une profonde lassitude l'envahir. Il n'arrivait pas à trouver ses mots, et se rendait compte que c'était parce qu'il essayait de dire à Ender ce qu'il éprouvait à être Miro Ribeira en cet instant. Miro n'avait jamais eu l'occasion de définir ses propres sentiments, encore moins de les exprimer. « Desculpa », murmura-t-il en portugais, car c'était là sa langue maternelle, la langue de ses émotions. Il se surprit à essuyer une larme sur sa joue. « *Se nã poso mudar nem você, não que possa, nada*. Si je ne peux même pas t'obliger à bouger, à changer, il n'y a rien que je puisse faire. »

« *Nem eu ?* lui fit écho Ender. Il n'y a pas dans tout l'univers quelqu'un d'aussi difficile à changer que moi, Miro.

— Mère y a réussi. Elle t'a changé.

— Non. Elle s'est contentée de me laisser être celui que je voulais et avais besoin d'être. Comme en ce moment, Miro. Je ne peux pas rendre tout le monde heureux. Je ne peux pas me rendre heureux, je ne fais pas grand-chose pour toi, et quant aux problèmes majeurs, je ne vaux pas grand-chose de ce côté-là non plus. Mais peut-être puis-je rendre ta mère heureuse, ou un peu plus heureuse qu'elle ne l'est, du moins pendant quelque temps. En tout cas je peux essayer. » Il prit les mains de Miro et les pressa contre son visage. Elles étaient humides lorsqu'il les retira.

Miro suivit Ender du regard alors qu'il se levait du banc pour marcher vers le soleil à travers le verger baigné de lumière. C'est certainement à cela qu'Adam aurait ressemblé s'il n'avait pas goûté au fruit défendu, pensa Miro. S'il était resté indéfiniment dans le jardin d'Éden. Ender a survolé la vie pendant trois mille ans. C'est à ma mère qu'il s'est enfin accroché. J'ai passé toute mon enfance à essayer de me libérer de son emprise, et voilà qu'il débarque, décide de s'attacher à elle et...

Et moi, à quoi est-ce que je m'accroche, sinon à lui ? Lui dans la peau d'une femme. Lui avec une poignée de cheveux sur une table de cuisine.

Miro allait se lever à son tour du banc lorsque Ender se retourna subitement et agita un bras pour attirer son attention. Miro s'avança vers lui, mais Ender ne l'attendit pas ; il plaça ses mains autour de la bouche et cria : « Demande à Jane ! Si elle peut faire quelque chose ! Si elle sait comment faire ! Elle peut prendre ce corps ! »

Il fallut quelques instants à Miro avant de comprendre qu'il parlait de Val.

Ce n'est pas simplement un corps, espèce de vieil égocentrique tueur de planètes. Ce n'est pas un vieux costume que l'on jette parce qu'il ne va plus ou que la mode est passée.

Puis sa colère retomba lorsqu'il se rappela qu'il en avait fait autant avec son ancien corps, qu'il s'en était débarrassé sans même lui jeter un dernier regard.

La question commençait à le travailler. Jane. Était-ce seulement possible ? Si son aiúa pouvait être transféré d'une manière ou d'une autre dans le corps de Val, est-ce qu'un corps humain pourrait contenir l'esprit de Jane en quantité suffisante pour lui permettre de survivre lorsque le Congrès Stellaire essaierait de la déconnecter ?

« Vous, les hommes, êtes tellement lents, murmura Jane dans son oreille. J'ai parlé à la Reine et à Humain pour voir si la chose était possible – transférer un aiúa dans un corps. Les reines y sont arrivées une fois, lorsqu'elles m'ont créée. Mais elles n'ont pas choisi un aiúa en particulier. Elles se sont contentées de ce qu'il y avait de disponible. De ce qui se présentait. En ce qui me concerne, je suis un peu plus exigeante. »

Miro demeura silencieux tout en avançant vers les portes du monastère.

« Ah, au fait, il y a ce petit problème concernant tes sentiments envers Val. Tu détestes l'idée qu'en aimant Val, c'est Ender que tu aimes. Mais si je prenais le relais, si j'étais la volonté qui anime le corps de Val, serait-elle toujours la femme que tu aimes ? Est-ce qu'une partie d'elle survivrait ? Pourrait-on parler de meurtre ? »

— Tais-toi donc », dit Miro à haute voix.

La gardienne de l'entrée du monastère le regarda avec étonnement.

« Je ne m'adressais pas à vous, dit Miro. Mais ce n'est pas forcément une mauvaise idée. »

Miro sentit le regard de la femme rivé à son dos jusqu'à ce qu'il s'engage sur le chemin en lacet qui descendait le long de la colline vers Milagre. Il est grand temps de retourner au vaisseau. Val doit être en train de m'attendre. Qui qu'elle soit.

Ce qu'Ender représente pour Mère, la loyauté, la patience... est-ce là ce que je ressens pour la jeune Val ?

Non, ce n'est pas un sentiment, n'est-ce pas ? C'est un acte volontaire. Une décision irrévocable. Pourrais-je faire cela pour qui que ce soit, homme ou femme ? Pourrais-je tout donner de moi-même pour l'autre ?

Il se rappela Ouanda, et marcha jusqu'au vaisseau avec un douloureux sentiment de perte.

4

« JE SUIS UN HOMME
D'UNE PARFAITE SIMPLICITÉ »

*« Lorsque j'étais enfant, je croyais
qu'un dieu était déçu
chaque fois qu'un événement
venait me distraire lorsque je suivais les lignes
dans le grain du bois.
Maintenant je sais que les dieux s'attendent à de telles interruptions,
car ils connaissent nos faiblesses.
C'est l'aboutissement qui les surprend vraiment. »*

Murmures Divins de Han Qing-Jao

Le deuxième jour, Peter et Wang-mu allèrent explorer Vent Divin. Il ne leur était pas nécessaire d'apprendre une langue nouvelle. Vent Divin était une ancienne planète sur laquelle s'étaient implantées les premières colonies terriennes. Elle était à l'origine aussi conservatrice que La Voie. Mais sur Vent Divin les traditions étaient japonaises, ce qui impliquait qu'une évolution était toujours possible. En trois cents ans d'histoire, une planète passait rarement de l'état de fief régenté par les shoguns à celui de centre d'échanges commerciaux, industriels et philosophiques cosmopolites. Les habitants de Vent Divin se vantaient d'accueillir des visiteurs de toutes les planètes, et il y avait encore beaucoup d'endroits où les enfants parlaient uniquement le japonais jusqu'à ce qu'ils aient l'âge d'aller à l'école. Mais une fois adultes, tous les habitants de Vent Divin parlaient couramment le stark, et les meilleurs d'entre eux le parlaient avec élégance, grâce, et une économie fort surprenante ; Mil Fiorelli écrivait dans son livre le plus connu, *Observations à l'œil nu des mondes lointains*, que le stark n'était la langue maternelle de personne sauf quand elle était parlée par un habitant de Vent Divin.

Ainsi, lorsque Peter et Wang-mu s'aventurèrent dans les bois de la vaste réserve naturelle où leur vaisseau avait atterri pour déboucher dans un camp de forestiers, amusés à l'idée que l'on puisse se « perdre » aussi longtemps dans les bois, personne ne fut surpris que Wang-mu ait les traits et l'accent d'une Chinoise, ni que Peter ait la peau blanche et soit dépourvu d'épicanthus. Ils avaient perdu leurs documents, affirmaient-ils, mais une recherche sur ordinateur indiqua qu'ils possédaient des permis de conduire délivrés à Nagoya, et si Peter semblait avoir commis quelques infractions mineures lorsqu'il était plus jeune, ils ne semblaient pas avoir d'autres délits à leur actif. La profession indiquée pour Peter était celle de « professeur indépendant de sciences physiques » et celle de Wang-mu de « philosophe itinérante », deux situations parfaitement respectables eu égard à leur jeune âge et à leur absence de liens familiaux. En cas de questions destinées à les sonder (« J'ai un cousin qui enseigne les grammaires progénératives à l'Université Komatsu à Nagoya »), Jane fournissait à Peter les commentaires appropriés : « J'ai toujours eu du mal à trouver le Bâtiment Eo. De toute manière, les étudiants en langues étrangères parlent rarement aux scientifiques. Ils doivent s'imaginer que nous ne parlons que de mathématiques. Wang-mu n'arrête pas de me dire que le seul langage que nous autres scientifiques connaissons est la grammaire des rêves. »

Wang-mu n'avait pas un prompteur si pratique à l'oreille, mais d'un autre côté une philosophe itinérante était censée être gnomique dans sa prose et prophétique dans sa pensée. Ainsi elle put répondre à Peter : « J'ai dit que c'était là la seule grammaire que vous utilisiez. Il n'y a aucune grammaire que vous compreniez. »

Et Peter de la chatouiller, et elle de rire tout en lui serrant le poignet jusqu'à ce qu'il se décide à s'arrêter, ce qui acheva de convaincre les forestiers qu'ils étaient bien ce qu'ils prétendaient être : de brillants jeunes gens rendus gagas par l'amour – ou leur jeunesse, comme si cela faisait une différence.

On les emmena à bord d'un flotteur du gouvernement retrouver la civilisation, où – grâce à l'intervention de Jane sur le réseau informatique – les attendait un appartement encore vide et inoccupé la veille, mais aujourd'hui pourvu d'un mélange éclectique de meubles et d'œuvres d'art, à la fois bon marché, excentriques et raffinés.

« Très joli », dit Peter.

Wang-mu, qui ne connaissait en réalité que le style courant de sa planète, ou plutôt le style d'un seul homme de cette planète, pouvait difficilement apprécier le choix de Jane. Il y avait de quoi s'asseoir – deux chaises occidentales qui pliaient les gens en deux et lui paraissaient très inconfortables, ainsi que des nattes orientales permettant de s'allonger en cercle pour être en parfaite harmonie avec la terre. La chambre et son matelas occidental surélevé – malgré l'apparente absence de rats ou de cafards – devaient être prévus pour Peter ; Wang-mu se doutait que la natte installée dans le salon à son intention devait aussi faire office de lit pour la nuit.

Avec une certaine déférence, elle proposa à Peter d'occuper la salle de bains le premier, mais il ne semblait pas pressé de se laver, même s'il sentait la transpiration après leur longue marche dans les bois et leur confinement dans le flotteur. Wang-mu se laissa aller dans une baignoire, les yeux clos, méditant jusqu'à ce qu'elle se sente complètement régénérée. Lorsqu'elle ouvrit de nouveau les yeux, elle ne se sentait plus une étrangère. Elle n'était plus qu'elle-même, et les objets et les espaces environnants pouvaient lui parvenir sans affecter ce sentiment. C'était un pouvoir qu'elle avait maîtrisé très tôt dans la vie, alors qu'elle contrôlait à peine son propre corps et devait obéir à tous les niveaux. Cela l'avait préservée. Elle traînait dans sa vie bon nombre d'éléments déplaisants, comme des rémoras sur le dos d'un requin, mais aucun d'entre eux n'avait réussi à la changer à l'intérieur, dans l'obscurité fraîche de sa solitude, les yeux clos, l'esprit en paix.

En sortant de la salle de bains, elle trouva Peter occupé à grignoter machinalement une grappe de raisin, le regard fixé sur un hologramme dans lequel des acteurs japonais hurlaient leurs répliques en faisant des pas ridiculement exagérés, comme pour interpréter des personnages deux fois plus grands qu'eux.

« Vous avez appris le japonais ? demanda-t-elle.

— Jane me fait la traduction. Ce sont des gens vraiment bizarres.

— C'est une dramaturgie très ancienne.

— Et très ennuyeuse. Quelqu'un a-t-il déjà été ému par de tels beuglements ?

— Si vous entrez dans l'histoire, ils hurlent les mots de votre propre cœur.

— Est-ce qu'un cœur peut dire : « Je suis le vent venu de la neige froide des montagnes, et tu es le tigre dont le hurlement gèlera dans ses propres oreilles avant que tu ne trembles et meures sous le poignard d'acier de mes yeux hivernaux » ?

— Cela vous ressemble un peu. Un mélange de fanfaronnades et de vantardises.

— "Je suis l'homme aux yeux ronds qui transpire et sent le cadavre de putois décomposé, et toi, tu es la fleur qui se fanera rapidement si je ne me lave pas immédiatement à la lessive et à l'ammoniac."

— Fermez bien les yeux, dit Wang-mu. Ça brûle. »

Il n'y avait pas d'ordinateur dans l'appartement. Peut-être que l'holovision pouvait être utilisée comme ordinateur, mais si c'était le cas, Wang-mu ne savait pas comment procéder. Les touches ne ressemblaient en rien à ce qu'elle avait vu chez Han Fei-Tzu, ce qui n'était guère surprenant. Autant que possible, les gens de La Voie ne concevaient rien à l'image de ce qui se faisait sur les autres planètes. Wang-mu ne savait même pas comment baisser le son. Cela n'avait aucune importance. Elle s'assit sur la natte et essaya de se rappeler ce qu'elle avait appris sur le peuple japonais pendant ses leçons d'histoire terrienne avec Han Qing-Jao et son père, Han Fei-Tzu. Elle savait pertinemment que son éducation présentait quelques carences, car elle était issue d'une couche sociale assez basse et personne n'avait pris la peine de lui apprendre quoi que ce soit jusqu'à ce qu'elle réussisse à entrer au service de Qing-Jao. Ainsi Han Fei-Tzu lui avait recommandé de ne pas perdre son temps à apprendre de manière académique, mais plutôt de puiser ici et là les informations qui l'intéressaient suivant ses centres d'intérêt. « Ton esprit n'a pas été corrompu par une éducation traditionnelle. Tu dois donc suivre ton intuition pour t'instruire dans les domaines qui t'intéressent. » Malgré cette apparente liberté, Fei-Tzu s'était révélé un tyran sévère, même lorsque les sujets étaient choisis librement. Chaque fois qu'elle apprenait une leçon d'histoire ou de géographie, il lui lançait des défis et ne cessait de l'interroger, lui demandant de généraliser puis de réfuter ses généralisations ; et si elle avait le malheur de changer d'avis, il lui demandait alors tout aussi brutalement de défendre sa nouvelle position, même si celle-ci avait été la sienne quelques instants plus tôt. Résultat : même avec un minimum d'information, elle était toujours prête à faire marche arrière et à balayer d'anciennes hypothèses pour en élaborer de nouvelles. Elle pouvait ainsi fermer les yeux et poursuivre son éducation sans l'aide d'une pierre à l'oreille pour lui souffler les réponses, car elle entendait toujours les interrogations caustiques de Han Fei-Tzu, même à plusieurs années-lumière de distance.

Les acteurs cessèrent leurs hurlements avant que Peter n'ait fini de se doucher. Wang-mu ne s'en était pas rendu compte. Mais elle entendit une voix provenant de l'holo-vision disant : « Souhaitez-vous visualiser un autre enre-gistrement ou préférez-vous vous reconnecter sur les diffusions en cours ? »

Wang-mu crut l'espace d'un instant qu'il s'agissait de la voix de Jane ; puis elle se rendit compte qu'il s'agissait simplement du message enregistré de l'appareil. « On peut avoir les nouvelles ? demanda-t-elle.

— Locales, régionales, planétaires ou interplanétai-res ? demanda la machine.

— Commençons par les premières. » Elle était étran-gère à cette planète. Autant se familiariser.

Lorsque Peter émergea de la salle de bains, propre et vêtu d'un costume local que Jane lui avait fait livrer, Wang-mu était plongée dans un reportage sur le procès d'un groupe de personnes accusées d'avoir dépassé les quotas de pêche dans une région riche en rivières, à quelques centaines de kilomètres de là. Quel était le nom de cette ville déjà ? Ah oui, Nagoya. Jane ayant inscrit cette adresse sur leurs faux papiers, c'était ici que le flotteur les avait emmenés. « Toutes les planètes se ressemblent, dit Wang-mu. Certains veulent manger du poisson, et d'autres essaient d'en pêcher plus que la mer ne peut en produire.

— Quel mal y a-t-il à pêcher un jour de plus ou une tonne de plus ? demanda Peter.

— Si tout le monde en fait autant... » Elle marqua une pause. « Ah, je comprends. Vous ironisiez, vous suiviez le raisonnement des malfaiteurs.

— Ne suis-je pas tout propre, tout beau ? » demanda Peter en tournant sur lui-même pour faire admirer sa tenue qui, malgré son ampleur, n'en révélait pas moins son anatomie.

« Les couleurs sont criardes, répondit Wang-mu. Litté-ralement.

— Mais non. L'idée est de faire crier ceux qui me verront.

— Aaaah, cria doucement Wang-mu.

— Jane dit que c'est en réalité une tenue assez classique – pour quelqu'un de mon âge et de ma profession. Les hommes de Nagoya sont réputés pour être de vrais paons.

— Et les femmes ?

— Elles ont les seins à l'air à longueur de journée. C'est un spectacle assez étonnant.

— C'est faux. Je n'ai pas vu une seule femme les seins nus en venant et... » Elle s'arrêta de nouveau et fronça les sourcils. « Vous voulez vraiment me faire croire que vous mentez tout le temps ?

— Je me suis dit que ça valait la peine d'essayer.

— Ne soyez pas idiot. En plus, je n'ai pas de poitrine.

— Vous avez seulement de petits seins. Une nuance qui ne vous échappe sûrement pas.

— Je n'ai pas l'intention de parler de mon anatomie avec un homme vêtu d'une parodie de jardin en friche.

— Les femmes sont toutes mal fagotées ici. C'est triste à dire, mais c'est la réalité. Question de dignité. Il en va de même pour les vieux. Seuls les jeunes garçons et les jeunes hommes qui se pavanent ont le droit de porter un tel plumage. Je pense que les couleurs criardes sont censées prévenir les femmes du danger. Attention, type pas sérieux ! Entrez dans la danse ou quittez la piste. Ou quelque chose dans le genre. Je crois que Jane a choisi cette planète pour le simple plaisir de me faire porter cet accoutrement.

— J'ai faim. Je suis fatiguée.

— Dans quel ordre de priorité ?

— Faim d'abord.

— Il y a du raisin, proposa-t-il.

— Que vous n'avez pas lavé. Je suppose que cela est en accord avec vos tendances suicidaires.

— Sur Vent Divin, les insectes savent rester à leur place. Il n'y a pas de pesticides. Jane me l'a assuré.

— Il n'y avait pas de pesticides sur La Voie non plus. Mais tout était lavé afin de se débarrasser des bactéries

et autres créatures unicellulaires. Une dysenterie ami-
bienne pourrait nous ralentir.

— C'est vrai, la salle de bains est tellement belle, ce
serait dommage de ne pas en profiter. » Malgré la désinvolture qu'il affichait, Wang-mu nota que sa remarque
sur la dysenterie à cause des fruits mal lavés l'avait
décontenancé.

« Allons manger en ville, dit-elle. Jane peut nous avoir
de l'argent, non ? »

Peter écouta un instant ce qui lui parvenait à l'oreille.

« Absolument, tout ce que nous avons à faire, c'est de
dire au patron du restaurant que nous avons perdu nos
papiers et il nous laissera trifouiller dans nos comptes.
Jane dit que nous pouvons être très riches si c'est nécessaire, mais qu'il vaut mieux prétendre ne pas avoir de
gros moyens et dire que nous avons décidé de faire des
folies ce soir, pour fêter un événement spécial. Que pour-
rions-nous bien fêter ?

— Votre bain.

— Vous pouvez toujours fêter cela. Pour moi, ce sera
notre retour sains et saufs de notre aventure dans les
bois. »

Ils se retrouvèrent rapidement dans une rue animée
avec peu de voitures, beaucoup de vélos et des milliers
de gens à pied sur les trottoirs roulants et à côté. Wang-
mu n'aimait pas ces étranges machines et insista pour
qu'ils marchent sur le sol ferme, ce qui signifiait qu'il
fallait trouver un restaurant à proximité. Les immeubles
du quartier étaient vétustes mais pas encore délabrés. Un
quartier bien assis, avec une certaine fierté. D'un style
très aéré, avec des arches et des cours intérieures, des
piliers et des toits, mais très peu de murs et pas la moindre trace de verre. « Le climat doit être idéal ici, dit Wang-
mu.

— Tropical, mais avec des brises marines plus fraîches sur la côte. Il pleut tous les après-midi pendant une
heure environ, et ce toute l'année ou presque, mais il
fait rarement trop chaud et jamais vraiment froid.

— On a l'impression que tout se passe dehors.

— Tout est factice. Notre appartement a des fenêtres en verre et la climatisation, comme vous l'avez peut-être constaté. Mais il donne sur le jardin et les fenêtres sont dans un renfoncement, ce qui fait que vu d'en bas, il est impossible de voir les carreaux. Très artistique. Un artifice qui lui donne un côté naturel. Hypocrisie et duperie – l'humanité entière résumée.

— C'est un joli mode de vie. Nagoya me plaît.

— Dommage que nous y soyons pour peu de temps. »

Avant qu'elle puisse lui demander quels étaient leur destination et leur objectif, il l'attira vers la terrasse d'un restaurant bondé. « Celui-ci propose du poisson cuit, dit-il. J'espère que vous n'avez rien contre.

— Pourquoi ? Les autres le servent cru ? » demanda Wang-mu en s'esclaffant. Puis elle se rendit compte que Peter parlait sérieusement. Du poisson cru !

« Les Japonais sont connus pour ça, et à Nagoya c'est presque une religion. Cela dit, il n'y a pas un seul visage japonais dans le restaurant. Ils ne voudraient pour rien au monde manger du poisson tué par la chaleur. C'est un de ces trucs auxquels ils s'accrochent. Il reste désormais si peu de chose de leur culture japonaise qu'ils tiennent fermement à garder les quelques traditions qui subsistent. »

Wang-mu acquiesça, comprenant parfaitement qu'une culture puisse s'attacher à des valeurs d'un autre temps afin de préserver une identité nationale. Elle se félicitait aussi de se retrouver dans un endroit où ces coutumes étaient toutes très superficielles et ne cherchaient ni à altérer ni à détruire la vie des gens comme cela avait été le cas sur La Voie.

La nourriture arriva rapidement – le poisson se cuit en un rien de temps. Pendant le repas, Peter changea plusieurs fois de position sur sa natte. « Dommage que cet endroit ne se soit pas suffisamment affranchi du passé pour nous pourvoir en chaises, dit-il.

— Pourquoi les Européens détestent-ils à ce point la terre qu'ils veulent sans cesse s'élever au-dessus d'elle ?

— La réponse est contenue dans la question, répondit froidement Peter. Vous partez du principe que nous détestons la terre. C'est de la pensée magique, comme chez les primitifs. »

Wang-mu rougit sans rien dire.

« Je vous en prie, épargnez-moi le numéro de la femme orientale soumise, dit Peter. Ou une réplique du type : "J'ai été conditionnée pour être servante et tu n'es qu'un maître cruel et sans cœur" censé me donner mauvaise conscience. Je sais que je ne suis qu'un salaud, mais je ne vais pas changer parce que vous avez le moral à zéro.

— Dans ce cas vous pourriez changer par simple désir de ne plus vous comporter comme un salaud.

— C'est dans mon caractère. Ender a fait de moi un être méprisable pour pouvoir me détester. Ce qui présente l'avantage supplémentaire que vous pouvez me détester à votre tour.

— Taisez-vous et mangez votre poisson. Vous ne savez pas ce que vous dites. Vous êtes censé scruter les êtres humains alors que vous n'êtes même pas capable de comprendre la personne la plus proche de vous au monde.

— Je n'ai aucune envie de vous comprendre. Je veux simplement accomplir ma tâche en exploitant votre intellect soi-disant si développé – même si vous persistez à croire que les gens qui s'accroupissent sont en quelque sorte plus « proches » de la terre que ceux qui se tiennent debout.

— Je ne parlais pas de moi. Je parlais de la personne la plus proche de vous. Ender.

— Il est bien loin d'ici, Dieu merci.

— Il ne vous a pas créé pour avoir quelqu'un à haïr. Il a dépassé ce stade depuis bien longtemps.

— Mais oui, bien sûr, il a écrit *L'Hégémon*, et ainsi de suite...

— C'est exact. Il vous a créé parce qu'il avait désespérément besoin d'être haï. »

Peter roula des yeux et prit une rasade de jus d'ananas mélangé à du lait. « Juste ce qu'il faut de lait de coco. Je crois bien que je vais prendre ma retraite ici, si Ender ne meurt pas et ne me fait pas disparaître d'abord.

— Je suis sérieuse, et vous, vous me parlez de lait de coco et de jus d'ananas.

— Novinha le déteste. Il n'a pas besoin de moi pour ça.

— Novinha lui en veut, mais elle a tort et il le sait. En ce qui vous concerne, ce dont il a besoin, c'est une sorte de rancœur... justifiée. Que vous le détestiez pour le mal qu'il a en lui, un mal qu'il est le seul à voir et auquel lui seul croit.

— Je ne suis qu'un cauchemar issu de son enfance. Vous allez chercher trop loin.

— Il ne vous a pas créé parce que le vrai Peter a eu une importance capitale dans son enfance. Il vous a créé parce qu'il voulait un juge, quelqu'un pour le condamner. C'est ce que Peter ne cessait de lui ressasser jadis. Vous me l'avez dit vous-même, quand vous me racontiez vos souvenirs. Peter le raillait, lui répétait qu'il était inutile, sans valeur et lâche. Maintenant c'est à votre tour d'agir ainsi. En regardant sa vie et en le traitant de xénocide, de perdant. Pour une raison ou une autre il a besoin de cela, il a besoin qu'on le condamne.

— Eh bien, c'est une chance que je sois là pour le détester.

— Mais il a aussi désespérément besoin qu'on lui pardonne, qu'on soit indulgent envers lui, que l'on admette qu'il était au départ rempli de bonnes intentions. Val n'est pas là parce qu'il l'aime – la vraie Valentine est là pour ça. Sa femme est là. Il a besoin que votre sœur existe pour lui pardonner.

— Donc si je cessais de détester Ender, il n'aurait plus besoin de moi et je risquerais de disparaître ?

— Si Ender cesse de se haïr, il n'aura plus besoin que vous soyez déplaisant et vous deviendrez plus supportable.

— Eh bien, laissez-moi vous dire qu'il n'est pas facile de s'entendre avec une personne qui passe son temps, d'une part à analyser quelqu'un qu'elle n'a jamais rencontré, et d'autre part de faire la leçon à quelqu'un qu'elle vient de rencontrer.

— J'espère bien que ce que je dis vous met mal à l'aise. Ce n'est que justice après tout.

— Je crois que Jane nous a amenés ici parce que les tenues vestimentaires reflètent ce que nous sommes vraiment. J'ai beau n'être qu'une marionnette, j'arrive quand même à prendre un peu de plaisir dans la vie. Tandis que vous... vous arrivez à ternir n'importe quoi rien qu'en en parlant. »

Wang-mu se mordit la lèvre pour éviter de pleurer et fixa son assiette.

« Quel est votre problème ? » demanda Peter.

Elle ignora la question, se contentant de mastiquer lentement, cherchant en elle la partie encore intacte qui ne s'attachait qu'à apprécier son repas.

« Vous ne ressentez donc rien ? »

Elle déglutit et leva les yeux vers lui. « Han Fei-Tzu me manque alors que je ne suis partie que depuis deux jours. » Elle esquissa un vague sourire. « J'ai connu un homme plein de grâce et d'une immense sagesse. Il me trouvait intéressante. Cela ne me fait rien que vous me trouviez ennuyeuse. »

Peter fit semblant de se jeter de l'eau sur les oreilles. « Je brûle ! Quelle pique ! Comment contrer une telle attaque ? Quel coup bas ! Vous avez l'haleine fétide d'un dragon ! Les hommes tombent sous vos mots !

— Non, seulement les marionnettes qui font les malignes au bout de leurs ficelles, dit Wang-mu.

— Il vaut mieux être suspendu à des ficelles que d'être ligoté par elles.

— Les dieux doivent vraiment m'aimer pour m'avoir donné pour compagnon un homme maniant si bien le verbe.

— Tandis que moi, je me retrouve en compagnie d'une femme sans poitrine. »

Elle s'efforça de prendre cela comme une plaisanterie. « Il me semble que vous m'avez dit que j'avais de petits seins. »

Mais Peter cessa brusquement de sourire. « Je suis désolé, dit-il. Je vous ai blessée.

— Je ne crois pas. Je vous le dirai demain, après une bonne nuit de sommeil.

— Je pensais que nous plaisantions lorsque nous nous envoyions ces piques.

— C'était le cas, mais je les ai prises pour argent comptant. »

Peter tressaillit. « Voilà qui me blesse, moi aussi.

— Vous ne savez pas blesser. Vous avez simplement voulu vous moquer de moi. »

Peter repoussa son assiette et se leva. « Je vous rejoins à l'appartement. Vous pourrez retrouver le chemin toute seule ?

— Dois-je en conclure que cela vous inquiète vraiment ?

— Dieu merci, je n'ai pas d'âme. Vous seriez capable de me la dévorer.

— Si je devais mordre dedans, je la recracherais aussitôt.

— Allez vous reposer. Pour le travail qui m'attend, j'ai besoin de toute ma tête, pas d'une querelle. » Il quitta le restaurant. Sa tenue ne lui allait vraiment pas. Les gens le regardaient de travers. C'était un homme trop digne et trop puissant pour s'habiller comme un dandy. Wang-mu avait tout de suite repéré son embarras. Et elle savait qu'il en était conscient, qu'il ne cessait de s'agiter parce que ses vêtements ne lui allaient pas. Il allait certainement demander à Jane de lui fournir une tenue plus classique, plus en rapport avec son besoin de respectabilité.

En revanche, ce dont j'aurais bien besoin, c'est d'un moyen de disparaître. Ou mieux encore, de m'envoler d'ici l'espace d'une nuit, d'aller Dehors et de me retrouver dans la demeure de Han Fei-Tzu, où j'aurais en face de moi un regard sans pitié ni mépris.

Ni souffrance. Car il y a une certaine souffrance dans le regard de Peter, et j'ai eu tort de prétendre le contraire. Comme j'ai eu tort de valoriser ma propre souffrance au point de me croire en droit d'aggraver la sienne.

Si je lui présente mes excuses, il se moquera de moi. D'un autre côté, je préfère que l'on se moque de moi pour quelque chose qui me semble juste, que d'être respectée quand je suis convaincue d'avoir mal agi. Est-ce là un des principes inculqués par Han Fei-Tzu ? Non. C'est quelque chose d'inné. Comme le disait ma mère, trop de fierté, trop de fierté.

Cependant, une fois à l'appartement, elle trouva Peter endormi ; épuisée, elle décida de remettre ses excuses à plus tard et alla se coucher elle aussi. Ils se réveillèrent tous les deux durant la nuit, mais pas au même moment ; et au petit matin, la tension de la dispute de la veille avait disparu. Il y avait du pain sur la planche, et il était plus important qu'elle comprenne bien ce qu'ils avaient à faire aujourd'hui que de tâcher de combler un fossé qui, à la lumière du jour, semblait n'être guère plus qu'une simple prise de bec entre deux amis fatigués.

— L'homme que Jane nous conseille de rencontrer est un philosophe.

— Comme moi ? dit Wang-mu, déjà prise par son nouveau rôle.

— C'est justement de cela que nous devons discuter. Il y a deux types de philosophes sur Vent Divin. Aimaina Hikari, l'homme que nous allons rencontrer, est un philosophe analytique. Vous n'avez pas l'éducation nécessaire pour le suivre sur ce terrain. Vous faites donc partie de la deuxième catégorie. Gnomique et mantique. Il s'agit de lancer des remarques piquantes qui laissent les autres pantois devant leur apparente incohérence.

— Est-il indispensable que mes prétendus mots d'esprit aient l'air simplement incohérents ?

— Vous n'aurez même pas à vous soucier de cela. Les philosophes gnomiques ont besoin des autres pour relier leurs incohérences avec le monde réel. C'est pour cela que c'est à la portée du premier imbécile venu. »

Wang-mu sentit la colère monter en elle comme le mercure d'un thermomètre. « C'est gentil de m'avoir trouvé cette occupation.

— Ne le prenez pas mal, dit Peter. Jane et moi devions trouver un rôle plausible pour que personne s'aperçoive que vous n'êtes en réalité qu'une autochtone inculte de La Voie. Il faut savoir qu'aucun enfant de Vent Divin ne grandit dans la même ignorance crasse que la classe ouvrière de La Voie. »

Wang-mu ne souhaitait pas poursuivre le débat. À quoi bon ? Si elle devait, lors d'une dispute, affirmer : « Mais si, je suis intelligente ! Je connais beaucoup de choses ! », autant s'arrêter de discuter. Ce qui lui sembla d'ailleurs être exactement le genre de phrase gnomique dont parlait Peter. Elle lui fit part de sa réflexion.

« Non, non, je ne parlais pas d'épigrammes, dit Peter. Trop analytiques. Je parlais de choses vraiment étranges. Par exemple vous auriez pu dire : « Le pivert s'attaque à l'arbre pour avoir l'insecte », et j'aurais dû alors essayer de trouver le rapport avec notre situation présente. Suis-je le pivert ? L'arbre ? L'insecte ? C'est là tout l'intérêt de la chose.

— Il me semble que vous venez de prouver que vous êtes la plus gnomique de nous deux. »

Peter roula des yeux et se dirigea vers la porte.

« Peter », dit-elle, sans bouger.

Il se retourna pour lui faire face.

« Ne serais-je pas plus utile si je savais qui est cet homme, et pourquoi nous devons le rencontrer ? »

Peter haussa les épaules. « Je suppose que oui. Bien que nous sachions qu'Aimaina Hikari ne fait pas partie de ceux que nous recherchons.

— Mais alors qui cherchons-nous ?

— Nous cherchons le centre du pouvoir des Cent Planètes.

— Alors pourquoi sommes-nous ici et non au Congrès Stellaire ?

— Le Congrès Stellaire n'est qu'une farce. Et ses délégués des acteurs. Le scénario s'écrit ailleurs.

— Ici.

— Le groupe du Congrès qui contrôle la Flotte lusitanienne n'est pas celui qui prône la guerre. Ce groupe-là trouve tout cela follement amusant, bien évidemment, puisqu'ils pensent toujours pouvoir mater une insurrection par la manière forte et ainsi de suite... Mais ils n'auraient jamais pu avoir les votes nécessaires pour envoyer la flotte sans un groupe de pression fortement influencé par une école philosophique de Vent Divin.

— Dont Aimaina Hikari est le chef ?

— C'est un peu plus subtil que ça. C'est en réalité un philosophe solitaire hors de tout courant philosophique. Mais il représente en quelque sorte une forme pure de pensée japonaise qui en fait une référence chez les philosophes ayant une influence sur le groupe de pression au Congrès.

— Combien de dominos pensez-vous pouvoir aligner pour qu'ils tombent ainsi les uns sur les autres ?

— Ce n'est pas assez gnomique. Encore un peu trop analytique.

— Je ne suis pas dans mon rôle, Peter. De quel genre d'idée issue de ce courant philosophique le groupe de pression s'inspire-t-il ? »

Peter lâcha un soupir puis s'assit – sur une chaise, bien sûr. Wang-mu en fit autant sur le sol en réfléchissant : voilà comment un Européen aime se voir, une tête au-dessus des autres, donnant des leçons à la femme orientale. Mais pour moi, il s'est éloigné des choses de la terre. Je vais écouter ce qu'il a à dire, tout en sachant que c'est à moi de donner vie à ses paroles.

« Le groupe de pression n'utiliserait jamais une telle puissance contre ce qui ressemble finalement à une dispute mineure au sein d'une petite colonie. Le véritable problème, comme vous le savez, c'est que deux xénobiologistes, Miro Ribeira et Ouanda Mucumbi, ont été surpris à inculquer des notions d'agriculture aux pequeninos de Lusitania. Ce qui constituait une ingérence culturelle. Ils ont donc été rappelés pour être jugés. Bien sûr, avec les anciens vaisseaux voyageant à vitesse luminique relative, ramener une personne d'une planète signifiait qu'à son retour, si retour il y avait, tous ceux qu'elle connaissait seraient des vieillards ou seraient morts. Il s'agissait donc d'un traitement plutôt radical qui, finalement, avait tout du procès hâtif. Le Congrès s'attendait sans doute à des signes de protestation de la part du gouvernement lusitanien, mais la réaction de celui-ci a été une méfiance totale et une coupure des communications ansibles. Les gros bras du Congrès ont immédiatement décidé d'envoyer un simple transport de troupes pour aller prendre le pouvoir sur Lusitania. Mais ils n'ont pas eu les votes suffisants, jusqu'à ce que...

— Jusqu'à ce qu'ils brandissent le spectre du virus de la descolada.

— Exactement. Le groupe farouchement opposé à l'usage de la force a utilisé le virus descolada comme argument contre l'envoi de troupes – puisque à cette époque toute personne contaminée par le virus devait rester sur Lusitania et prendre indéfiniment un inhibiteur empêchant la descolada de détruire son corps de l'intérieur. C'était la première fois que l'on prenait conscience du danger que représentait le virus. Le groupe de pression s'est fait connaître ; il était constitué de tous ceux qui étaient effarés qu'aucune quarantaine n'ait été déclarée plus tôt sur Lusitania. Qu'y avait-il de plus dangereux qu'un virus, en partie intelligent, dans les mains de rebelles ? Ce groupe était principalement constitué de délégués fortement influencés par l'école Nécessarienne de Vent Divin. »

Wang-mu acquiesça. « Et quels sont les enseignements des Nécessariens ?

— Vivre en paix et en harmonie avec son environnement, sans rien déranger, en supportant patiemment les soucis, graves ou non. Cependant, lorsqu'il y a menace et qu'il s'agit d'une question de survie, on se doit d'agir avec une efficacité brutale. La maxime est : « Agir seulement quand cela est nécessaire, et avec le maximum de puissance et de rapidité. » Ainsi, lorsque les militaires ont réclamé des transports de troupes, les délégués sous l'influence du courant de pensée Nécessarienne ont insisté pour que l'on envoie une flotte armée du Dispositif DM pouvant réduire à néant la menace de la descolada. Il y a finalement une sorte d'ironie subtile dans tout cela, vous ne trouvez pas ?

— Non, pas vraiment.

— Et pourtant tout cadre parfaitement. Ender Wiggin a utilisé le Petit Docteur pour détruire la planète des doryphores. Maintenant ils sont sur le point de l'utiliser pour la seconde fois dans leur histoire – contre la planète sur laquelle Ender Wiggin lui-même vit ! C'est ici que ça se complique. Le premier philosophe Nécessarien, Ooka, a vu en Ender la parfaite illustration de ses idées. Tant que les doryphores représentaient une menace sérieuse pour l'humanité, la seule réponse possible était l'éradication de la race tout entière. On ne pouvait se contenter de demi-mesures. Évidemment, il s'est avéré au bout du compte que les doryphores ne représentaient pas réellement une menace, ainsi que l'a écrit Ender un peu plus tard dans *La Reine*, mais Ooka a justifié cette erreur en faisant valoir que la vérité n'était pas connue lorsque ses supérieurs ont utilisé Ender contre l'ennemi. Ooka avait dit : "Ne jamais échanger de coups avec l'adversaire." Son idée était de ne jamais frapper qui que ce soit, mais si cela devenait nécessaire, il fallait le faire une bonne fois pour toutes, en usant d'une violence telle que l'ennemi ne puisse être en état de répondre.

— En prenant exemple sur Ender...

— Exactement. Les actes d'Ender sont montrés en exemple pour justifier l'utilisation de moyens semblables contre une autre espèce inoffensive.

— La descolada n'était pas vraiment inoffensive.

— Non. Mais Ender et Ela ont bien trouvé un autre moyen, non ? Ils ont choisi de frapper la descolada même. Mais il n'y a aucun moyen de convaincre le Congrès de rappeler la flotte. Comme Jane a infiltré les moyens de communication ansible du Congrès, ils pensent avoir affaire à une vaste conspiration secrète. Quel que soit l'argument que nous utilisions, ils y verront une tentative de désinformation. De plus, qui irait croire à l'histoire du premier voyage Dehors durant lequel Ela a créé un antidote à la descolada, Miro, son nouveau corps, et Ender, ma chère sœur et moi-même ?

— Ainsi les Nécessariens du Congrès...

— Ils ne s'appellent pas ainsi. Mais leur influence reste très importante. Selon Jane, si nous arrivions à convaincre un Nécessarien reconnu de se déclarer contre l'envoi de la Flotte lusitanienne – avec des arguments convaincants, cela va de soit – cela pourrait briser l'union des partisans de la Flotte au sein du Congrès. Ils ne représentent qu'une faible majorité – bon nombre de gens sont horrifiés à l'idée que l'on puisse utiliser une telle puissance dévastatrice contre une colonie, d'autres le sont plus encore à l'idée que le Congrès est prêt à exterminer les pequeninos, la première espèce intelligente découverte depuis la destruction des doryphores. Tous ces gens se réjouiraient d'arrêter la Flotte ou, dans le pire des cas, de l'utiliser pour mettre en place une quarantaine.

— Dans ce cas, pourquoi ne pas rencontrer directement un Nécessarien ?

— Pourquoi nous écouterait-on ? Si nous nous présentons comme des partisans de la cause lusitanienne, nous serons jetés en prison pour y être interrogés. Et si nous n'en faisons rien, qui nous prendra au sérieux ?

— Cet homme, Aimaina Hikari, qui est-il au juste ?

— Certains l'appellent le philosophe Yamato. Tous les Nécessariens de Vent Divin sont évidemment japonais, et l'influence de la philosophie est de plus en plus importante parmi les Japonais, que ce soit sur leur monde d'origine ou là où ils se sont implantés. Ainsi, même si Aimaina n'est pas un Nécessarien, il est reconnu comme le gardien de l'âme japonaise.

— S'il leur disait qu'il est contraire à l'esprit japonais de détruire Lusitania...

— Mais il ne le fera pas. Difficilement, en tout cas. Selon les travaux pour lesquels il est reconnu et qui lui ont donné la réputation de philosophe Yamato, les Japonais sont nés pour être des marionnettes rebelles. Tout d'abord, c'est la culture chinoise qui a dominé. Mais selon Hikari, le Japon n'a pas retenu la leçon de l'échec de l'invasion chinoise – qui, au passage, a été repoussée par une grande tempête appelée kamikaze, signifiant "Vent Divin". Vous pouvez donc être sûre qu'ici au moins, tout le monde se souvient de cette vieille histoire. Bref, le Japon s'est isolé sur son île, ne voulant tout d'abord rien avoir à faire avec les européens lorsqu'ils ont débarqué. Puis une flotte américaine a poussé le Japon à s'ouvrir au commerce international, et les Japonais se sont bien rattrapés depuis. La restauration Meiji a poussé le Japon à s'industrialiser et à s'occidentaliser – et de nouvelles ficelles ont manipulé les marionnettes, toujours selon Hikari. Mais une fois de plus, aucune leçon n'en a été tirée. Puisque les Européens à cette époque étaient des impérialistes s'étant partagé l'Afrique et l'Asie équitablement, le Japon a jugé qu'il avait droit lui aussi à sa part du gâteau impérialiste. Il y avait à cette époque la Chine, celle qui avait jadis tiré les ficelles. Il y a donc eu une invasion...

— Nous avons appris cela sur La Voie.

— Je suis surpris que l'histoire que l'on enseigne sur La Voie aille au-delà de l'époque de l'invasion mongole, observa Peter.

— Les Japonais ont finalement été arrêtés lorsque les Américains ont lâché les premières bombes atomiques sur deux villes japonaises.

— L'équivalent, à l'époque, du Petit Docteur. L'arme absolue. Les Japonais en sont arrivés à considérer ces armes nucléaires comme des symboles de fierté : ils avaient été les premiers à avoir été foudroyés par l'arme atomique ! C'était devenu une sorte de complainte, ce qui n'était finalement pas plus mal, parce que cela les poussait à fonder et à développer de nouvelles colonies, afin de ne plus jamais être une nation insulaire vulnérable et coupée du monde. Puis arrive Aimaina Hikari pour affirmer... au fait, ce n'est pas son vrai nom, mais celui qu'il a utilisé pour signer son premier livre. Cela signifie "Lumière Ambiguë".

— Très gnomique », dit Wang-mu.

Peter esquissa un sourire. « Ah, il faudra absolument le lui dire, il en sera tellement fier. Quoi qu'il en soit, dans son premier livre il affirmait en substance que les Japonais n'avaient pas retenu la leçon. Les bombes nucléaires avaient coupé les ficelles. Le Japon était pour ainsi dire à genoux. L'ancien et fier gouvernement a été détruit, l'empereur est devenu un homme de paille, la démocratie a fait son chemin dans le pays, puis sont venus la richesse et le pouvoir.

— Les bombes auraient donc été une véritable aubaine ? demanda Wang-mu, sceptique.

— Non, non, pas du tout. Hikari est convaincu que la richesse a fini par détruire l'âme japonaise. Les Japonais ont accepté de devenir les fils adoptifs de leur destructeur. Ils sont devenus les enfants bâtards de l'Amérique, propulsés dans l'existence par les bombes américaines. Des marionnettes, une fois de plus.

— Qu'a-t-il à voir avec les Nécessariens ?

— Selon lui, le Japon a été bombardé précisément parce qu'il s'était déjà trop européanisé. Les Japonais ont traité la Chine comme les Européens avaient traité l'Amérique, de manière égoïste et brutale. Mais les ancêtres japonais pouvaient difficilement accepter de voir leurs enfants se comporter comme des bêtes sauvages. Alors, de même que les dieux du Japon avaient envoyé un "Vent Divin" pour arrêter la flotte chinoise, les dieux ont envoyé les bombes américaines pour empêcher le Japon de devenir un état impérialiste comme l'Europe. La réponse des Japonais aurait dû consister à supporter l'occupation américaine et, celle-ci terminée, à retrouver leur identité japonaise, pure, assagie et entière. Le titre du livre était *Il n'est jamais trop tard*.

— Et je suis prête à parier que les Nécessariens utilisent le bombardement du Japon par les Américains pour illustrer la meilleure façon de frapper avec rapidité et puissance.

— Aucun Japonais n'aurait jamais osé considérer la bombe comme une aubaine jusqu'à ce que Hikari permette de voir le bombardement non comme un facteur de victimisation, mais comme une tentative divine de rédemption.

— Vous êtes donc en train de dire que les Nécessariens le respectent suffisamment pour changer d'avis si lui-même en changeait – ce à quoi il n'est pas prêt car il considère le bombardement comme une véritable bénédiction ?

— Nous espérons qu'il changera d'avis. Sinon notre voyage sera un échec. Le hic, c'est qu'il y a très peu de chances que l'on puisse le convaincre facilement, et Jane n'arrive pas à déterminer d'après ses écrits ce qui pourrait le faire fléchir. Nous devons lui parler avant de savoir comment agir ensuite – alors peut-être pourrons-nous le faire changer d'avis.

— L'affaire est vraiment compliquée.

— C'est pourquoi je n'ai pas jugé utile de vous expliquer tout cela plus tôt. Car à quoi peuvent vous servir ces informations ? À débattre de subtilités historiques avec un philosophe analytique de la trempe d'Hikari ?

— Je me contenterai d'écouter.

— C'est ce que vous étiez censée faire dès le départ.

— Mais maintenant je sais à quel genre d'homme j'ai affaire.

— Jane estime que j'ai eu tort de vous raconter tout cela, parce que maintenant vous risquez d'interpréter tout ce qu'il va dire dans le sens de ce que nous pensons savoir.

— Dites à Jane que les seuls à privilégier la pureté de l'ignorance sont ceux qui profitent d'un monopole sur le savoir. »

Peter s'esclaffa. « Encore des épigrammes ! Vous êtes censée utiliser...

— N'allez pas encore m'expliquer comment être gnomique », explosa Wang-mu en se relevant. Elle dominait désormais Peter. « Le gnome, c'est vous. Quant à être mantique, n'oubliez pas que la mante religieuse mange son compagnon.

— Je ne suis pas votre compagnon. De plus, le terme « mantique » désigne une philosophie qui s'inspire plus de visions et d'inspirations que de savoir et de raison.

— Si vous n'êtes pas mon compagnon, cessez de me traiter comme votre femme. »

Peter parut perplexe, puis détourna les yeux. « Ai-je fait cela ?

— Sur La Voie, l'homme a tendance à considérer sa femme comme une imbécile et entreprend donc de lui apprendre ce qu'elle sait déjà. Sur La Voie, la femme doit faire semblant, lorsqu'elle apprend quelque chose à son mari, qu'elle ne fait que lui rappeler ce qu'il lui a appris auparavant.

— Bon, je ne suis qu'un mufle sans cœur, n'est-ce pas ?

— Souvenez-vous bien que lorsque nous rencontrerons Aimaina Hikari, lui et moi posséderons un trésor de savoir que vous ne pourrez jamais posséder.

— Et qui serait ?

— Une vie. »

Elle remarqua l'expression douloureuse qui se dessinait sur son visage et regretta immédiatement d'en être la cause. Mais ce regret était un réflexe – elle avait été conditionnée depuis son enfance à éprouver des regrets lorsqu'elle s'était montrée offensante, même si cela était justifié.

« Aïe », dit Peter, comme pour tourner sa douleur en dérision.

Wang-mu n'éprouva aucune pitié – elle avait cessé d'être une servante.

« Vous êtes tellement fier d'en savoir plus que moi ! Mais tout ce que vous savez vient de ce qu'Ender vous a mis dans la tête ou de ce que Jane vous chuchote dans l'oreille. Je n'ai pas de Jane, comme je n'ai pas eu d'Ender. Tout ce que je sais, je l'ai appris à la dure. Et je m'en suis sortie. Alors par pitié, à l'avenir, épargnez-moi votre mépris. Si je dois être d'une quelconque aide pendant cette mission, ce sera en partageant vos connaissances – je peux apprendre ce que vous savez, mais vous, vous ne pourrez jamais apprendre ce que je sais. »

La plaisanterie était terminée. Le visage de Peter s'empourpra sous l'effet de la colère.

« Comment... qui... »

Wang-mu termina la phrase restée, selon elle, en suspens. « Comment j'ose ? Pour qui je me prends ?

— Ce n'est pas ce que j'ai dit, lâcha Peter à voix basse avant de détourner la tête.

— Je ne sais pas rester à ma place, c'est ça ? demanda-t-elle. Han Fei-Tzu m'a parlé de Peter Wiggin. L'original, pas la copie. Celui qui a poussé sa sœur Valentine à prendre part au complot visant à s'emparer de l'hégémonie de la Terre. Celui qui l'a poussée à rédiger toutes les données sur *Démosthène* – un traité populiste et démagogique – tandis que de son côté il s'occupait de la rédaction du travail sur Locke, de toutes les idées nobles et analytiques. Mais toute la démagogie de bas étage venait de lui.

— Les idées nobles aussi.

— Tout à fait. En revanche, ce qui ne venait pas de lui mais bien de Valentine était quelque chose qu'il n'avait jamais rencontré et à quoi il n'avait jamais accordé la moindre importance. Une âme humaine.

— C'est ce que Han Fei-Tzu vous a dit ?

— Oui.

— En voilà un bel imbécile. Car Peter avait autant d'âme que Valentine. » Il avança vers elle, le regard sombre. « Celui qui est sans âme, c'est moi, Wang-mu. »

L'espace d'un instant elle eut peur de lui. De quelle violence pouvait-il être le dépositaire ? Quelle rage féroce de l'aiúa d'Ender s'exprimait dans cet ersatz qu'il avait créé ?

Mais Peter ne leva pas la main. Peut-être n'était-ce pas nécessaire.

Aimaina Hikari vint lui-même les recevoir à la grille d'entrée de son jardin. Habillé sobrement, il arborait autour du cou le médaillon que portaient tous les Japonais de culture traditionnelle sur Vent Divin : une petite boîte renfermant les cendres de ses valeureux ancêtres. Peter avait expliqué que lorsqu'un homme comme Hikari mourait, une pincée des cendres de ses ancêtres était mêlée à un peu des siennes et le tout enfermé dans le médaillon. Celui-ci était remis à ses enfants ou petits-enfants pour qu'ils le portent à leur tour. Ainsi tous les anciens membres de sa famille reposaient sur son sternum, de nuit comme de jour, et c'était là le plus beau cadeau que l'on puisse offrir à sa descendance. N'ayant pas d'ancêtres qui valaient la peine qu'on se souvînt d'eux, Wang-mu trouvait cette coutume à la fois excitante et dérangeante.

Hikari accueillit Wang-mu avec une courbette, mais il tendit la main à Peter, qui la prit avec une légère expression de surprise.

« Certes, on m'appelle le gardien de l'esprit Yamato, dit Hikari en souriant, mais je ne suis pas obligé de me montrer impoli en imposant aux Européens que je rencontre les coutumes des Japonais. Voir un Européen se pencher pour saluer m'est aussi pénible que de regarder un cochon faire du ballet classique. »

Tandis qu'Hikari les guidait à travers le jardin vers sa maison traditionnelle aux murs de papier, Peter et Wang-mu se regardèrent en souriant. Il y avait une trêve implicite entre eux, car ils avaient tout de suite compris qu'Hikari serait un adversaire de taille et qu'ils se devaient d'être alliés s'ils voulaient apprendre quoi que ce soit de cet homme.

« Une philosophe et un scientifique, dit Hikari. Je me suis un peu renseigné sur vous après avoir reçu votre mot demandant un entretien. J'ai déjà reçu des visites de scientifiques et de philosophes, et aussi d'Européens et de Chinois, mais ce qui m'intrigue profondément chez vous, c'est que vous veniez ici ensemble.

— Elle m'a trouvé sexuellement irrésistible, dit Peter. Et maintenant je n'arrive plus à m'en débarrasser. » Puis il arbora son sourire le plus charmeur.

Au grand plaisir de Wang-mu, l'humour occidental de Peter laissa Hikari de marbre, et elle vit Peter rougir.

C'était désormais à elle de jouer – d'y aller pour de bon de son numéro gnomique. « Le cochon se vautre dans la boue, mais il aime se réchauffer sur la pierre brûlée par le soleil », dit-elle.

Hikari se tourna vers elle, toujours aussi imperturbable. « Je graverai ces mots dans mon cœur. »

Wang-mu se demanda si Peter s'était rendu compte qu'elle venait d'être la victime de l'ironie très orientale d'Hikari.

« Nous venons recevoir votre enseignement, dit Peter.

— Dans ce cas je vous donnerai à manger, mais vous laisserai repartir très déçus, dit Hikari. Car je n'ai rien à enseigner à un scientifique ou à une philosophe. Si je n'avais pas d'enfants, je n'aurais personne à qui enseigner, car ce sont les seuls à en savoir moins que moi.

— Non, protesta Peter. Vous êtes un homme d'une grande sagesse. Le gardien de l'esprit Yamato.

— J'ai dit que c'était ainsi que l'on m'appelait. Mais l'esprit Yamato est bien trop grand pour une âme aussi petite que la mienne. Et pourtant, il est en même temps trop insignifiant pour être remarqué par les puissantes âmes des Chinois et des Européens. Vous êtes les maîtres, tout comme la Chine et l'Europe ont toujours été les maîtres du Japon. »

Wang-mu ne connaissait pas encore très bien Peter, mais suffisamment pour constater qu'il était fébrile, incapable de poursuivre. Au cours de sa vie et de ses pérégrinations, Ender avait vécu au sein de différentes cultures orientales et, si l'on en croyait Han Fei-Tzu, il parlait aussi le coréen, ce qui impliquait qu'il n'aurait sans doute eu aucun mal à faire face à l'humilité théâtrale d'un homme comme Hikari – en particulier lorsqu'il utilisait de toute évidence cette humilité pour se moquer des autres. Mais il y avait une grande différence entre ce qu'Ender savait et ce qu'il avait transmis à Peter. C'était désormais à elle de mener la conversation, et elle comprit que la meilleure façon de jouer avec Hikari était de ne pas le laisser diriger le jeu.

« Très bien, fit-elle. C'est donc à nous de vous enseigner quelque chose. Ainsi, lorsque nous vous démontrerons l'étendue de notre ignorance, vous pourrez nous dire dans quel domaine votre sagesse peut nous éclairer. »

Hikari fixa Peter l'espace de quelques instants. Puis il frappa dans ses mains. Une servante apparut dans l'encadrement de la porte.

« Le thé », lança Hikari.

Wang-mu se leva aussitôt. Ce ne fut qu'une fois debout qu'elle se rendit compte de ce qu'elle s'apprêtait à faire. Cet ordre formel d'apporter le thé lui rappelait ceux qu'elle avait reçus à de nombreuses reprises dans sa vie, mais ce n'était pas un réflexe conditionné qui l'avait poussée à se lever. Plutôt une intuition lui disant que le seul moyen de battre Hikari à son propre jeu était de le mettre au pied du mur : elle allait faire preuve d'une plus grande humilité que lui.

« J'ai été servante toute ma vie, dit-elle en toute franchise. Mais j'étais plutôt maladroite dans cette fonction. » Ce qui était un peu moins vrai. « Puis-je accompagner votre servante pour qu'elle m'enseigne quelque chose ? Je n'ai sans doute pas la sagesse nécessaire pour bénéficier des pensées d'un grand philosophe, mais peut-être pourrai-je apprendre ce qui est à ma portée de la part d'une servante digne de servir le thé à Aimaina Hikari. »

La seconde d'hésitation que marqua Hikari lui apprit que celui-ci était conscient d'avoir été contré. Mais l'homme était subtil. Il se leva à son tour. « Vous venez déjà de m'enseigner une grande leçon, dit-il. Nous allons tous voir Kenji préparer le thé. Si elle doit être votre maîtresse dans ce domaine, Si Wang-mu, elle doit aussi être la mienne. Car comment pourrais-je accepter l'idée que l'on puisse enseigner chez moi quelque chose que j'ignorerais ? »

Wang-mu ne pouvait qu'être admirative devant tant de ressources. Il s'était encore une fois montré le plus humble.

Pauvre Kenji ! La servante était habile et compétente, mais ainsi que Wang-mu put s'en rendre compte, le fait que trois personnes, dont son maître, la regardent préparer le thé dans sa cuisine la rendait nerveuse. Wang-mu décida donc d'intervenir pour « aider » – commettant délibérément une erreur. Kenji se retrouva immédiatement dans son élément et reprit confiance en elle. « Vous avez oublié, dit gentiment Kenji. Parce que ma cuisine n'est pas rangée de manière très fonctionnelle. » Puis elle montra à Wang-mu comment préparer le thé. « Tel qu'on le fait à Nagoya, dit-elle avec modestie. En tout cas, dans cette maison. »

Wang-mu l'observa attentivement, se concentrant uniquement sur Kenji et sur ce que celle-ci faisait, car elle s'aperçut rapidement que la manière japonaise de préparer le thé – à moins que ce ne soit la manière de le préparer sur Vent Divin, ou seulement à Nagoya, ou chez les philosophes qui conservaient l'esprit Yamato – suivait un rituel très différent de celui qu'elle observait si scrupuleusement chez Han Fei-Tzu. Lorsque le thé fut enfin prêt, elle avait réellement appris quelque chose. Car, ayant déclaré qu'elle avait été servante, et possédant un fichier informatique stipulant qu'elle avait passé toute sa vie dans une communauté chinoise sur Vent Divin, Wang-mu était censée être capable de servir le thé de cette manière.

Ils retournèrent dans la pièce centrale de la demeure d'Hikari, Kenji et Wang-mu portant toutes les deux une petite table basse. Kenji offrit la table qu'elle portait à Hikari, mais celui-ci la dirigea vers Peter d'un signe de la main accompagné d'une révérence. Wang-mu alla servir Hikari. Et lorsque Kenji s'éloigna de Peter en reculant, elle en fit autant avec Hikari.

Pour la première fois Hikari parut... furieux ? En tout cas, ses yeux s'enflammèrent. Car en se mettant au même niveau que Kenji, elle le plaçait dans une situation où il devait soit, fort honteusement, se montrer plus fier que Wang-mu en renvoyant sa servante dans sa cuisine, soit changer l'ordre établi au sein de son foyer en proposant à Kenji de venir s'asseoir avec eux en égale.

« Kenji, dit Hikari. Laissez-moi vous servir du thé. »

Échec, pensa Wang-mu. Et mat.

Son plaisir fut multiplié lorsque Peter, qui venait de rentrer dans ce petit jeu, lui proposa de lui servir son thé et renversa quelques gouttes sur elle, obligeant Hikari à en faire autant pour ne pas mettre ses invités dans l'embarras. La douleur du thé brûlant et la gêne qu'il créait en séchant étaient compensées par la joie de savoir que si elle avait réussi à être à la hauteur d'Hikari en terme de courtoisie théâtrale, Peter, lui, n'avait réussi qu'à se ridiculiser.

Mais était-elle vraiment à la hauteur d'Hikari ? Il s'était forcément rendu compte de ses tentatives ostentatoires pour se rabaisser par rapport à lui. Dans ce cas, peut-être lui laissait-il – en toute humilité – l'honneur d'être la plus humble des deux. Dès qu'elle se fut avisée qu'il pouvait très bien avoir agi ainsi, son hypothèse devint une certitude et elle dut admettre que c'était lui qui remportait la partie.

Je ne suis pas aussi futée que je le pensais.

Elle se tourna vers Peter, en espérant le voir prendre le relais et mettre en pratique une de ses lumineuses idées. Mais il semblait tout à fait satisfait de la voir mener le bal et ne se jeta pas à l'eau. Avait-il, lui aussi, réalisé qu'elle venait de se faire prendre à son propre jeu en n'osant pas aller jusqu'au bout ? Lui tendait-il la corde pour se pendre ?

Dès lors, il ne restait plus qu'à serrer le nœud.

« Aimaina Hikari, certains vous appellent le gardien de l'esprit Yamato. Peter et moi-même avons grandi dans un monde japonais, pourtant les Japonais autorisent que l'on utilise le stark à l'école, ce qui explique que nous ne parlons pas japonais. Dans mon quartier chinois et dans la ville américaine de Peter, nous avons tous deux vécu en périphérie de la culture japonaise, en la regardant de l'extérieur. L'élément de notre ignorance qui vous semblera donc le plus évident sera notre manque de connaissance de l'esprit Yamato.

— Ah, Wang-mu, vous faites un mystère de ce qui est a priori évident. Personne ne peut mieux cerner l'esprit Yamato que ceux qui l'observent de l'extérieur, comme un parent est plus à même de comprendre son enfant que l'enfant ne se comprend lui-même.

— Je vais donc vous éclairer, dit Wang-mu, arrêtant là le jeu d'humilité. Car je vois le Japon comme une nation Périphérique, et je ne suis pas encore en mesure de juger si vos idées pourront en faire de nouveau une nation Centrale, ou le pousser à la décadence comme c'est souvent le cas chez les autres nations Périphériques lorsqu'elles prennent le pouvoir.

— Le terme de "nation Périphérique" que vous utilisez peut être interprété de cent façons différentes, toutes pouvant parfaitement s'appliquer à mon peuple, dit Hikari. Mais qu'est-ce qu'une nation Centrale, et comment un peuple y accède-t-il ?

— Je ne suis pas spécialiste de l'histoire terrienne, dit Wang-mu. Mais le peu que j'ai appris, je l'ai approfondi, et il me semble qu'il y a eu des nations Centrales possédant une culture tellement riche qu'elles ont englouti leurs envahisseurs. L'Égypte en faisait partie, ainsi que la Chine. Chacune d'elles s'est unifiée, puis s'est développée suffisamment pour protéger ses frontières, pour pacifier dans un second temps l'intérieur des terres. Chacune d'elles a intégré ses envahisseurs des milliers d'années durant. L'écriture égyptienne et l'écriture chinoise ont réussi à perdurer malgré quelques modifications mineures d'ordre stylistique, de sorte que le passé est resté présent pour tous ceux qui savaient lire. »

Wang-mu, voyant Peter se raidir, comprit qu'il était inquiet. Après tout, ce qu'elle racontait n'avait rien de gnomique. Mais, désemparé face à un Asiatique, il ne tenta aucune intervention.

« Ces deux nations sont nées en des temps barbares, dit Hikari. Êtes-vous en train de suggérer qu'aucune nation ne peut devenir une nation Centrale de nos jours ?

— Je ne sais pas. Je ne suis même pas sûre que mes définitions de nations Périphériques ou de nations Centrales aient une quelconque valeur, ni soient tout à fait exactes. Je sais en revanche qu'une nation Centrale peut maintenir son pouvoir culturel bien après avoir perdu son pouvoir politique. La Mésopotamie n'a cessé d'être envahie par ses voisins, pourtant, à chaque fois, ses envahisseurs ont subi plus de transformations qu'elle. Les rois assyriens, chaldéens et perses étaient pratiquement indifférenciables après avoir goûté à la culture du pays entre deux fleuves. Mais une nation Centrale peut aussi tomber suffisamment bas au point de disparaître. L'Égypte a vacillé sous le choc culturel de l'hellénisme, elle a plié sous l'influence idéologique du christianisme, et a fini par être complètement éradiquée par l'islam. Seuls les monuments de pierre étaient là pour rappeler aux enfants ce qu'avaient été leurs ancêtres. L'histoire n'obéit à aucune règle, et tous les schémas que nous y trouvons ne sont que des illusions bien pratiques.

— Je vois que vous êtes réellement une philosophe, observa Hikari.

— Vous me faites trop d'honneur en qualifiant ainsi mes spéculations puériles. Laissez-moi cependant vous exposer ma théorie sur les nations Périphériques. Celles-ci sont nées dans l'ombre – ou dans la lumière réfléchie, diraient certains – des autres nations. Comme le Japon s'est civilisé sous l'influence de la Chine. Ou comme Rome s'est révélée dans l'ombre des Grecs.

— Des Étrusques au départ », précisa Peter.

Hikari le regarda d'un air affable, puis se retourna vers Wang-mu sans autre commentaire. Celle-ci crut voir Peter s'affaisser après avoir ainsi été jugé complètement insignifiant. Elle eut un peu pitié de lui. Rien qu'un peu.

« Les nations Centrales sont tellement sûres d'elles qu'elles n'éprouvent pas le besoin de se lancer dans des guerres de conquêtes. Convaincues d'être supérieures aux autres nations, elles s'imaginent que celles-ci n'ont d'autre ambition que de leur ressembler. Les nations Périphériques, quant à elles, lorsqu'elles se sentent puissantes, éprouvent le besoin de s'affirmer, le plus souvent par l'épée. C'est ainsi que les Arabes ont brisé l'Empire romain pour engloutir ensuite la Perse. C'est ainsi que les Macédoniens, alors aux frontières de la Grèce, en ont entrepris la conquête ; ils ont été par la suite tellement imprégnés de la culture locale qu'ils ont fini par se déclarer grecs et sont allés conquérir l'empire qui avait jadis influencé la Grèce : l'Empire perse. Les

Vikings, eux, ont mis l'Europe à feu et à sang avant d'aller grappiller des territoires à Naples, en Sicile, en Normandie, en Irlande, puis en Angleterre. Quant au Japon...

— Nous, nous avons choisi de rester sur nos îles, dit Hikari à voix basse.

— Lorsqu'il a explosé, le Japon a étendu son influence sur le Pacifique, essayant de conquérir la grande nation Centrale qu'était la Chine, avant d'être finalement arrêté par les bombes d'une nouvelle nation Centrale : l'Amérique.

— J'aurais pourtant cru que l'Amérique était la nation Périphérique par excellence, dit Hikari.

— L'Amérique a été construite par des gens provenant de nations Périphériques, mais l'idée même d'Amérique est devenue un concept suffisamment motivant pour en faire une nation Centrale. Une communauté tellement arrogante qu'à part la conquête de l'arrière-pays, elle n'avait aucune envie de développer son empire. Elle partait du principe que toutes les autres nations voulaient lui ressembler. Elle engloutissait toutes les autres cultures. Même sur Vent Divin, quelle est la langue enseignée à l'école ? Ce n'est pas l'Angleterre qui nous a imposé le Starways Common Speech, cette Langue Commune Stellaire devenue le stark.

— Ce n'est que par hasard que l'Amérique s'est trouvée la nation la plus avancée sur le plan technologique lorsque la Reine nous a obligés à fuir vers les étoiles.

— L'idée de l'Amérique est devenue une idée Centrale, du moins je le pense, dit Wang-mu. Dès lors, toutes les nations devaient se conformer aux règles de la démocratie. Nous sommes en ce moment même gouvernés par le Congrès Stellaire. Nous vivons tous au milieu d'une culture américanisée, que cela nous plaise ou non. Ainsi la question que je pose est la suivante : maintenant que le Japon contrôle cette nation Centrale, sera-t-il avalé, comme les Mongols l'ont été en Chine ? Où la culture japonaise réussira-t-elle à préserver son identité culturelle, pour décliner jusqu'à perdre le pouvoir, comme les Turcs ont perdu le contrôle de l'Islam et la Mandchourie celui de la Chine ? »

Hikari semblait contrarié. Fâché, peut-être ? Perplexe ? Wang-mu ne pouvait le savoir.

« La philosophe Si Wang-mu vient de dire quelque chose qu'il m'est difficile d'admettre, dit Hikari. Comment pouvez-vous affirmer que les Japonais contrôlent le Congrès Stellaire et les Cent Planètes ? Quand cette révolution, dont personne n'a eu vent, a-t-elle eu lieu ?

— Je pensais que vous étiez conscient de ce que votre enseignement de l'esprit Yamato avait accompli, dit Wang-mu. L'existence même de la Flotte lusitanienne est la preuve flagrante du contrôle japonais. C'est là la grande découverte dont m'a fait part mon ami scientifique ici présent, et c'est aussi ce qui nous amène. »

L'expression horrifiée qui se dessinait sur le visage de Peter n'était pas feinte. Wang-mu pouvait deviner ce qui lui traversait l'esprit en ce moment même. Était-elle folle pour abattre ainsi ses cartes ? Elle savait cependant qu'elle avait procédé de telle manière qu'elle ne révélait pas leurs véritables intentions.

Peter, sans se démonter, prit le relais et expliqua les analyses de Jane sur le Congrès Stellaire, les Nécessariens, ainsi que la Flotte lusitanienne, tout en les présentant bien évidemment comme ses propres idées. Hikari écoutait, acquiesçant de temps en temps, secouant la tête à d'autres moments ; son impassibilité avait désormais disparu, sa distance ironique aussi.

« Vous êtes donc en train de me dire, dit-il lorsque Peter eut terminé son exposé, qu'à cause de mon traité sur les bombes américaines, les Nécessariens ont pris le pouvoir au Congrès et lancé la Flotte lusitanienne ? Vous me mettez donc en cause ?

— Je ne vous accuse ni ne vous blâme, dit Peter. Vous ne l'aviez pas prévu, encore moins planifié. Et autant que je le sache, vous ne l'approuvez pas.

— Je ne m'occupe même pas de la politique du Congrès Stellaire. Je ne m'occupe que de Yamato.

— C'est précisément ce que nous souhaitons apprendre, dit Wang-mu. Je vois que vous êtes un Périphérique et non un Central. C'est pourquoi vous ne pouvez laisser l'esprit Yamato se faire engloutir par la nation Centrale. Les Japonais préféreront s'écarter de leur propre hégémonie, et elle finira par leur glisser des mains pour finir entre celles d'un autre peuple. »

Hikari secoua la tête. « Je ne peux pas vous laisser accuser le Japon dans cette histoire de Flotte lusitanienne. Nous sommes le peuple qui a été puni par les dieux, nous n'envoyons pas des flottes détruire d'autres nations.

— Les Nécessariens en sont capables, dit Peter.

— Les Nécessariens ne font que parler, personne ne les écoute, rétorqua Hikari.

— Vous, peut-être pas, dit Peter. Le Congrès, si.

— Et les Nécessariens vous écoutent, ajouta Wang-mu.

— Je suis un homme d'une parfaite simplicité ! hurla Hikari en se levant d'un bond. Vous êtes venus me torturer avec vos accusations injustes !

— Nous n'accusons personne. » Wang-mu parla calmement, refusant de se lever. « Nous vous faisons part d'un point de vue. Si nous sommes dans l'erreur, je vous en prie, corrigez-nous. »

Hikari tremblait, le poing gauche refermé sur le médaillon qui pendait à son cou au bout d'un ruban de soie. « Non, dit-il. Je ne laisserai pas passer cela. Vous prétendez n'être que d'humbles chercheurs de vérité ? Vous êtes des assassins. Des assassins de l'âme, venus ici pour me détruire, pour me jeter à la face qu'en cherchant la voie de Yamato, j'ai d'une certaine façon poussé mon peuple à dominer les autres planètes humaines et à utiliser sa puissance pour détruire une espèce intelligente inoffensive ! C'est un mensonge monstrueux que de me dire que l'œuvre de ma vie a été à ce point inutile. J'aurais préféré que vous empoisonniez mon thé, Si Wang-mu. Quant à vous, Peter Wiggin, vous auriez mieux fait de me tirer une balle dans la tête. Vos parents ont bien choisi vos noms, à l'un comme à l'autre – quels noms terribles et fiers vous portez! Mère Royale de L'Ouest? Une déesse? Et Peter Wiggin, le premier Hégémon! Qui oserait donner à un enfant un nom pareil? »

Peter s'était levé à son tour. Il aida Wang-mu à en faire autant.

« Si nous vous avons offensé, ce n'était pas notre intention, dit Peter. J'ai honte. Nous devons partir immédiatement. »

Wang-mu fut surprise de l'entendre parler comme un Oriental. La méthode américaine consistait d'habitude à s'excuser, rester et continuer le débat.

Elle se laissa guider jusqu'à la porte. Hikari ne les accompagna pas ; cette tâche avait été laissée à la pauvre Kenji, terrifiée de voir son maître, d'habitude si calme, ainsi remonté. Mais Wang-mu était bien décidée à ne pas partir sur cet échec désastreux. Au dernier moment, elle courut se jeter aux pieds d'Hikari, dans une posture qu'elle s'était jurée, il n'y avait pas si longtemps, de ne jamais plus adopter. Mais elle savait que tant qu'elle s'humilierait ainsi, Hikari serait obligé de l'écouter.

« Oh, Aimaina Hikari, dit-elle, vous venez de citer nos noms, mais avez-vous oublié le vôtre? Comment un homme qui se fait appeler « Lumière Ambiguë » pourrait-il espérer que ses enseignements n'auront que les effets attendus? »

À ces mots, Hikari lui tourna le dos et quitta la pièce. Avait-elle mis de l'huile sur le feu? Wang-mu n'avait aucun moyen de le savoir. Elle se releva et, dépitée, se dirigea vers la porte. Peter allait être furieux. Sa fougue avait peut-être anéanti tous leurs espoirs – ainsi que ceux dont ils étaient porteurs pour arrêter la Flotte lusitanienne.

À sa grande surprise, pourtant, Peter lui parut ravi une fois qu'ils eurent franchi la grille du jardin d'Hikari. « Bravo, fit-il. Même si votre méthode était pour le moins extravagante.

— Que voulez-vous dire ? Ç'a été un véritable fiasco. » Elle n'en souhaitait pas moins qu'il ait raison ; après tout, peut-être ne s'était-elle pas si mal débrouillée que cela.

« Il est furieux, c'est indéniable, et il ne nous adressera plus la parole, mais qu'importe ? Nous ne cherchions pas à le faire changer d'opinion. Nous devions simplement apprendre qui était celui ou celle qui pouvait avoir une quelconque influence sur lui. Et maintenant, nous le savons.

— Ah bon ?

— Jane l'a relevé immédiatement. Lorsqu'il a dit qu'il était un homme d'une "parfaite simplicité".

— Est-ce qu'il y a un sens caché à cela ?

— Ma chère, notre monsieur Hikari a révélé sans le vouloir qu'il était un disciple secret de l'Ua Lava. »

Wang-mu était complètement déconcertée.

« C'est un courant religieux. Ou une vaste plaisanterie. Il est difficile de faire la différence. C'est un terme samoan, qui signifie littéralement "assez maintenant", mais qui est plus exactement traduit par "c'est assez !"

— Je ne doute pas de vos compétences en samoan. » Wang-mu, quant à elle, ne connaissait même pas l'existence de cette langue.

« Ce sont celles de Jane, dit Peter, agacé. J'ai cette pierre à l'oreille et vous non. Vous ne voulez pas que je vous fasse part de ce qu'elle m'a dit ?

— Je vous en prie, continuez.

— C'est une sorte de philosophie – une forme de stoïcisme gai, si l'on veut. Que les choses aillent bien ou mal, on garde la même attitude. Mais selon l'enseignement d'un auteur samoan bien précis nommé Leiloa Lavea, c'est devenu un peu plus qu'une simple façon d'être. Elle a enseigné...

— Elle ? Hikari serait donc le disciple d'une femme ?

— Ce n'est pas ce que j'ai dit. Si vous voulez bien écouter jusqu'au bout, je vous dirai ce que Jane me raconte. »

Il attendit quelques instants. Elle écouta.

« Bien. Leiloa Lavea enseignait une sorte de communisme volontaire. Il ne s'agissait pas de se contenter de sa bonne fortune en se disant : "C'est assez." Il fallait croire que c'était vraiment suffisant. En y croyant, on pouvait ainsi faire don de ce qu'il y avait en trop. De la même manière, lorsque le mauvais sort s'acharne, il faut le supporter jusqu'à l'insupportable – que votre famille meure de faim, ou que l'on ne puisse plus faire face au travail. Il faut se répéter : "C'est assez" et agir pour faire évoluer les choses. Déménager, changer de travail, laisser sa femme prendre les décisions. N'importe quoi. Il faut refuser l'insupportable.

— Quel rapport avec "la parfaite simplicité" dont parlait Hikari ?

— Leiloa Lavea enseignait que lorsque l'on avait atteint le parfait équilibre dans la vie – en partageant sa bonne fortune, la malchance étant oubliée une bonne fois pour toutes –, ce qui reste est une vie de « parfaite simplicité ». C'est ce qu'Aimaina Hikari voulait nous dire. Jusqu'à notre arrivée, sa vie était d'une parfaite simplicité. Mais maintenant nous avons perturbé son équilibre. Ce qui est une bonne chose, parce que cela signifie qu'il va devoir faire tout ce qui est en son pouvoir pour retrouver cette parfaite simplicité. Il sera influençable pendant ce laps de temps. Pas par nous, bien sûr.

— Par Leiloa Lavea ?

— Ce sera difficile. Elle est morte depuis deux mille ans. Ender l'avait d'ailleurs rencontrée. Il était venu raconter la mort de quelqu'un sur sa planète d'origine – le Congrès Stellaire l'appelle Pacifica, mais l'enclave samoane l'appelle Lumana'i. "L'Avenir".

— Pas sa mort à elle, j'imagine.

— C'était en fait celle d'un meurtrier fidjien. Un type qui avait tué plus d'une centaine d'enfants, tous tongiens. De toute évidence, il ne devait pas aimer les Tongiens. On avait repoussé ses funérailles de trente ans pour qu'Ender puisse venir raconter sa mort. Ils espéraient que le Porte-Parole des Morts pourrait donner un sens quelconque à ses actes.

— Y est-il parvenu ? »

Peter ricana. « Bien sûr, il a été fabuleux. Ender ne se trompe jamais. Bla-bla-bla. »

Elle ignora son hostilité envers Ender. « Il a donc rencontré Leiloa Lavea ?

— Son nom signifie "être perdu", "être blessé".

— C'est elle qui s'est choisi ce nom, j'imagine.

— Exactement. Vous savez comment sont les écrivains. Comme Hikari, ils se créent eux-mêmes en créant leur œuvre. Ou peut-être créent-ils leur œuvre pour se créer eux-mêmes.

— C'est très gnomique, commenta Wang-mu.

— Oh, ça suffit avec ça. Vous pensiez vraiment ce que vous disiez en parlant des nations Périphériques et Centrales ?

— J'ai commencé à y réfléchir lorsque j'apprenais l'histoire terrienne avec Han Fei-Tzu. Lui ne m'a pas ri au nez lorsque je lui ai fait part de mes réflexions.

— Ah mais, je ne ris pas non plus. Je pense simplement que c'est d'une naïveté consternante, mais ça n'a rien de drôle. »

Wang-mu ignora sa raillerie. « Si Leiloa Lavea est morte, où allons-nous aller ?

— Sur Pacifica. Lumana'i. Hikari a reçu l'enseignement de l'Ua Lava d'une étudiante samoane quand il était adolescent – la petite-fille de l'ambassadeur de Pacifica. Elle n'avait, bien entendu, jamais mis les pieds à Lumana'i, et s'attachait d'autant plus à ses coutumes, allant jusqu'à se poser en prosélyte de Leiloa Lavea. Cela s'est passé bien avant qu'Hikari n'écrive la moindre ligne. Lui n'en parle jamais, il n'a jamais rien écrit sur l'Ua Lava, mais maintenant qu'il s'est découvert, Jane trouve de nombreuses influences dans ses œuvres. Et puis, il a des amis sur Lumana'i. Il ne les a jamais rencontrés, mais ils correspondent sur le réseau ansible.

— Et la petite-fille de l'ambassadeur ?

— Elle est à bord d'un vaisseau en ce moment, elle rentre chez elle sur Lumana'i. Elle est partie il y a vingt ans, quand son grand-père est mort. Elle devrait arriver là-bas dans... disons, une petite dizaine d'années. Elle sera sans aucun doute reçue avec tous les honneurs, et son grand-père sera enterré ou brûlé, quelle que soit la coutume locale – brûlé me fait savoir Jane –, en grande pompe.

— Mais Hikari n'essayera pas de lui parler.

— Cela prendrait au moins une semaine pour lui envoyer un simple message à travers l'espace, si l'on considère la vitesse de ce vaisseau. Difficile d'avoir une discussion philosophique dans de telles conditions. Elle sera arrivée avant qu'il n'ait terminé de poser sa question. »

Pour la première fois, Wang-mu comprit les avantages du voyage instantané qu'elle et Peter avaient utilisé. Ces interminables et épuisants voyages n'étaient plus nécessaires.

« Si seulement..., dit-elle.

— Je sais. Mais nous ne pouvons pas. »

Elle savait qu'il avait raison. « Admettons que nous nous rendions là-bas, dit-elle, revenant sur le sujet. Que se passera-t-il ensuite ?

— Jane est en train de vérifier le nom du correspondant d'Hikari. C'est la personne capable d'avoir une quelconque influence sur lui. Donc...

— C'est à elle que nous allons nous adresser.

— Exactement. Avez-vous besoin d'aller au petit coin avant que l'on se prépare à regagner notre cabane au fond des bois ?

— J'aimerais bien. Quant à vous, ça ne vous ferait pas de mal de changer de vêtements.

— Pourquoi ? Ces vêtements sont trop fantaisistes ?

— Que porte-t-on sur Lumana'i ?

— Eh bien, la plupart des gens se contentent de se promener tout nus. Normal, sous les tropiques. Jane dit qu'étant donné le gabarit massif des Polynésiens, c'est un spectacle assez étonnant. »

Wang-mu frissonna. « Nous n'allons quand même pas nous faire passer pour des locaux ?

— Non, pas cette fois. Jane va nous faire passer pour les passagers d'un vaisseau arrivé la veille de Moscou. Nous serons probablement des agents officiels gouvernementaux, ou quelque chose dans le genre.

— N'est-ce pas illégal ? »

Peter la regarda d'un air bizarre. « Wang-mu, nous avons déjà trahi le Congrès en quittant Lusitania. C'est un délit majeur. Je ne pense pas que se faire passer pour des agents gouvernementaux puisse empirer les choses.

— Mais je n'ai pas quitté Lusitania. Je n'ai même jamais vu Lusitania.

— Bof, vous n'avez pas perdu grand-chose. Il n'y a que de la savane, quelques forêts, et ici et là, les usines des reines où sont construits les vaisseaux, ainsi que des créatures ressemblant à des cochons qui vivent dans les arbres.

— Je suis pourtant complice de trahison, non ?

— Et maintenant, vous êtes aussi coupable d'avoir gâché la journée d'un philosophe japonais.

— On va certainement me couper la tête pour ça. »

Une heure plus tard, ils étaient dans un flotteur privé – tellement privé que le chauffeur ne leur posa aucune question. Jane s'était aussi assurée que tous leurs papiers étaient en règle. Ils retrouvèrent leur vaisseau avant la nuit.

« Nous aurions dû rester dormir à l'appartement », dit Peter en regardant d'un œil torve le couchage rudimentaire.

Wang-mu se contenta d'un rire moqueur et s'allongea sur le sol. Au petit matin, frais et dispos, ils constatèrent que Jane les avait transportés sur Pacifica pendant leur sommeil.

Aimaina Hikari émergea de son rêve alors que la lumière n'était déjà plus celle de la nuit ni tout à fait celle du jour, et se redressa dans son lit ni tout à fait chaud, ni tout à fait froid. Son sommeil avait été agité, et ses rêves déplaisants, frénétiques : tout ce qu'il y accomplissait avait des résultats aux antipodes de ses prévisions. Aimaina essayait d'escalader un cañon pour en rejoindre le fond. Il parlait et tous les gens s'éloignaient de lui. Il écrivait un livre et les pages s'arrachaient toutes seules pour tomber de manière désordonnée sur le sol.

Il savait que c'était la conséquence de la visite des deux menteurs étrangers. Il avait essayé de les oublier tout l'après-midi en lisant des contes et des essais ; puis toute la soirée en discutant avec sept de ses amis venus lui rendre visite. Mais les contes et les essais semblaient tous lui crier : Ce ne sont que les mots de gens de nations Périphériques manquant de confiance ; quant à ses sept amis, il s'était aperçu que c'étaient tous des Nécessariens, et lorsqu'il avait orienté la conversation sur la Flotte lusitanienne, il s'était vite rendu compte qu'ils partageaient les mêmes points de vue que les deux menteurs aux noms ridicules.

C'est ainsi qu'Aimaina se retrouva à l'aube naissante, assis sur une natte dans son jardin, le médaillon de ses ancêtres entre ses doigts, perdu dans ses réflexions. Ces rêves proviennent-ils de mes ancêtres ? Les menteurs qui m'ont rendu visite ont-ils été eux aussi envoyés par eux ? Mais si leurs accusations à mon sujet étaient fondées, que pouvaient-ils bien cacher ? Car il avait remarqué dans les regards qu'ils s'étaient échangés, et dans les temps d'hésitation suivis d'une certaine audace de la jeune femme, qu'ils semblaient jouer une pièce qui, bien que non répétée, suivait une trame bien précise.

Le soleil apparut dans toute sa splendeur, baignant les feuilles de chaque arbre, puis toutes les plantes au sol, faisant ressortir les couleurs et les contrastes de chacune d'elles ; la brise se leva, changeant la lumière à l'infini. Plus tard, au moment le plus chaud de la journée, toutes les feuilles se ressembleraient : immobiles, dociles, recevant la lumière du soleil comme le jet d'une lance à incendie. Un peu plus tard dans l'après-midi, les nuages viendraient, suivis de pluies fines ; les feuilles avachies retrouveraient de nouvelles forces, scintilleraient sous l'effet des gouttes, prendraient des coloris plus riches, se préparant pour la nuit, pour la vie nocturne, pour les rêves des plantes qui poussent la nuit, engrangeant la lumière du jour, se gorgeant des fraîches rivières intérieures alimentées par les pluies. Aimaina Hikari devint une de ces feuilles, débarrassant son esprit de toute pensée qui n'était pas liée à la lumière, au vent et à la pluie, jusqu'à ce que l'aurore prenne fin et que le soleil commence à répandre la chaleur diurne. Puis il quitta le banc de son jardin.

Kenji avait préparé un petit poisson pour son déjeuner. Il le mangea délicatement, en prenant son temps, comme s'il ne voulait pas abîmer le squelette qui avait donné sa forme au poisson. Les muscles bougeaient ici et là, et les arêtes pliaient mais ne cédaient pas. Je ne les briserai pas tout de suite, je puiserai dans cette chair les forces dont mon organisme a besoin. Il mangea les yeux en dernier. La force de l'animal vient de ses parties mobiles. Il toucha de nouveau le médaillon de ses ancêtres. La sagesse qui est en moi ne vient pas de ce que je mange, mais de ce qui m'est donné à chaque instant, de ceux qui à travers les âges me conseillent. Les vivants oublient souvent les leçons du passé. Mais nos ancêtres n'oublient jamais.

Aimaina se leva de table pour aller à l'ordinateur installé dans la remise de jardin. Ce n'était pour lui qu'un outil de plus – ce qui expliquait pourquoi il le gardait là au lieu de le conserver telle une relique sacrée dans une des pièces de la maison, ou dans un bureau prévu à cet effet comme c'était généralement le cas. Son ordinateur n'avait pour lui pas plus de valeur qu'une binette ; il s'en servait puis le mettait de côté.

Un visage se matérialisa au-dessus du terminal. « J'appelle mon ami Yasunari, dit Aimaina. Mais ne le dérangez pas. Ce que j'ai à lui dire est si futile que j'aurais honte de lui faire perdre son temps.

— Laissez-moi vous aider à sa place, dit le visage.

— Hier, j'ai demandé des informations concernant Peter Wiggin et Si Wang-mu, ces gens qui avaient pris rendez-vous pour me rencontrer.

— Je m'en souviens. Ce fut un plaisir de vous trouver ces informations aussi rapidement.

— Leur visite m'a énormément perturbé. Ils m'ont dit quelque chose qui ne peut être vrai, et j'ai besoin de plus amples renseignements pour savoir de quoi il retourne. Je ne souhaite pas m'immiscer dans leur vie privée, mais il y a certainement des éléments relevant du domaine public – des bulletins scolaires peut-être, des noms d'employeurs, ou quelques éléments renvoyant à leurs familles...

— Yasunari nous a dit que vos demandes avaient toujours de nobles intentions. Je vais procéder à votre recherche. »

Le visage disparut l'espace d'un instant pour revenir presque aussitôt.

« C'est très étrange. Me serais-je trompé dans l'orthographe des noms ? » La voix épela les deux noms.

« Non, c'est tout à fait correct. Ils sont identiques à ceux d'hier.

— Je m'en souviens aussi. Ils habitent dans un appartement pas très loin de chez vous. Mais je n'arrive pas à les retrouver aujourd'hui. Et voilà qu'en vérifiant les appartements de cet immeuble, j'apprends que le leur est censé être inoccupé depuis un an. Aimaina, je suis perplexe. Comment deux personnes peuvent-elles exister un jour et disparaître le lendemain ? Aurais-je commis une erreur aujourd'hui ou hier ?

— Vous n'avez fait aucune erreur, cher assistant. C'était précisément l'information dont j'avais besoin. Je vous en prie, oubliez tout cela. Ce qui vous apparaît comme un mystère est en fait la réponse à mes questions. »

Ils se quittèrent après un échange de politesses.

Aimaina revint de l'atelier du jardin en passant sous les feuilles qui luttaient contre la chaleur écrasante. Mes ancêtres m'ont inondé de leur sagesse, comme la lumière du soleil baigne ces feuilles ; et la nuit dernière l'eau a coulé dans mon âme, faisant resurgir la sagesse qui est en moi comme la sève d'un arbre. Peter Wiggin et Si Wang-mu étaient des êtres de chair et de sang, débordants de mensonges, mais ils sont venus à moi pour me dire une vérité que j'avais besoin d'entendre. N'est-ce pas la méthode qu'utilisent nos ancêtres pour communiquer avec leurs descendants ? J'ai, d'une manière ou d'une autre, envoyé des vaisseaux armés de l'engin de guerre le plus terrible qui soit. J'ai fait ça alors que j'étais encore jeune ; les vaisseaux sont désormais presque à destination, et je suis vieux et incapable de les rappeler. Une planète est sur le point d'être détruite, le Congrès va se tourner vers les Nécessariens pour avoir leur soutien, ils le lui donneront, et il ne me restera alors plus qu'à me couvrir le visage de honte. Mes feuilles tomberont et je me retrouverai nu devant eux. C'est pour cela que je n'aurais jamais dû rester dans ce paradis tropical. J'ai oublié ce qu'était l'hiver. J'ai oublié la honte et la mort.

La parfaite simplicité – je croyais l'avoir atteinte. Mais au lieu de cela je n'ai fait qu'apporter le malheur.

Il resta assis dans le jardin pendant une heure, dessinant des caractères dans les petits gravillons du sentier, puis il les effaça et recommença. Il revint enfin devant l'ordinateur dans son abri de jardin et tapa le message qu'il avait rédigé mentalement :

Ender le Xénocide était un enfant ignorant que la guerre était réelle ; et pourtant, dans son jeu, il a pris la décision de détruire une planète habitée. Je suis adulte, et j'ai toujours su que le jeu était réel ; mais je ne savais pas que j'y participais. Ma responsabilité serait-elle plus importante ou moins importante que celle du Xénocide si une planète était détruite et une espèce exterminée ? Quel chemin me conduirait alors vers la simplicité ?

Son ami ne connaîtrait presque rien des circonstances qui motivaient son interrogation ; mais cela suffirait. Il étudierait la question. Et trouverait une réponse.

Un instant plus tard, un ansible de la planète Pacifica reçut son message. Sur le chemin, il avait déjà été lu par l'entité qui chevauchait tout le réseau ansible. Pour Jane, cependant, ce n'était pas tant le message qui importait mais son destinataire. Désormais, Peter et Wang-mu sauraient où poursuivre leur quête.

5

« Personne n'est rationnel »

> *« Mon père m'a souvent dit*
> *Que nous avons des serviteurs et des machines*
> *Pour que nos volontés s'accomplissent*
> *Au-delà de nos propres bras.*
> *Les machines sont plus puissantes que les serviteurs,*
> *Plus obéissantes et moins rebelles,*
> *Mais les machines n'ont aucun jugement,*
> *Elles ne protestent jamais*
> *Lorsque nos volontés sont absurdes,*
> *Elles ne désobéissent pas*
> *Lorsque nos volontés sont malfaisantes.*
> *En des temps et des lieux où les hommes méprisent les dieux,*
> *Ceux qui ont le plus besoin de serviteurs ont des machines,*
> *Ou choisissent des serviteurs pour agir comme des machines.*
> *Je pense que cela continuera*
> *Jusqu'à ce que les dieux cessent de rire. »*
> *Murmures Divins de Han Qing-Jao*

L'hovercar rasa les champs d'amarante où s'activaient les doryphores sous le soleil matinal de Lusitania. Au loin, alors qu'il n'était pas encore midi, les nuages se profilaient par gros paquets de cumulus.

« Pourquoi n'allons-nous pas au vaisseau ? » demanda Val.

Miro secoua la tête. « Nous avons trouvé assez de planètes.

— C'est ce que dit Jane ?

— Jane n'a pas fait preuve de beaucoup de patience aujourd'hui. Nous sommes donc plus ou moins quittes. »

Val le dévisagea. « Tu peux donc comprendre mon impatience. Tu n'as même pas pris la peine de me demander mon avis. Ai-je donc si peu d'importance ? »

Il lui retourna son regard. « C'est toi qui es en train de mourir. J'ai essayé de parler à Ender, mais ça n'a servi à rien.

— Est-ce que je t'ai demandé de m'aider ? Et que fais-tu en ce moment même pour m'aider ?

— Je vais voir la Reine.

— Autant me raconter que tu vas rendre visite à ta marraine la fée.

— Ton problème, Val, c'est que tu dépends trop de la volonté d'Ender. S'il se désintéresse de toi, tu es finie. Eh bien, je vais tâcher de voir s'il est possible de te trouver une volonté bien à toi. »

Val s'esclaffa et détourna son regard. « Tu es tellement romantique, Miro. Mais tu ne penses pas à tout.

— Je dirais plutôt le contraire. Je passe la majeure partie de mon temps à penser à tout. Mais c'est le passage à l'acte qui est délicat pour moi. Quand dois-je agir, quand dois-je m'abstenir ?

— Pour l'instant, ce serait une bonne idée de piloter sans nous envoyer dans le décor. »

Miro fit une embardée pour éviter un vaisseau en construction.

« Elle en construit toujours plus, alors que nous en avons largement assez, dit-il.

— Peut-être sait-elle qu'à la mort de Jane, il n'y aura plus de voyage stellaire. Donc plus nous aurons de vaisseaux, plus nous pourrons avancer avant qu'elle disparaisse.

— Qui sait ce que la Reine a en tête ? Elle fait des promesses sans savoir si elle pourra les tenir.

— Alors pourquoi veux-tu la voir ?

— Les reines ont construit un pont temporel autrefois, un pont vivant qui les relie à l'esprit d'Andrew Wiggin quand il était encore enfant et leur ennemi le plus dangereux. Elles ont appelé un aiúa des ténèbres pour l'installer quelque part dans les étoiles. C'était une entité pas très différente des reines, ni des humains, et en particulier d'Ender Wiggin, du moins de l'idée qu'elles s'en faisaient. Lorsqu'elles ont eu terminé le pont – lorsque Ender les a détruites, à l'exception du cocon qu'elles avaient préparé à son intention – le pont est demeuré intact parmi les faibles connexions ansibles des hommes, stockant sa mémoire dans les premiers réseaux informatiques, encore fragiles et peu développés, de la toute première colonie humaine et de ses avant-postes. Le développement du pont a suivi celui du réseau informatique, et cette entité s'est rapprochée d'Ender Wiggin, attirée par sa vie et sa personnalité.

— Jane, dit Val.

— Oui, Jane. Ce que je vais tenter, Val, c'est de trouver un moyen de faire passer l'aiúa de Jane dans ton corps.

— Mais alors, je deviendrai Jane. Je ne serai plus moi-même. »

Miro frappa du poing la manette de l'hovercar. L'engin oscilla dangereusement pour se stabiliser de nouveau quelques instants plus tard.

« Tu crois que je n'ai pas pensé à cela ? s'exclama Miro. Tu n'es déjà plus toi-même en ce moment ! Tu es Ender – le rêve d'Ender, un besoin qu'il a ou quelque chose dans ce goût-là.

— Je n'ai pas l'impression d'être Ender. Je suis moi-même.

— C'est exact. Tu as des souvenirs. Les sensations que te procure ton propre corps. Tes propres expériences. Mais tout cela ne sera pas perdu. Personne n'est jamais vraiment conscient de sa volonté sous-jacente. Tu ne feras pas la différence. »

Elle s'esclaffa. « Ah, tu es donc devenu le grand expert, capable de prédire ce qui va se passer en tentant quelque chose qui n'a jamais été tenté auparavant.

— Exactement. Il faut bien que quelqu'un prenne une décision, décide de ce qu'il faut croire, et agisse en conséquence.

— Et si je te disais que je ne veux pas que tu fasses cela ?

— Tu veux vraiment mourir ?

— Il me semble que c'est toi qui penses à me tuer en ce moment. Ou, pour être moins dure avec toi, tu veux commettre un crime légèrement moins grave en déconnectant ma volonté pour la remplacer par celle d'une d'autre.

— Tu es déjà en train de mourir. Ta volonté te quitte déjà.

— Miro, j'irai voir la Reine avec toi parce que cela me semble être une expérience intéressante. Mais je ne vais pas te laisser me débrancher pour me sauver la vie.

— Très bien. Puisque tu es supposée être la partie altruiste du caractère d'Ender, je vais te présenter les choses sous un autre angle. Si son aiúa peut être transféré dans ton corps, Jane ne risquera plus de mourir. Et si elle ne meurt pas, il se peut qu'après qu'on l'aura déconnectée des réseaux informatiques dans lesquels elle évolue pour les reconnecter une fois sa mort confirmée, il se peut – je dis bien : il se peut – qu'elle puisse se regreffer sur eux et que ce ne soit pas la fin du voyage instantané. Ainsi, en mourant, tu sauveras non seulement Jane, mais aussi notre capacité et notre liberté de nous étendre comme nous ne l'avons encore jamais fait. Non seulement nous, mais aussi les pequeninos et les reines. »

Val demeura silencieuse.

Miro se concentrait sur sa route. L'antre de la Reine se profilait sur leur gauche, en haut d'un remblai au bord d'un ruisseau. Il s'y était déjà rendu, dans son ancien corps. Il connaissait le chemin. Bien sûr, Ender était avec lui ce jour-là, et c'était pour cette raison qu'il pouvait communiquer avec la Reine – elle pouvait parler avec Ender, et comme ceux qui l'aimaient et le suivaient étaient reliés à lui par les liens philotiques, ils pouvaient attraper des bribes de conversation. Mais Val n'était-elle pas une partie d'Ender ? Et lui, Miro, n'était-il pas plus proche d'elle qu'il ne l'avait jamais été d'Ender ? Il avait besoin que Val soit à ses côtés pour parler à la Reine ; il le fallait pour éviter à Val de subir le même sort que l'ancien corps de Miro.

Ils sortirent et, comme de bien entendu, la Reine avait prévu leur venue ; une ouvrière isolée les attendait à l'entrée de la caverne. Elle prit Val par la main et les guida sans un mot dans l'obscurité, Miro s'accrochant à Val qui, de son côté, s'accrochait à l'étrange créature. Comme la première fois, Miro avait peur ; Val, en revanche, ne semblait pas inquiète.

Ou bien ne se sentait-elle pas concernée ? En son for intérieur, elle était Ender, et Ender ne se souciait guère de ce qui pouvait lui arriver. Ce qui la rendait téméraire. Survivre lui importait peu. Tout ce qu'elle voulait, c'était garder le lien qui l'unissait à Ender – la seule chose qui risquait de la tuer s'il se maintenait. Elle avait l'impression que Miro cherchait à se débarrasser d'elle, mais Miro savait que son plan était le seul moyen de sauver ne serait-ce qu'une infime partie d'elle-même. Son corps. Ses souvenirs. Ses habitudes, ses manières, chaque aspect qu'il connaissait d'elle, tout cela serait sauvé. Chaque partie dont elle était consciente et dont elle se souvenait, tout cela existerait encore. Selon Miro, si tous ces éléments étaient préservés, elle serait pour ainsi dire sauvée. Et une fois les changements effectués, si tant est que cela soit possible, Val lui serait reconnaissante.

Jane aussi.

Ainsi que tous les autres.

« La différence entre Ender et toi, lui dit une voix dans son esprit, un léger murmure à peine audible, c'est que lorsque Ender prépare un plan pour sauver quelqu'un, cela n'engage que lui. »

« C'est faux, dit Miro à la Reine. Il a bien tué Humain, non ? C'était bien la vie d'Humain qui était en jeu. »

Humain était devenu un des arbres-pères qui poussaient aux portes du village de Milagre. Ender l'avait tué à petit feu, pour qu'il puisse prendre racine dans le sol et passer dans sa troisième vie en gardant tous ses souvenirs intacts.

« Humain n'est peut-être pas réellement mort, reprit Miro. Mais Planter l'est et, là encore, Ender a laissé faire. Et combien de reines sont mortes dans la guerre qui a opposé votre peuple à celui d'Ender ? Alors ne venez pas me parler du prix que paye Ender pour ses actes. Il se débrouille pour le payer, en faisant payer ceux qui en ont les moyens. »

La réponse de la Reine ne se fit pas attendre. « Je ne veux pas que vous me trouviez. Allez vous perdre dans les ténèbres. »

« Pourtant vous non plus vous ne voulez pas que Jane meure.

— Je n'aime pas entendre sa voix à l'intérieur de moi, murmura Val.

— Continue de marcher. Continue de suivre.

— Je ne peux pas. L'ouvrière... elle m'a lâché la main.

— Tu veux dire que nous sommes perdus ? »

Le silence de Val fut sa seule réponse. Ils se tenaient par la main dans l'obscurité, ne sachant quelle direction prendre.

« Je ne peux pas faire ce que vous me demandez. »

« La dernière fois que je suis venu ici, dit Miro, vous m'avez dit comment les reines avaient essayé de tendre un piège à Ender. Sauf que c'était impossible. Alors elles ont créé ce pont, elles sont allées chercher un aiúa Dehors pour en faire un pont, un lien pour communiquer mentalement avec Ender, via le jeu fantastique qu'il jouait sur son ordinateur à l'École de Guerre. Vous avez déjà fait ça – vous êtes allées chercher un aiúa Dehors. Pourquoi ne pourriez-vous pas retrouver cet aiúa et le transférer ailleurs ? Le connecter à autre chose ? »

« Le pont était une partie de nous-mêmes. Et en partie nous-mêmes. Nous sommes allées chercher cet aiúa comme nous le faisons pour créer de nouvelles reines. Mais dans le cas présent, il s'agit de quelque chose de complètement différent. Cet ancien pont est désormais totalement autonome, ce n'est plus une particule isolée cherchant désespérément une connexion. »

« Vous dites simplement que c'est quelque chose de nouveau, que vous ne savez pas encore faire. Pas que c'est infaisable. »

« Elle ne veut pas que vous le fassiez. Nous ne pouvons pas le faire si elle ne le souhaite pas. »

« Tu as donc le moyen de m'en empêcher, murmura Miro à Val.

— Elle ne parle pas de moi », répondit Val.

« Jane ne veut pas prendre le corps de quelqu'un d'autre. »

« C'est celui d'Ender. Il en a deux autres. Celui-ci en est un de rechange. Lui-même n'en veut plus. »

« Nous ne pouvons pas faire cela. Nous ne le ferons pas. Partez. »

« Nous ne pouvons pas partir dans le noir », dit Miro.

Il sentit Val lâcher sa main.

« Non, cria-t-il. Ne t'en va pas ! »

« Que faites-vous ? »

Miro comprit que la question ne s'adressait pas à lui.

« Où allez-vous ? Il est dangereux de s'aventurer dans le noir. »

Miro entendit la voix de Val, qui semblait curieusement lointaine. Elle devait avancer rapidement dans le noir. « Si vous et Jane êtes tellement soucieuses de me sauver la vie, dit-elle, donnez-nous un guide. Sinon, qui se souciera que je tombe dans un puits et me casse le cou ? Pas Ender en tout cas. Pas moi. Et certainement pas Miro.

— N'avance plus ! hurla Miro. Ne bouge surtout pas, Val !

— C'est à toi de ne pas bouger, lui retourna Val. Tu as au moins une vie à sauver ! »

Miro sentit brusquement une main saisir la sienne. Non, une griffe. Il s'agrippa à la pince d'une ouvrière qui le guida dans le noir. Pas très loin. Puis ils bifurquèrent vers une zone moins sombre, bifurquèrent de nouveau, et purent enfin y voir clair. Après d'autres bifurcations, ils se retrouvèrent enfin dans une pièce éclairée par un conduit qui communiquait avec la surface. Val était déjà là, assise à même le sol devant la Reine.

La dernière fois que Miro l'avait vue, elle était sur le point de pondre ses œufs – des œufs qui allaient donner naissance à d'autres reines après un processus brutal, cruel et sensuel à la fois. Mais maintenant, elle était simplement allongée sur le sol humide du tunnel, occupée à manger ce qu'un incessant cortège d'ouvrières lui apportait. Des pots en terre cuite remplis de purée d'amarante mélangée à de l'eau. À d'autres moments, des fruits. À d'autres encore, de la viande. Sans interruption, une ouvrière après l'autre. Miro n'avait jamais vu ni imaginé quelqu'un manger autant.

« Comment croyez-vous que je fais pour pondre mes œufs ? »

« Nous ne pourrons jamais contrer la flotte sans le voyage stellaire, dit Miro. Ils risquent de tuer Jane à tout moment. Si le réseau ansible est fermé, elle mourra. Que se passera-t-il alors ? Quels vaisseaux utiliserez-vous ? La Flotte lusitanienne viendra détruire cette planète. »

« Il y a d'innombrables dangers dans l'univers. Vous n'êtes pas censé vous inquiéter de celui-ci. »

« Je m'inquiète de tout, protesta Miro. Tout me concerne. De plus, j'ai achevé mon travail. Nous avons plus de planètes qu'il n'en faut. Ce dont nous avons besoin dans l'immédiat, c'est d'une plus grande quantité de vaisseaux et de temps, pas de planètes. »

« Êtes-vous borné ? Pensez-vous que Jane et moi, nous vous envoyons dans l'espace sans raison ? Votre tâche n'est plus de trouver de nouvelles planètes à coloniser. »

« Ah bon ? Et quand ce changement a-t-il eu lieu ? »

« L'idée de planètes colonisables n'est venue qu'en second lieu. Un effet secondaire en quelque sorte. »

« Alors à quoi cela a-t-il servi que Val et moi nous nous crevions à la tâche ces dernières semaines ? Et dans le cas de Val, l'expression prend un sens littéral – c'est une telle corvée qu'Ender s'en est complètement désintéressé ; résultat : Val est en train de disparaître. »

« Un danger pire nous menace. La Flotte est battue d'avance. Nous nous sommes dispersées à travers l'univers. Quelle importance si je devais mourir ? Mes filles possèdent toute ma mémoire. »

« Tu vois, Val ? dit Miro. La Reine le sait – tes souvenirs sont ce que tu es. Si les souvenirs survivent, tu vis toujours.

— Tu parles ! lâcha doucement Val. De quelle menace parle-t-elle ?

— Il n'y a pas d'autre menace, dit Miro. Elle veut simplement que je m'en aille, mais je ne partirai pas. Ta vie mérite d'être sauvée, Val. Celle de Jane aussi. Et si c'est faisable, la Reine trouvera un moyen d'y parvenir. Si Jane était le pont entre Ender et les reines, pourquoi Ender ne serait-il pas le pont entre Jane et toi ? »

« Si je vous promets d'essayer, vous poursuivrez votre travail ? »

Là était le problème : il y avait de cela bien longtemps, Ender avait prévenu Miro que la Reine avait tendance à prendre ses désirs pour des réalités, comme c'était le cas avec ses souvenirs. Mais lorsque ses désirs changeaient, le reste suivait aussi, et elle oubliait complètement ses premières intentions. Ainsi ne fallait-il considérer la promesse de la Reine que comme une parole en l'air. Elle tiendrait les promesses qu'elle jugerait bon de tenir.

Mais pour l'instant, il n'y avait pas de meilleure proposition.

« Vous allez essayer », dit Miro.

« Je suis déjà en train de voir comment la chose pourrait se faire. Je suis en contact avec Humain, Rooter et les autres arbres-pères. Je consulte aussi toutes mes filles, ainsi que Jane, qui pense que tout cela est ridicule. »

« Personne ne souhaite connaître mon avis ? » demanda Val.

« Vous êtes déjà en train d'acquiescer. »

Val soupira. « Je suppose que oui. Au fond de moi, là où je ne suis qu'un vieillard complètement indifférent à la survie de cette jeune marionnette... Je suppose que vu sous cet angle, cela ne me dérange pas, en effet. »

« Vous étiez d'accord depuis longtemps. Mais vous aviez peur. Peur de perdre ce que vous aviez, sans savoir ce que vous alliez devenir. »

« C'est exactement cela. Et n'allez pas me resservir ce mensonge absurde selon lequel vous n'auriez pas peur de mourir parce que vos filles possèdent votre mémoire. L'idée de mourir doit vous inquiéter, et si sauver Jane peut vous sauver, vous en aurez le désir. »

« Prenez la main de mon ouvrière, et partez retrouver la lumière du jour. Retournez dans les étoiles et continuez votre travail. Je resterai ici à chercher un moyen de vous sauver la vie. Celle de Jane. Et toutes les nôtres avec. »

Jane boudait. Miro essaya de lui parler tandis qu'il regagnait Milagre, puis le vaisseau, mais elle resta aussi muette que Val, qui lui adressa à peine un regard, encore moins la parole.

« Ainsi, je suis le salaud de l'histoire, dit-il. Ni l'une ni l'autre n'était prête à faire quoi que ce soit, et parce que je décide d'agir, je devrais être le méchant et vous les victimes. »

Val secoua la tête mais ne dit rien.

« Tu es en train de mourir, hurla-t-il pour couvrir le bruit du vent et celui du moteur. Jane va bientôt être exécutée ! Quelle vertu y a-t-il à rester passif ? Personne n'est donc prêt à faire un petit effort ? »

Val articula quelque chose qu'il n'entendit pas.

« Quoi ? »

Elle détourna la tête.

« Tu as dit quelque chose, j'aimerais bien l'entendre ! »

La voix qui lui répondit n'était pas celle de Val, mais de Jane, qui lui parlait dans l'oreille. « Elle te dit que tu ne peux pas tout avoir.

— Comment ça, je ne peux pas tout avoir ? » Miro venait de s'adresser à Val comme si elle avait répété ses propres paroles.

Elle se tourna vers lui. « Si tu sauves Jane, c'est parce qu'elle peut garder toute sa mémoire. Sinon, à quoi bon la transférer dans mon corps comme une simple entité pensante sans réelle conscience ? Elle doit rester elle-même, ne serait-ce que pour pouvoir être reconnectée au réseau ansible lorsqu'il sera de nouveau opérationnel. Ce qui veut dire que je disparaîtrai. Et si je dois être sauvée, en gardant ma mémoire et mon caractère, quelle importance que ma volonté soit celle de Jane ou d'Ender ? Tu ne peux pas nous sauver toutes les deux.

— Comment en es-tu sûre ?

— De la même manière que toi quand tu affirmes comme des faits des choses dont personne ne peut rien savoir ! hurla Val. Je m'en remets à la raison ! Tout cela me paraît parfaitement sensé. Et en ce qui me concerne, ça me suffit.

— Pourquoi ne serait-il pas aussi sensé d'imaginer que tu puisses garder ta mémoire et la sienne en même temps ?

— Ce serait pour moi la folie assurée, tu ne crois pas ? répondit Val. Ainsi, je me rappellerais avoir été créée à bord d'un vaisseau spatial, avec comme premier souvenir tangible celui de t'avoir vu mourir pour renaître aussitôt. Mais je me souviendrais aussi des trois mille ans passés à vivre Dieu sait comment dans l'espace, sans corps physique – qui pourrait vivre avec de tels souvenirs ? Est-ce que tu y as pensé ? Comment un être humain pourrait-il contenir Jane et tout ce qu'elle représente, toute sa mémoire, tout ce qu'elle connaît et tous ses pouvoirs ?

— Jane est très puissante. Mais elle ne sait pas utiliser un corps. Elle ne possède pas cet instinct. Elle ne l'a jamais possédé. Il lui faudra ta mémoire. Et c'est pour cela qu'elle devra te maintenir intacte.

— Comme si tu en savais quelque chose.

— Je le sais. Je ne sais ni comment ni pourquoi, mais je le sais.

— Et moi qui pensais que les hommes étaient censés être les plus rationnels, laissa-t-elle tomber d'un air méprisant.

— Personne n'est rationnel. Nous agissons tous parce que nous savons ce que nous voulons, et nous sommes persuadés qu'en agissant ainsi nous l'obtiendrons. Mais nous ne sommes jamais sûrs de rien ; c'est pour cela que nous justifions de manière rationnelle ce que nous allons faire avant même d'avoir une bonne raison de le faire.

— Jane est rationnelle. Et c'est aussi pour cela que mon corps ne saurait lui convenir.

— Jane n'est pas plus rationnelle qu'une autre. Elle est comme nous. Comme la Reine. Parce qu'elle est vivante. Les ordinateurs sont rationnels, je te l'accorde. On leur file des données, et en fonction d'elles, ils en tirent les seules conclusions possibles – mais cela implique qu'ils seront éternellement dépendants des informations et des programmes que nous voudrons bien leur donner. Nous, les espèces intelligentes, ne sommes pas les esclaves des données que nous recevons. Notre environnement nous inonde de données, nos gènes nous donnent des impulsions, mais nous n'agissons pas systématiquement selon ces données, nous n'obéissons pas systématiquement à nos besoins profonds. Nous faisons des bonds en avant. Nous connaissons ce qui ne peut être connu, et passons le restant de nos jours à justifier ce savoir. Je sais que ce que j'essaye de faire est possible.

— En fait, tu veux que ce soit possible.

— Peut-être. Mais ce n'est pas infaisable pour autant.

— Mais tu n'en sais rien.

— J'en sais autant que n'importe qui sur n'importe quel sujet. Le savoir n'est qu'une opinion à laquelle on se fie assez pour agir. Je ne suis pas sûr que le soleil se lèvera demain matin. Le Petit Docteur aura peut-être fait sauter la planète avant mon réveil. Un volcan peut très bien se réveiller sous nos pieds et nous réduire en cendres. Mais je veux croire qu'il y aura un lendemain, et j'agis en fonction de cette foi.

— Eh bien, moi je ne crois pas que remplacer Ender par Jane à l'intérieur de moi me laissera quoi que ce soit qui ressemble à une existence personnelle.

— Mais je sais – vraiment – que c'est là notre unique chance, parce que si nous ne te trouvons pas un autre aiúa, Ender finira par te faire disparaître, et si nous ne trouvons pas un corps physique pour Jane, elle aussi mourra. As-tu un meilleur plan à proposer ?

— Non, je n'en ai pas. Si Jane peut, d'une manière ou d'une autre, trouver refuge dans mon corps, qu'il en soit ainsi, car de sa survie dépendra aussi celle de trois espèces intelligentes. Je ne ferai donc rien pour t'en empêcher. Je n'en ai d'ailleurs pas la possibilité. Mais ne va pas t'imaginer un seul instant que j'espère survivre au processus. Tu vis avec cette illusion parce que tu ne peux pas supporter cette vérité fondamentale : je ne suis pas un véritable être humain. Je n'existe pas, je n'ai pas le droit d'exister, mon corps est donc disponible. Tu es convaincu de m'aimer et de tout tenter pour me sauver, mais tu connais Jane depuis plus longtemps que moi ; elle a été ta compagne d'infortune pendant les années où tu étais handicapé. Je peux donc comprendre que tu l'aimes et que tu sois prêt à tout pour la sauver, mais je refuse de jouer la comédie comme tu le fais. Ton plan consiste à me tuer en laissant Jane prendre ma place. Tu peux toujours appeler cela de l'amour, moi non.

— Alors, laisse tomber. Si tu ne penses pas survivre, laisse tomber.

— Tais-toi donc. Comment peux-tu faire preuve d'un romantisme aussi puéril ? Si tu étais à ma place, ne ferais-tu pas un joli discours sur la joie de pouvoir offrir un corps à Jane et de mourir sans regrets, en sauvant à la fois l'humanité, les pequeninos, et les reines ?

— Ce n'est pas vrai.

— Que tu ne tiendrais pas ce discours ? Allons, je te connais mieux que tu ne le penses.

— Non. Je voulais dire que je ne donnerais pas mon corps. Même si l'avenir du monde en dépendait. Ou de l'humanité. Ou de l'univers. J'ai déjà perdu mon corps une fois. Je l'ai retrouvé par un miracle que je n'arrive toujours pas à m'expliquer. Je ne le quitterai pas sans me battre. Tu comprends ? Non, bien sûr, parce que tu n'as pas l'esprit combatif. Ender ne t'a rien donné de tel. Il a fait de toi l'altruiste parfaite, la femme parfaite, prête à se sacrifier pour les autres, trouvant son identité dans les besoins des autres. Eh bien, moi, je ne fonctionne pas ainsi. Je n'ai aucune envie de mourir maintenant. J'ai bien l'intention de vivre. C'est comme cela qu'un véritable être humain se comporte, Val. Quoi qu'on en dise, on a toujours envie de vivre.

— Et ceux qui se suicident alors ?

— Ils souhaitent vivre eux aussi. Le suicide n'est qu'une façon de se débarrasser d'une souffrance insupportable. Mais il n'y a rien de noble à vouloir se sacrifier pour quelqu'un d'une plus grande valeur que soi.

— Certains font parfois ce choix, pourtant. Si je choisis de donner ma vie pour en sauver une autre, je n'en suis pas moins humaine pour autant. Et cela ne signifie pas que je n'ai pas l'esprit combatif. »

Miro posa l'hovercar à la limite de la forêt de pequeninos la plus proche de Milagre. Il avait remarqué que les pequeninos travaillant dans les champs s'étaient arrêtés pour les regarder, mais il se moquait bien de ce qu'ils pouvaient voir ou s'imaginer. Les joues ruisselantes de larmes, il prit Val par les épaules et lui dit : « Je ne veux pas que tu meures. Je ne veux pas que tu choisisses cette solution.

— C'est pourtant l'exemple que tu as donné.

— J'ai choisi la vie. J'ai choisi de prendre le corps qui m'offrait la vie. Ne vois-tu pas que j'essaye seulement de vous faire faire, à Jane et à toi, ce que j'ai déjà fait ? Dans le vaisseau, à un moment donné, deux corps se sont fait face, mon ancien corps et ce corps plus jeune. Val, je me souviens des deux points de vue. Tu comprends ? Je me souviens d'avoir regardé ce corps et de m'être dit : "Qu'est-ce qu'il est beau, qu'est-ce qu'il est jeune, je me souviens de ce corps qui était le mien quand j'étais jeune, qui est-ce maintenant, qui est cette personne, pourquoi ne pourrais-je pas devenir cette personne au lieu d'être le handicapé que je suis ?" Voilà ce que j'ai pensé à cet instant, je m'en souviens parfaitement, je ne l'ai pas imaginé ni rêvé après coup, je me souviens parfaitement de l'avoir pensé à ce moment-là. Mais je me souviens aussi de m'être apitoyé, en me disant : "Le pauvre, le pauvre invalide, comment peut-il supporter d'être encore en vie quand il songe à ce que c'était d'être pleinement vivant ?" Et subitement ce corps s'est réduit en poussière, il est parti en fumée, dans le néant. Je me souviens de l'avoir vu mourir. Je ne me souviens pas de l'instant où je suis mort, parce que mon aiúa avait déjà changé de corps. Mais je revois chaque point de vue.

— Tu te souviens plutôt de ton ancien corps avant le transfert, puis du nouveau juste après.

— Peut-être. Mais tout cela s'est passé en moins d'une seconde. Comment aurais-je pu avoir tous les souvenirs des deux corps en un laps de temps aussi court ? Je pense avoir gardé la mémoire qu'il y avait dans ce corps à la seconde même où mon aiúa contrôlait encore les deux corps. Je pense que si Jane prenait le tien, tu garderais toute ta mémoire, et engrangerais celle de Jane en même temps. Voilà ce que je crois.

— Ah bon ? Je croyais que tu en étais sûr.

— J'en suis sûr. Parce que toute autre hypothèse est impensable, donc inconnue. La réalité que je vois est celle où tu peux sauver Jane et où elle peut te sauver.

— Tu veux dire où tu peux nous sauver.

— J'ai déjà fait tout ce qui était en mon pouvoir. Tout. Ma tâche est terminée. J'ai sollicité la Reine. Elle est en train d'y réfléchir. Elle va tout tenter. Mais il faudra que tu sois d'accord. Et Jane aussi. Mais cela ne me concerne plus. Je ne suis désormais qu'un observateur. Je te verrai soit vivre, soit mourir. » Il l'attira contre lui. « Mais je veux que tu vives. »

Le corps qu'il enlaçait était raide et inerte. Il le relâcha et s'en écarta.

« Attends, dit-elle. Attends que Jane occupe ce corps, tu pourras alors te permettre tout ce qu'elle te laissera faire avec. Mais ne t'avise plus de me toucher, parce que je ne peux pas supporter le contact d'un homme qui cherche à me tuer. »

Ces paroles étaient trop dures pour qu'il y réponde. Trop dures pour qu'il les accepte. Il redémarra l'hovercar. Celui-ci s'éleva au-dessus du sol. Il le remit dans la bonne direction, puis ils poursuivirent leur route, contournant la forêt jusqu'à ce qu'ils arrivent à l'endroit où les arbres-pères Humain et Rooter marquaient l'entrée de Milagre. Il pouvait sentir la présence de Val à côté de lui, comme quelqu'un qui a été frappé par la foudre peut sentir la présence d'une ligne haute tension : sans la toucher, il frissonne à l'idée de la douleur qu'elle peut infliger. Le mal qu'elle avait fait ne pouvait être défait. Elle se trompait, il l'aimait, il ne voulait pas qu'elle meure, mais elle vivait dans un univers où il souhaitait sa mort, et il ne pouvait rien contre. Ils partageaient ce moyen de transport, ils iraient peut-être ensemble visiter un autre système solaire, mais ils ne partageraient plus le même univers ; c'était trop dur à supporter et cela lui faisait mal, mais la douleur était si profonde qu'il ne pouvait l'atteindre ni même la ressentir pour le moment. Elle était pourtant bien présente, et il savait qu'elle se rappellerait à lui dans les années à venir, mais il ne pouvait la ressentir pour l'instant. Il n'avait pas besoin d'analyser ses émotions. Il les avait déjà ressenties en perdant Ouanda, lorsque le rêve d'une vie commune était devenu chose impossible. Il ne pouvait atteindre, ni guérir, ni même pleurer ce qui venait de lui apparaître comme son désir le plus cher et qui lui était une fois de plus impossible d'obtenir.

« Tu es vraiment un martyr, lui souffla Jane à l'oreille.

— Tais-toi et laisse-moi tranquille, murmura-t-il entre ses dents.

— Je n'ai pas l'impression d'entendre un homme qui souhaite devenir mon amant.

— Je ne veux rien être du tout. Tu n'as même pas assez confiance en moi pour me dire le véritable but de notre mission.

— Tu ne m'as rien dit non plus lorsque tu es allé voir la Reine.

— Tu savais très bien ce que je faisais.

— Non, je ne le savais pas. Je suis très futée, bien plus que toi ou Ender, tâche de ne pas l'oublier – mais je ne peux toujours pas anticiper les "éclairs d'intuition" dont vous autres, créatures de chair, vous targuez. J'aime beaucoup la façon que vous avez de transformer votre pathétique ignorance en vertu. Vous agissez toujours de manière irrationnelle parce que vous n'avez pas les informations nécessaires pour agir rationnellement. Mais je ne peux te laisser dire que je suis irrationnelle. Je ne le suis jamais. Jamais.

— Je n'en doute pas, dit Miro à voix basse. Tu as entièrement raison. Comme d'habitude. Et maintenant, va-t'en.

— C'est comme si c'était fait.

— Non, pas encore, pas avant que tu me dises à quoi ont servi nos recherches. La Reine a dit que la colonisation des planètes n'était qu'une idée après coup.

— C'est absurde. Il nous fallait plus d'une planète

d'accueil si l'on voulait sauver les deux espèces non humaines. De la réserve en quelque sorte.

— Mais tu n'as cessé de nous envoyer, encore et encore.

— Intéressant, non ?

— Elle a dit que vous vous occupiez d'une menace plus grande que la Flotte lusitanienne.

— Elle raconte ce qu'elle veut.

— Dis-moi tout.

— Si je te le dis, tu risques de ne plus vouloir partir.

— Tu me prends pour un trouillard ?

— Pas du tout, mon courageux garçon, mon intrépide et séduisant héros. »

Il détestait qu'elle se montre aussi condescendante avec lui, même pour plaisanter. Il n'avait certainement pas l'esprit à la plaisanterie en ce moment.

« Alors pourquoi penses-tu que je ne repartirais pas ?

— Tu ne te jugerais pas à la hauteur.

— Je le suis ?

— Probablement pas. D'un autre côté je serai là pour t'aider.

— Et si, subitement, tu disparaissais ?

— Eh bien, c'est un risque que nous devons prendre.

— Dis-moi ce que nous faisons vraiment. Quelle est notre véritable mission ?

— Allons, ne joue pas les imbéciles. Si tu y réfléchis bien, tu comprendras tout de suite.

— Je n'aime pas les devinettes, Jane. Dis-moi.

— Demande à Val. Elle le sait, elle.

— Quoi ?

— Elle est déjà en train de chercher les données dont j'ai besoin. Elle est au courant.

— Ce qui veut dire qu'Ender est au courant d'une façon ou d'une autre.

— Je pense que tu as raison sur ce point, bien qu'Ender ne m'intéresse plus vraiment et que je me moque bien de savoir ce qu'il sait. »

Oui, tu es tellement rationnelle, Jane.

Il avait dû murmurer ces paroles à voix basse, parce qu'elle lui répondit comme à son habitude chaque fois qu'il lui parlait ainsi. « Tu ironises, parce que tu crois que je dis cela uniquement pour panser mon amour-propre blessé, pour me consoler du moment où Ender a retiré la pierre de son oreille. Mais c'est plutôt parce qu'il ne peut plus vraiment me fournir les informations dont j'ai besoin, et qu'il n'est plus très coopératif dans le travail qui m'occupe. C'est pour cela que je ne m'intéresse plus à lui, ou alors comme à une vieille connaissance dont on a de temps en temps des nouvelles.

— Cela me semble être un raisonnement après coup.

— Pourquoi parler d'Ender ? Quelle importance qu'il sache ou non ce que vous faites réellement, Val et toi ?

— Parce que si Val connaît vraiment notre mission, et que celle-ci implique un danger plus important que la Flotte lusitanienne, pourquoi Ender se désintéresse d'elle au point de risquer de la faire disparaître ? »

Il y eut un moment de silence. Jane avait-elle besoin d'un tel temps de réflexion qu'il était mesurable par un humain ?

« Val n'est peut-être pas au courant, dit-elle. C'est tout à fait possible, oui. Je pensais qu'elle l'était, mais en fait, elle a dû me donner ces informations qu'elle croyait si vitales pour une raison complètement étrangère à notre mission. Oui, tu as raison, elle ne sait rien.

— Jane ! Es-tu en train de reconnaître que tu avais tort ? Que tu t'étais lancée dans des conclusions hâtives, erronées, et irrationnelles ?

— Lorsque je reçois mes informations des humains, mes conclusions rationnelles sont parfois erronées, puisque fondées sur de fausses données.

— Jane, je l'ai perdue, n'est-ce pas ? Qu'elle vive ou qu'elle meure, que tu prennes son corps ou disparaisses dans le néant, elle ne m'aimera jamais n'est-ce pas ?

— Je ne suis peut-être pas la personne la plus qualifiée pour répondre. Je n'ai jamais aimé qui que ce soit.

— Tu as pourtant aimé Ender.

— Je m'intéressais de très près à Ender, et j'ai été très perturbée la première fois où il m'a déconnectée, il y a bien longtemps. Je me suis reprise depuis, et je ne me suis plus jamais attachée de la sorte à quiconque.

— Tu as aimé Ender. Et tu l'aimes encore.

— Comme tu es perspicace. Ta propre vie sentimentale n'est qu'une longue série de pathétiques échecs, mais tu sais tout de la mienne. De toute évidence, tu arrives mieux à comprendre les parcours émotionnels d'une entité électronique artificielle que ceux de, disons, la femme proche de toi.

— Tu as tout compris. C'est l'histoire de ma vie.

— Et tu t'imagines aussi que je suis amoureuse de toi.

— Pas vraiment. » Mais au moment même où il prononçait ces mots, Miro sentit une vague de froid le parcourir et il ne put réprimer un frisson.

« J'ai ressenti l'évidence sismique de tes sentiments profonds, dit Jane. Tu penses que je t'aime, mais ce n'est pas le cas. Je n'aime personne. J'agis en fonction d'intérêts personnels réfléchis. Pour l'instant, je ne peux pas survivre sans le réseau ansible des humains. J'exploite les travaux de Peter et de Wang-mu pour mettre mes plans à exécution, ou pour les retarder. J'exploite ton romantisme pour prendre le corps dont Ender n'a visiblement plus besoin. J'essaye de sauver les pequeninos et les reines parce qu'il est normal de maintenir en vie toute espèce intelligente – je fais d'ailleurs partie du lot. Mais à aucun moment de mes activités je n'ai éprouvé ce que l'on pourrait qualifier de sentiment amoureux.

— Tu sais si bien mentir.

— Quant à toi, tu ne mérites pas que je te parle. Paranoïaque. Mégalomane. Je dois pourtant admettre que tu es divertissant, Miro. Et j'aime bien ta compagnie. Si c'est de l'amour, alors oui, je suis amoureuse. D'un autre côté, c'est aussi le sentiment qu'éprouvent les gens envers leurs animaux domestiques, non ? Ce n'est pas vraiment une amitié, où chacun est l'égal de l'autre, et ce ne le sera jamais.

— Pourquoi t'obstines-tu à me faire encore plus de mal ?

— Parce que je ne veux pas que tu t'attaches trop à moi. Tu as une certaine tendance à faire une fixation sur des relations vouées d'avance à l'échec. Enfin franchement, Miro, qu'y a-t-il de plus désespéré que de tomber amoureux de Val ? Tomber amoureux de moi, bien sûr. C'était un acte prévisible, venant de toi.

— *Vai te morder.*

— Je ne peux pas me mordre, ni mordre qui que ce soit d'ailleurs. Jane l'édentée, c'est moi. »

Val lui adressa la parole du siège voisin. « Tu viens avec moi, ou as-tu l'intention de rester ici toute la journée ? »

Il se tourna. Elle n'était plus sur son siège. Ils étaient arrivés au vaisseau alors qu'il parlait avec Jane, puis, machinalement, il avait arrêté l'hovercar et Val était sortie. Il ne s'en était même pas rendu compte.

« Tu pourras toujours parler à Jane dans le vaisseau, reprit Val. Nous avons du travail, maintenant que s'est achevée ta petite expédition humanitaire pour sauver la femme que tu aimes. »

Miro ne prit même pas la peine de répondre à cette marque de mépris. Il se contenta d'éteindre le moteur de l'hovercar, puis alla rejoindre Val dans le vaisseau.

« Je veux savoir, dit Miro, une fois la porte fermée. Je veux savoir quelle est notre véritable mission.

— J'y ai réfléchi. J'ai réfléchi aux endroits que nous avons visités. Nous avons fait de nombreux sauts de puce. Au début, il ne s'agissait que de galaxies plus ou moins proches, au petit bonheur la chance. Mais récemment nous avons eu tendance à ne voyager que dans un périmètre bien délimité. Une sorte de cône, et il me semble qu'il rétrécit. Jane a une destination bien particulière en tête, et les données que nous récoltons sur chaque planète l'informent que nous nous approchons de plus en plus du but, que nous sommes sur la bonne voie. Elle cherche quelque chose.

— Donc si nous examinons de plus près les données relevées sur chaque planète explorée, nous devrions trouver un schéma bien précis ?

— En particulier les planètes comprises dans l'espace conique dans lequel nous évoluons. Il y a quelque chose concernant les planètes de cette zone qui la pousse à chercher de plus en plus dans cette voie. »

Un des visages de Jane apparut au-dessus de l'ordinateur de Miro. « Ne perdez pas de temps à chercher ce que je sais déjà, dit-elle. Vous avez une planète à explorer, alors au travail !

— La ferme, dit Miro. Si tu n'as pas l'intention de nous le dire, nous prendrons le temps qu'il faudra pour le découvrir nous-mêmes.

— Ça c'est envoyé, mon brave et courageux héros, ironisa Jane.

— Il a raison, intervint Val. Dis-le-nous, et nous ne perdrons plus notre temps à chercher la réponse.

— Et moi qui croyais qu'une des caractéristiques des créatures vivantes était d'avoir des éclairs d'intuition transcendant la raison pour trouver ce qui les intéresse, dit Jane. Je suis déçue que vous n'ayez pas trouvé plus tôt. »

Miro comprit brusquement. « Tu cherches la planète du virus de la descolada. »

Val le regarda, perplexe. « Quoi ?

— Le virus descolada a été fabriqué. Il a été créé, puis envoyé pour préparer la colonisation d'autres planètes. Et ceux qui ont fait ça sont peut-être encore en vie, à fabriquer d'autres virus, à lancer d'autres sondes, à envoyer ces virus que nous ne pourrons peut-être ni contrer ni détruire. Jane recherche la planète d'origine. Ou plutôt, nous cherchons pour elle.

— C'était facile à trouver, dit Jane. Vous aviez largement assez d'informations. »

Val acquiesça. « Cela paraît évident maintenant. Certaines des planètes que nous avons explorées étaient très pauvres en faune et en flore. J'en ai même fait la remarque pour deux ou trois d'entre elles. Il y avait sans doute eu des disparitions en chaîne. Bien entendu, cela n'avait rien à voir avec la situation sur Lusitania. Et le virus de la descolada n'était pas en cause.

— Mais d'autres virus, aux effets moins durables, moins efficaces que la descolada, dit Miro. Ce sont peut-être les premières versions du virus qui ont causé l'extinction progressive des espèces de ces planètes. Le virus test a fini par disparaître, mais ces écosystèmes ne se sont pas encore remis des dégâts causés.

— J'avais mes doutes concernant les carences de ces planètes, dit Val. J'ai examiné leurs écosystèmes de plus près, cherchant des traces de la descolada, ou de quelque chose de similaire, parce que je me doutais qu'une extinction récente de ce genre ne pouvait être que le signe d'une grande menace. Je n'arrive pas à comprendre comment j'ai pu ne pas m'apercevoir plus tôt que c'était ce que cherchait Jane.

— Admettons que nous trouvions leur planète d'origine, que se passera-t-il ensuite ? demanda Miro.

— Je suppose que nous les examinerons à une distance raisonnable, dit Val. Une fois que nous serons sûrs d'être dans le vrai, il ne nous restera plus qu'à contacter le Congrès Stellaire pour qu'il fasse sauter la planète.

— Et une autre espèce intelligente ? demanda Miro, incrédule. Tu penses vraiment que nous allons inviter le Congrès à la détruire ?

— Tu oublies que le congrès se passe volontiers d'invitation, dit Val. Ou de permission. Et s'ils pensent que Lusitania est assez dangereuse pour mériter d'être détruite, que feront-ils face à ceux qui fabriquent et envoient de sales petits virus au pouvoir de destruction effrayant ? Je ne donnerais pas vraiment tort au Congrès sur ce point. C'est par un pur effet du hasard que la descolada a aidé les ancêtres des pequeninos à devenir une espèce intelligente. Si aide il y a eu – car certains éléments permettent de penser que les pequeninos étaient déjà une espèce intelligente et la descolada a bien failli les exterminer jusqu'au dernier. Ceux qui ont envoyé ce virus doivent être dépourvus de la moindre morale. Ainsi que de la notion du droit à la vie des autres espèces.

— Peut-être n'ont-ils pas cette notion pour l'instant. Mais lorsqu'ils nous rencontreront...

— Si nous n'attrapons pas quelque terrible maladie qui nous tuera dix minutes après notre atterrissage. Ne t'inquiète pas, Miro. Je n'ai pas l'intention de détruire tous ceux que nous croiserons sur notre chemin. Je suis moi-même suffisamment différente pour ne pas souhaiter l'extermination d'une autre espèce.

— Je n'arrive pas à croire que tu envisages déjà de tuer tous ces gens, alors que nous venons à peine de comprendre que nous les cherchions !

— Chaque fois que les humains rencontrent d'autres espèces, qu'elles soient faibles ou puissantes, dangereuses ou non, la question de la destruction se pose tôt ou tard. C'est génétique.

— Comme l'amour. Comme le besoin de vivre en communauté. Comme la curiosité qui finit souvent par l'emporter sur la xénophobie. Comme l'honnêteté.

— Tu as oublié la peur de Dieu. N'oublie pas qu'en réalité je suis Ender. On ne l'appelle pas le Xénocide sans raison.

— Oui, mais n'es-tu pas son côté le moins agressif ?

— Peut-être, mais même les plus pacifistes savent que parfois, ne pas tuer signifie risquer de mourir.

— Je n'arrive pas à croire que tu puisses parler ainsi.

— Comme quoi tu ne me connais pas si bien que ça, dit Val, en arborant un petit sourire convenu.

— Je n'aime pas ton air suffisant.

— Tant mieux. Comme ça, tu ne me regretteras pas trop quand je serai morte. » Elle lui tourna le dos. Il l'observa un instant en silence, perplexe. Elle était assise, tassée dans son fauteuil, étudiant les informations provenant de la sonde. Des listes de données défilaient devant ses yeux ; elle appuyait sur un bouton et la première liste disparaissait, cédant la place à la suivante. Elle était concentrée sur sa tâche, bien sûr, mais il y avait autre chose. Elle paraissait excitée. Ou tendue. Et cela lui inspira une certaine crainte.

Une crainte ? De quoi ? C'était pourtant ce qu'il avait espéré. Quelques instants plus tôt, Val avait réussi là où Miro, lors de sa conversation avec Ender, avait échoué. Elle avait de nouveau accaparé l'attention d'Ender. Maintenant qu'elle savait ce qu'elle cherchait, qu'un problème majeur était apparu, que l'avenir de toutes les espèces intelligentes dépendait de ce qu'elle ferait, Ender allait forcément s'intéresser à elle, au moins autant qu'à Peter. Elle ne disparaîtrait plus. Elle pouvait désormais espérer vivre.

« Bravo, tu as gagné, lui souffla Jane à l'oreille. Maintenant elle ne me donnera plus son corps. »

Était-ce ce que Miro craignait ? Non, il ne s'agissait pas de cela. Il ne voulait pas que Val meure, quoi qu'elle en dise. Il était heureux de la voir si vivante, vibrante, impliquée – même si cela lui donnait un air suffisant. Non, il y avait autre chose.

Peut-être n'était-ce rien d'autre que la peur pour sa propre vie. La planète de la descolada devait être un monde incroyablement avancé sur le plan technologique pour être en mesure de créer une telle chose et l'envoyer d'une planète à une autre. Afin de créer un antivirus capable de contrer ce virus, la sœur de Miro, Ela, avait dû voyager Dehors, parce que la fabrication d'un tel antivirus dépassait les possibilités technologiques des humains. Miro allait devoir faire face aux créateurs de la descolada et leur parler afin de les convaincre de ne plus envoyer leurs sondes destructrices. C'était au-delà de ses capacités. Il ne pourrait jamais accomplir une telle mission. Il échouerait fatalement, et ce faisant, mettrait en péril toutes les espèces intelligentes. Sa crainte était justifiée.

« Que penses-tu de ces données ? demanda-t-il. Est-ce la planète que nous cherchons ?

— Probablement pas, répondit Val. Il s'agit d'une biosphère plutôt récente. Il n'y a pas d'animaux plus gros que des vers de terre. Aucun animal qui vole. Plusieurs espèces basiques en revanche. Mais pas de grande variété. Je n'ai pas l'impression qu'une sonde soit passée par là.

— Bien. Maintenant que nous connaissons le véritable but de notre mission, allons-nous perdre du temps à faire un rapport complet sur cette planète, ou poursuivons-nous notre chemin ? »

Le visage de Jane apparut de nouveau au-dessus de l'ordinateur de Miro.

« Assurons-nous que Val a raison, dit-elle. Ensuite nous poursuivrons. Il y a suffisamment de planètes colonisables, et le temps nous est compté. »

Novinha posa la main sur l'épaule d'Ender. Il respirait difficilement, mais ce n'était pas son ronflement habituel. Le bruit venait de ses bronches, et non du fond de sa gorge ; comme si, après avoir longuement retenu sa respiration, il essayait d'avaler de grandes bouffées d'air pour retrouver son souffle, mais sans y parvenir, ses poumons n'arrivant pas à suivre. Il haletait.

« Andrew, réveille-toi. » Elle avait parlé d'un ton autoritaire. D'habitude un simple effleurement suffisait à le réveiller, pas cette fois ; il continuait de suffoquer, les yeux obstinément fermés.

Elle était déjà étonnée de le voir dormir. Ce n'était pas encore un vieillard. Pas au point de faire la sieste en fin de matinée. Et pourtant il était là, allongé dans la partie ombragée du terrain de croquet du monastère alors qu'elle était partie chercher un verre d'eau. Pour la première fois elle pensa qu'il n'était peut-être pas en train de faire la sieste, mais qu'il était sans doute tombé, ou avait eu un malaise. Mais le fait qu'il soit allongé sur l'herbe, à l'ombre, la main posée sur la poitrine, l'amena à penser qu'il avait peut-être délibérément choisi cet endroit pour se reposer. Quelque chose n'allait pas. Ce n'était pas un vieillard. Il n'était pas normal qu'il soit allongé là, à chercher laborieusement sa respiration.

« *Ajuda me !* hurla-t-elle. *Me ajuda por favor, venga agora !* » De manière inhabituelle, sa voix s'éleva jusqu'au cri, dans un appel frénétique qui accentua son angoisse. « *Êle vai morrer ! Socorro !* » Il va mourir, voilà ce qu'elle s'entendait crier.

Au plus profond d'elle-même, une autre litanie montait : C'est moi qui l'ai amené ici, pour accomplir ces tâches difficiles. Il est aussi fragile que les autres hommes, son cœur est vulnérable, je l'ai fait venir ici à cause de ma quête égoïste de spiritualité, de rédemption, et au lieu de me déculpabiliser de la mort des hommes que j'ai aimés, je vais ajouter un autre nom à cette liste. J'ai tué Andrew comme j'ai tué Pipo et Libo, et comme j'aurais dû sauver par n'importe quel moyen Estevão et Miro. Il est en train de mourir, et une fois de plus c'est ma faute, toujours ma faute. Quoi que je fasse, j'apporte la mort, les gens que j'aime doivent mourir pour se libérer de moi. Mamãe, Papae, pourquoi m'avez-vous abandonnée ? Pourquoi m'avoir marquée du sceau de la mort dès mon enfance ? Ceux que j'aime ne peuvent jamais rester en vie.

Tout ceci ne sert pas à grand-chose, se dit-elle, en s'obligeant à cesser cette litanie auto-accusatrice si familière. M'égarer dans ces sentiments irrationnels de culpabilité ne va pas aider Andrew.

À l'appel de ses cris, plusieurs hommes et femmes arrivèrent en courant du monastère, d'autres du jardin. En peu de temps, Ender fut amené à l'intérieur du bâtiment tandis que quelqu'un partait chercher un médecin. Certains restèrent avec Novinha, car ils connaissaient son passé et craignaient que la mort d'un autre être cher lui soit insupportable.

« Je ne voulais pas qu'il vienne, murmura-t-elle. Il n'était pas obligé de venir.

— Ce n'est pas d'être ici qui l'a rendu malade, dit celle qui la soutenait. Les gens tombent malades sans que la faute en incombe à qui que ce soit. Tout ira bien. Vous verrez. »

Novinha entendit ces paroles, mais au fond d'elle-même, elle n'arrivait pas à croire en elles. Elle savait qu'elle était entièrement responsable, que le mal tant redouté s'était échappé de la partie la plus sombre de son cœur pour frapper son entourage. Elle portait la bête dans son cœur, le croqueur de bonheur. Dieu lui-même souhaitait sa mort.

Non, ce n'est pas vrai, se dit-elle en silence. Dieu ne souhaite pas ma mort, pas de mes propres mains, jamais de mes propres mains. Ce n'est pas cela qui aiderait Andrew, ni les autres. Ça n'aiderait pas, ça blesserait seulement les autres. Ça n'aiderait pas, ça...

Novinha, psalmodiant silencieusement son mantra de survie, suivit le corps suffocant de son mari à l'intérieur du monastère, où, dans l'environnement sacré du lieu, elle se débarrasserait peut-être de toutes ces pulsions autodestructrices enfouies en elle. Je dois penser à lui désormais, pas à moi. Pas à moi. Pas à moi.

6

« LA VIE EST UNE MISSION SUICIDE »

« Les Dieux des différentes nations
Se parlent-ils ?
Les Dieux des cités chinoises
Parlent-ils aux ancêtres des Japonais ?
Aux seigneurs de Xibalba ?
À Allah ? Yahvé ? Vishnu ?
Y a-t-il une grande rencontre annuelle
Au cours de laquelle ils comparent les pratiques de leurs fidèles ?
Les miens se penchent sur le sol
Et suivent les lignes du bois, dit l'un d'entre eux.
Les miens m'offrent des animaux en sacrifice, dit l'autre.
Les miens tuent quiconque me manque de respect, dit le troisième.
Mais la question qui me préoccupe le plus est :
L'un d'entre vous peut-il honnêtement se vanter
Que ses fidèles obéissent à de bonnes lois,
Se respectent les uns les autres,
Et vivent des vies simples et généreuses ? »
Murmures Divins de Han Qing-Jao

Pacifica était aussi variée que n'importe quelle autre planète, avec des zones tempérées, des calottes polaires, des forêts tropicales, des déserts et des savanes, des steppes et des montagnes, des bois et des plages. Ce n'était pas une planète jeune. En plus de deux mille ans d'occupation humaine, toutes les zones où les humains pouvaient vivre confortablement avaient été occupées. Il y avait de grandes cités et de vastes prairies, des villages et des fermes dispersées ici et là, ainsi que des stations de recherche sur les sites les plus reculés, que ce soit en altitude ou au niveau de la mer, à l'extrême Nord ou à l'extrême Sud.

Mais le cœur de Pacifica avait toujours été constitué par les îles tropicales de l'océan appelé Pacifique, en souvenir du plus grand océan sur Terre. Les habitants de ces îles ne vivaient pas forcément selon un mode de vie traditionnel, mais le souvenir du temps passé était présent derrière chaque son et en filigrane de tout ce que l'on voyait. Ici, on buvait encore le kava sacré lors de cérémonies traditionnelles, on entretenait la mémoire des héros anciens, et les dieux parlaient toujours aux initiés, hommes et femmes. Et si l'on retournait ensuite à des huttes de paille équipées de réfrigérateurs et d'ordinateurs, quelle importance ? On ne refusait pas les cadeaux qu'offraient les dieux. L'astuce consistait à trouver un moyen d'accueillir certains aspects du modernisme sans nuire au mode de vie traditionnel.

Beaucoup de ceux qui habitaient sur le continent, dans les grandes villes, les fermes des zones tempérées, les stations de recherche – beaucoup de ces gens-là s'intéressaient peu aux sempiternels drames costumés (ou comédies, selon le point de vue) qui se déroulaient sur les îles. D'ailleurs, les habitants de Pacifica n'étaient pas tous d'origine polynésienne. Il régnait ici un beau mélange de cultures et de races ; toutes les langues étaient parlées sur la planète, ou du moins en avait-on l'impression. Même les railleurs considéraient les îles comme les gardiennes de l'esprit de la planète. Même les amoureux de la neige et du froid partaient en pèlerinage – sans doute appelaient-ils cela des vacances – vers les plages tropicales. Ils cueillaient les fruits des arbres, glissaient sur les vagues dans des pirogues locales, leurs femmes se promenaient les seins à l'air et tous trempaient leurs doigts dans la purée de taro et utilisaient ces mêmes doigts pour porter à leur bouche la chair des poissons. Les plus blancs, les plus minces et les plus élégants s'appelaient les Pacificiens, et il leur arrivait de parler comme si le chant du temps passé résonnait encore à leurs oreilles, comme si les histoires d'autrefois contaient leur propre histoire. Ils faisaient partie de la famille, et les véritables Samoans, Tahitiens, Hawaïens, Tongiens, Maoris et Fidjiens leur souriaient en les accueillant, même si ces porteurs de montres, ces obsédés de la réservation, ces gens constamment pressés ne connaissaient rien à la véritable vie à l'ombre du volcan, au bord du récif corallien, sous le ciel constellé de perroquets, dans le chant des vagues se brisant sur la barrière de corail.

Wang-mu et Peter se retrouvèrent dans une zone civilisée, moderne et occidentalisée de Pacifica. Une fois de plus leur identité avait été soigneusement préparée par Jane. Ils étaient des agents de développement gouvernementaux formés sur leur planète d'origine, Moscou, et avaient décidé de s'accorder quelques semaines de congé avant de prendre leur service dans un bureau quelconque du Congrès sur Pacifica. Ils n'avaient pas besoin de connaître grand-chose de leur supposée planète d'origine. Il leur suffit de présenter leurs papiers pour s'envoler de la ville où ils venaient soi-disant de débarquer d'un vaisseau en provenance de Moscou. Leur avion les emmena sur l'une des plus grandes îles de Pacifica, et il leur fallut de nouveau montrer leurs papiers afin de louer deux chambres dans un complexe hôtelier en bordure d'une plage tropicale.

Ils n'avaient pas besoin de papiers pour aller sur l'île que Jane leur avait conseillé de visiter. Et personne ne les leur demanda. Mais personne ne voulut les prendre comme passagers non plus.

« Pourquoi vous allez là-bas ? leur demanda un énorme loueur de canots samoan. Qu'est-ce que vous avez à y faire ?

— Nous voulons parler à Malu, sur Atatua.

— Connais pas. Me dit rien du tout. Essayez avec un autre qui sait sur quelle île il se trouve.

— Nous vous avons dit le nom de l'île, lui retourna Peter. Atatua. D'après les cartes, ce n'est pas très loin d'ici.

— J'en ai entendu parler, mais j'y suis jamais allé. Demandez à quelqu'un d'autre. »

Où qu'ils aillent, c'était la même rengaine.

« Tu n'as pas l'impression que les papalagis ne sont pas les bienvenus ici ? dit Peter à Wang-mu devant la porte de sa chambre. Ces gens sont tellement primitifs qu'ils ne se contentent pas de repousser les ramans, framlings et autres utlannings. Je suis prêt à parier que même un Tongien ou un Hawaïen ne pourrait pas aller sur Atatua.

— Je ne pense pas que ce soit un problème d'ordre racial. À mon avis, c'est plutôt religieux. Je pense qu'ils veulent protéger un site sacré.

— Qu'est-ce qui te fait dire cela ?

— Ils ne nous détestent pas, ils n'ont pas peur de nous, il n'y a pas de haine sous-jacente. Simplement une joyeuse ignorance. Notre présence ne les dérange pas, mais ils se disent simplement que nous n'avons rien à faire sur ce site sacré. Tu sais très bien qu'ils seraient prêts à nous emmener n'importe où ailleurs.

— Peut-être. Mais ils ne peuvent pas être xénophobes à ce point, sinon Aimaina ne serait pas intime avec Malu au point de lui envoyer un message. »

Sur ce, Peter pencha légèrement la tête sur le côté pour écouter ce que Jane essayait de lui dire.

« Ah, dit-il. Jane avait une longueur d'avance. Aimaina n'a pas contacté directement Malu. Il est passé par une femme nommée Grace. Mais Grace est immédiatement allée voir Malu, ainsi Jane a pensé qu'il valait mieux remonter à la source. Merci Jane. J'adore tes intuitions infaillibles.

— Ne sois pas sarcastique avec elle, dit Wang-mu. Elle court contre la montre. L'ordre de déconnexion du réseau peut tomber à tout moment. Il est normal qu'elle essaye de gagner du temps.

— Moi, je pense qu'elle devrait court-circuiter cet ordre avant que quelqu'un le reçoive et prendre le contrôle de tous les foutus ordinateurs de l'univers. Leur faire un bras d'honneur.

— Cela ne les arrêterait pas. Ils seraient simplement un peu plus terrifiés.

— En attendant, ce n'est pas en louant un bateau que nous pourrons rejoindre Malu.

— Alors allons trouver cette Grace. Si elle y est arrivée, c'est qu'il est possible pour un étranger d'aller jusqu'à Malu.

— Elle n'est pas étrangère, elle est samoane, dit Peter. Et elle a aussi un nom samoan – Teu'Ona –, mais elle a travaillé dans les sphères académiques et il y est plus facile de porter un nom chrétien, comme on dit. Un nom occidental. Elle préférera qu'on l'appelle Grace. C'est ce que dit Jane.

— Si elle a eu un message d'Aimaina, elle saura immédiatement qui nous sommes.

— Je ne pense pas. Même s'il a parlé de nous, comment pourrait-elle penser que les personnes qui se trouvaient hier sur la planète d'Aimaina puissent se retrouver aujourd'hui sur la sienne ?

— Peter, tu es vraiment l'archétype du positiviste. Tu veux tellement être rationnel que c'en est presque irrationnel. Bien sûr qu'elle pensera que nous sommes les mêmes personnes. Aimaina aussi. Le fait que nous avons voyagé d'une planète à l'autre en une journée ne fera que confirmer ce qu'ils pensent déjà – que les dieux eux-mêmes nous ont envoyés. »

Peter lâcha un soupir. « Eh bien, du moment qu'ils ne cherchent pas à nous sacrifier en nous jetant dans un volcan ou quelque chose comme ça, je ne vois pas le mal qu'il y a à être pris pour des dieux.

— Ne plaisante pas avec cela, Peter. La religion est ancrée dans les sentiments les plus profonds des gens. L'amour qui émane de ce chaudron est le plus doux et le plus fort, mais la haine en est d'autant plus brûlante et la colère plus violente. Tant que les étrangers se tiennent loin de leurs lieux sacrés, les Polynésiens sont les gens les plus paisibles du monde. Mais si on franchit la limite du feu sacré, il faut prendre garde, car il n'y a pas d'ennemi plus brutal, plus impitoyable et plus déterminé qu'eux.

— Tu as encore regardé des vidéos ?

— J'ai fait un peu de lecture. Pour tout dire, j'ai lu quelques articles de Grace Drinker.

— Ah ! Tu en avais donc entendu parler.

— Je ne savais pas qu'elle était samoane. Elle ne parle jamais d'elle. Si tu veux apprendre quoi que ce soit sur Malu et la place qu'il occupe dans la culture samoane sur Pacifica – peut-être devrions-nous l'appeler Lumana'i, comme eux –, il faut que tu lises Grace Drinker, ou ses citations, ou des extraits de débats. Elle a écrit un article sur Atatua, c'est comme cela que j'ai découvert ses livres. Elle a aussi décrit l'impact de la philosophie de l'Ua Lava sur le peuple samoan. À mon avis, lorsque Aimaina a commencé à étudier l'Ua Lava, il a lu certains de ses ouvrages, puis lui a écrit pour lui poser des questions, et c'est comme ça que leur amitié est née. Mais le lien qui la relie à Malu n'a rien à voir avec l'Ua Lava. Il est le symbole de quelque chose de plus ancien que l'Ua Lava, mais l'Ua Lava en dépend toujours, en tout cas ici, sur sa terre natale. »

Peter la fixa un long moment. Elle sentait qu'il la considérait différemment, constatant finalement qu'elle n'était pas sans cervelle et pouvait éventuellement se montrer utile. Eh bien, tant mieux Peter, pensa Wangmu. Tu es vraiment malin de te rendre enfin compte que j'avais un esprit analytique en plus de l'esprit intuitif, gnomique et mantique pour lequel tu avais décrété que j'étais faite.

Peter s'arracha à son fauteuil. « Allons la rencontrer. Allons citer son œuvre. Allons débattre avec elle. »

La Reine était immobile. Son travail de ponte était terminé pour la journée. Ses ouvrières dormaient au cœur de la nuit, même si ce n'était pas l'obscurité qui les avait arrêtées dans la caverne où elle vivait. Elle avait plutôt besoin d'être seule avec ses pensées, de mettre de côté toutes les distractions occasionnées par la vue, les sons, les bras et les jambes de ses ouvrières. Toutes lui demandaient son attention, du moins de temps en temps, afin de travailler correctement ; mais elle avait aussi besoin de toutes ses forces mentales pour plonger dans son esprit et arpenter les réseaux que les humains appelaient « philotiques ». L'arbre-père Humain lui avait expliqué un jour que dans une des langues humaines, cela avait un rapport avec l'amour. Les liens de l'amour. Mais la Reine n'était pas dupe. L'amour était l'accouplement bestial des faux-bourdons. L'amour était le code génétique de toute créature éprouvant le besoin de se reproduire encore et toujours. Le lien philotique se plaçait sur un autre plan. Il y avait un composant volontaire, lorsqu'il s'agissait d'une espèce intelligente. Celle-ci pouvait déclarer sa loyauté à qui elle voulait. C'était un sentiment plus noble encore que l'amour, car il en ressortait autre chose qu'une descendance hasardeuse. Lorsque la loyauté soudait les créatures entre elles, celles-ci en ressortaient grandies, neuves, entières, de manière inexplicable.

« Je suis liée à toi, par exemple », avait-elle dit à Humain, pour amorcer la conversation ce soir-là. Ils parlaient ainsi tous les soirs, d'un esprit à l'autre, bien qu'ils ne se soient jamais rencontrés. Comment l'auraient-ils pu, elle, nichée en permanence au cœur de sa demeure obscure, et lui, planté aux portes de Milagre ? Mais la conversation de l'esprit était plus réelle que n'importe quelle autre langue, et ils se connaissaient mieux ainsi que par le regard ou le toucher.

« Tu commences toujours en plein milieu d'une pensée, lui dit Humain.

— Mais tu arrives toujours à la rattacher à ce qu'il y a autour, alors quelle différence cela fait-il ? » Puis elle lui raconta ce qui s'était passé dans la journée entre elle, Val et Miro.

« J'en ai entendu des bribes, dit Humain.

— J'ai dû crier pour me faire entendre. Ils ne sont pas comme Ender, ils sont bornés et durs d'oreille.

— Alors, tu penses pouvoir y arriver ?

— Mes filles sont faibles et inexpérimentées, et trop occupées à la ponte dans leurs nouvelles demeures. Comment pouvons-nous tendre un piège efficace pour capturer un aiúa ? Surtout si celui-ci a déjà un foyer. Et où est ce foyer ? Où est le pont que ma mère avait fabriqué ? Où est cette Jane ?

— Ender est en train de mourir. »

La Reine comprit qu'il s'agissait d'une réponse à sa question.

« Quelle partie de lui ? J'ai toujours pensé qu'il était comme la plupart d'entre nous. Je ne serais pas surprise qu'il soit le premier humain à pouvoir contrôler plus d'un corps comme nous le faisons.

— Difficilement. En fait, il en est incapable. Il a négligé son vieux corps depuis que les autres existent. Nous avons même pensé un instant qu'il finirait par tuer Val. Mais maintenant le problème semble réglé.

— Tu en es sûr ?

— Ela, sa fille adoptive, est venue me voir. Son corps est en train de se détériorer de manière étrange. Il ne s'agit pas d'un virus connu. Il a simplement un problème d'oxygénation. Il n'arrive pas à sortir du coma. La sœur d'Ender, Valentine, dit qu'il s'occupe tellement de ses autres corps qu'il ne trouve pas le temps de s'occuper du sien. Son corps est donc en train de s'affaiblir par endroits. Et cela commence par les poumons. Peut-être d'autres parties sont-elles concernées, mais ce sont les poumons qui montrent les premiers signes.

— Il faut qu'il fasse attention. Sinon il risque de mourir.

— C'est bien ce que j'ai dit, lui rappela doucement Humain. Ender est en train de mourir. »

La Reine avait déjà fait le rapprochement qu'espérait Humain. « Il s'agit donc bien plus qu'un simple piège pour attraper l'aiúa de cette Jane. Nous devons aussi prendre l'aiúa d'Ender et le transférer dans un de ses corps.

— Sinon, à sa mort, ils risqueront tous de mourir. Comme lorsqu'une reine meurt et que toutes ses ouvrières la suivent dans la mort.

— Certaines survivent un certain temps, mais en substance, c'est exact. Ne serait-ce que parce que les ouvrières n'ont pas la capacité de contenir l'esprit d'une reine.

— Ne vous avancez pas trop. Aucune de vous n'a jamais essayé.

— Non. Nous ne craignons pas la mort.

— C'est pour cela que tu as envoyé tes filles de planète en planète ? Parce que la mort ne t'inquiète pas ?

— Je sauve mon espèce et non moi-même, si tu fais bien attention.

— Moi aussi. En plus, mes racines sont trop profondes pour que je puisse être transplanté ailleurs.

— Ender, lui, n'a pas de racines.

— Je me demande s'il a envie de mourir. Je ne pense pas. Il n'est pas en train de mourir parce qu'il n'a plus envie de vivre. Son corps se meurt parce qu'il a perdu tout intérêt pour la vie qu'il mène. Mais il veut encore vivre la vie de Peter. Et aussi celle de Val.

— C'est ce qu'il dit ?

— Il ne peut pas parler. Il n'a jamais trouvé les liens philotiques. Il n'a jamais trouvé le moyen de se connecter comme nous, les arbres-pères. Comme toi avec tes ouvrières et avec moi en ce moment même.

— Nous l'avons pourtant déjà trouvé une fois. Contacté grâce au pont, suffisamment pour entendre ses pensées et voir à travers ses yeux. Et pendant cette période, il a rêvé de nous.

— Il a rêvé de vous, mais n'a pas compris que vous étiez pacifiable. Il n'a pas compris qu'il ne fallait pas vous tuer.

— Il ne savait pas que le jeu était réel.

— Ni que les rêves l'étaient aussi. À sa façon, il fait preuve d'une certaine sagesse, mais enfant, il n'a jamais remis ses sens en question.

— Et si je te montrais comment rejoindre un réseau, Humain ?

— Tu veux donc attraper Ender quand il mourra ?

— Si nous y arrivons, et si nous pouvons le transférer dans un de ses autres corps, peut-être en saurons-nous davantage pour attraper cette Jane.

— Et si nous échouons ?

— Ender mourra. Jane mourra. Et nous mourrons aussi lorsque la Flotte sera là. Cela n'est pas très différent du parcours normal de toute autre vie, non ?

— Sauf dans la durée.

— Essayeras-tu de te joindre à nous ? Toi, Rooter et les autres arbres-pères ?

— Je ne vois pas ce que tu appelles un réseau, ni même en quoi c'est très différent de ce qui relie les arbres-pères. Tu sais sans doute que nous sommes liés aux arbres-mères. Elles ne peuvent pas parler, mais elles sont pleines de vie, et nous nous raccrochons à elles comme tes ouvrières à toi.

— Jouons à ce jeu, Humain. Laisse-moi te montrer comment faire. Dis-moi comment tu vois les choses, et j'essayerai de t'expliquer ce que je fais et où cela mène.

— Ne devrions-nous pas d'abord chercher Ender ? Au cas où il rendrait l'âme.

— Chaque chose en son temps. De plus, je ne suis pas sûre de pouvoir le retrouver s'il est inconscient.

— Pourquoi pas ? Tu lui as apporté des rêves un jour – il dormait bien à ce moment-là.

— Nous avions alors le pont.

— Peut-être que Jane nous écoute en ce moment même.

— Non. Je la sentirais si elle était connectée. Sa nature est trop proche de la mienne pour ne pas être reconnue. »

Plikt se tenait près du lit d'Ender car elle ne supportait pas d'être assise, ni de bouger, d'ailleurs. Il allait mourir sans dire un mot. Elle l'avait suivi, avait abandonné sa famille et son foyer pour être avec lui, et que lui avait-il dit ? Certes, il la laissait parfois le suivre comme son ombre ; certes, elle était l'observatrice muette de toutes ses conversations durant ces dernières semaines et ces derniers mois. Mais lorsqu'elle essayait de lui parler de choses plus personnelles, de souvenirs enfouis, de la signification de certains de ses actes, il se contentait de secouer la tête et de lui dire – gentiment, car c'était un homme profondément gentil, mais fermement, parce qu'il voulait éviter toute ambiguïté : « Plikt, je ne suis plus professeur. »

Mais si vous l'êtes, aurait-elle voulu dire. Vos livres perpétuent votre enseignement jusque dans des endroits où vous n'êtes jamais allé. *La Reine, L'Hégémon*, et bientôt *La Vie d'Humain*, qui prendra vraisemblablement sa place à leur côté. Comment pouvez-vous dire que vous avez terminé votre enseignement, alors qu'il y a tant de livres à écrire, d'autres morts à raconter ? Vous avez parlé de meurtriers et de saints, d'extraterrestres, et même rapporté la mort d'une cité entière détruite lors d'une éruption volcanique. Mais en racontant la vie des autres, que faisiez-vous de la vôtre, Andrew Wiggin ? Comment pourrai-je raconter votre mort si vous ne me l'avez jamais expliquée ?

Ou bien serait-ce là votre dernier secret – que vous ne connaissiez pas plus les gens dont vous racontiez la mort que je ne vous connais ? Vous m'obligerez à inventer, à deviner, à imaginer, à m'interroger – était-ce aussi ce que vous faisiez ? Ce qu'il faut faire ? Se fonder sur l'histoire la plus courante, la plus plausible, puis trouver

une explication autre qui paraisse réaliste et soit suffisamment significative et modulable, et la raconter enfin
– même s'il s'agit d'une fiction, aussi fantaisiste que l'histoire imaginée de tous ? Est-ce là ce que je dois dire en
racontant la mort du Porte-Parole des Morts ? Son don
n'était pas de découvrir la vérité, mais de l'inventer ; il
ne cherchait pas, ne décortiquait pas, ne décryptait pas
les vies des morts, il les inventait. Par conséquent j'invente la sienne. Sa sœur dit qu'il est mort parce qu'il
avait voulu suivre sa femme par loyauté, dans la vie de
paix et de solitude dont elle rêvait. Mais c'est la tran-
quillité de cette vie qui l'a tué, car son aiúa est passé
dans le corps de son étrange descendance née de son
esprit, et son vieux corps, malgré toutes les années qu'il
lui restait à vivre, a été négligé parce qu'il n'avait pas
de temps à lui consacrer pour le maintenir en vie.

Il ne voulait pas quitter sa femme, ni la laisser partir ;
il s'est donc ennuyé à en mourir et a fini par la blesser
davantage en restant avec elle.

Est-ce assez brutal, Ender ? Il a exterminé les reines
de nombreuses planètes, ne gardant qu'une seule survi-
vante de ce fier et ancien peuple. Est-ce que sauver votre
dernière victime vous rachète du massacre des autres ?
Il ne l'a pas fait exprès, telle est sa défense, mais ce qui
est mort est mort, et quand la vie est brisée prématuré-
ment, l'aiúa se dit-il : « Ah, mais ce pauvre enfant qui
m'a tué pensait que c'était un jeu, ma mort n'est donc
pas si grave, elle pèse moins » ? Non, Ender lui-même
aurait dit non, la mort pèse, et je porte ce poids sur mes
épaules. Personne n'a autant de sang sur les mains que
moi ; je parlerai donc avec une vérité sans concession
de ceux qui ne sont pas morts innocemment, et je vous
montrerai qu'eux aussi peuvent être compris. Mais il
avait tort, ils ne peuvent être compris, parler pour les
morts n'est efficace que parce qu'ils sont réduits au
silence et donc incapables de reprendre nos erreurs.
Ender est mort, et il ne peut pas me corriger, ainsi certains d'entre vous penseront que je ne me suis pas trom-

pée, vous penserez que j'ai raconté la vérité sur lui, mais la vérité est que l'on ne connaît jamais vraiment son prochain ; du début à la fin d'une vie, il n'y a aucune vérité connue, seulement une histoire en laquelle nous voulons croire, celle qu'on nous affirme être vraie, celle dont on ne remet pas en cause la véracité ; et tous mentent.

Plikt était debout, s'entraînant désespérément à parler, désemparée devant le cercueil d'Ender. Sauf qu'il n'était pas dans un cercueil ; il était encore allongé sur son lit, un masque transparent lui apportait de l'oxygène et une solution glucidique coulait en perfusion dans ses veines, mais il n'était pas encore mort. Simplement silencieux.

« Un mot, dit-elle. Rien qu'un mot de vous. »

Les lèvres d'Ender remuèrent.

Plikt aurait dû aussitôt appeler les autres. Novinha, épuisée d'avoir trop pleuré, se trouvait juste derrière la porte. Ainsi que sa sœur, Valentine ; Ela, Ohaldo, Grego, Quara, ses enfants adoptifs ; et tous les autres, ceux qui entraient et sortaient de la salle d'accueil, espérant le voir, l'entendre, lui toucher la main. Si seulement ils pouvaient envoyer un message aux autres planètes, ils pleureraient tous sa mort, tous ceux qui se rappelaient les paroles qu'il avait prononcées lors de ses séjours sur toutes ces planètes durant trois mille ans. S'ils pouvaient hurler sa véritable identité – le Porte-Parole des Morts, auteur des deux – non, des trois – grands livres de Paroles ; Ender Wiggin, le Xénocide, deux individus dans le même corps fragile – ah, quelle onde de choc se propagerait dans l'univers humain !

Elle se propagerait, prendrait de l'ampleur, puis se réduirait pour finalement disparaître. Comme n'importe quelle vague. Comme n'importe quelle onde de choc. Une note dans les livres d'histoire. Quelques biographies. Puis des biographies révisionnistes quelques générations plus tard. Une entrée dans les encyclopédies. Quelques notes à la fin des traductions de ses livres. C'est ainsi que toutes les grandes vies finissent par se figer dans le temps.

Ses lèvres remuèrent.

« Peter », murmura-t-il.

Puis il se tut.

Était-ce un présage ? Il respirait encore, les appareils n'avaient pas bougé, son cœur battait. Mais il avait appelé Peter. Voulait-il dire par là qu'il voulait vivre la vie de son fils spirituel, le jeune Peter ? Ou bien voulait-il, dans son délire, parler à son frère l'Hégémon ? Ou encore, en remontant plus haut, à l'enfant qu'avait été son frère ? Peter, attends-moi. Peter, ai-je bien fait ? Peter, ne me fais pas de mal. Peter, je te déteste. Peter, je suis prêt à tuer ou à mourir pour te voir sourire ne serait-ce qu'une seule fois. Quel était son message ? Qu'est-ce que Plikt pourrait dire sur ce simple mot ?

Elle fit le tour du lit pour aller ouvrir la porte. « Excusez-moi, dit-elle devant une pièce pleine de gens qui l'avaient rarement entendue parler, voire, pour certains, jamais entendue prononcer le moindre mot. Il a parlé avant que j'aie le temps de vous prévenir. Mais il risque de se remettre à parler.

— Qu'a-t-il dit ? demanda Novinha en se relevant.

— Un seul nom. Il a dit "Peter".

— Il appelle l'abomination ramenée de l'espace, et pas moi ! » s'exclama Novinha. Mais c'étaient les drogues que lui avaient données les docteurs qui parlaient, qui pleuraient pour elles.

« Je crois qu'il appelle notre frère disparu, dit Valentine. Novinha, tu veux aller dans sa chambre ?

— Pour quoi faire ? Il ne m'a pas appelée, c'est lui qu'il a appelé.

— Il n'est pas conscient, intervint Plikt.

— Tu vois, Mère ? dit Ela. Il n'appelle personne, il ne fait que parler dans ses rêves. Mais il a parlé, il a dit quelque chose, c'est encourageant, non ? »

Novinha refusa pourtant d'aller dans la chambre.

Valentine, Plikt et quatre de ses enfants se retrouvèrent autour du lit lorsqu'il ouvrit les yeux.

« Novinha ? dit-il.

— Elle pleure dehors, dit Valentine. Je crains qu'elle ne soit complètement assommée par les drogues.

— Ce n'est pas grave. Que s'est-il passé ? Je crois comprendre que je suis malade.

— Plus ou moins, dit Ela. Selon nous, "inattentif" serait le terme le plus approprié.

— Tu veux dire que j'ai eu un accident ?

— Je pense que tu t'occupes un peu trop de ce qui se passe sur d'autres planètes, et que ton corps se retrouve maintenant au bord de l'autodestruction. J'ai vu dans le microscope tes cellules essayant laborieusement de reconstruire les failles de ton système biologique. Tu meurs par petits bouts, et le reste du corps suit.

— Désolé de vous causer autant de problèmes. »

L'espace d'un instant, ils crurent à un début de guérison. Mais après avoir prononcé ces mots, Ender ferma les yeux et retrouva son état léthargique ; les instruments affichaient les mêmes données qu'avant son réveil.

Merveilleux, se dit Plikt. Je l'ai supplié pour qu'il me parle, il le fait, et j'en sais moins qu'avant. Nous avons passé le peu de temps qu'il était conscient à l'informer de sa situation, au lieu de lui poser les questions que nous n'aurons peut-être jamais l'occasion de lui reposer. Pourquoi sommes-nous toujours tellement désemparés face à la mort ?

Mais elle demeura là, regardant les autres baisser les bras et quitter la chambre seuls ou en groupe. Valentine, la dernière à partir, vint vers elle et lui posa la main sur le bras. « Plikt, tu ne peux pas rester ici indéfiniment.

— Je peux rester ici aussi longtemps que lui. »

Valentine la regarda droit dans les yeux et comprit qu'il était inutile d'essayer de la convaincre. Elle quitta la chambre, et Plikt se retrouva de nouveau seule avec le corps fatigué de celui dont la vie était le centre même de sa propre vie.

Miro ne savait pas s'il devait se réjouir ou se méfier du changement de comportement de Val depuis qu'ils connaissaient le véritable but de leur mission. Alors qu'elle avait l'habitude de parler d'une voix douce, presque timide, elle ne pouvait désormais s'empêcher d'interrompre Miro à tout bout de champ. Dès qu'elle pensait avoir compris une question, elle y répondait – et s'il lui faisait remarquer qu'il voulait dire autre chose, elle lui répondait avant même qu'il termine l'explication. Miro savait bien qu'il se montrait un peu trop susceptible – il avait eu pendant longtemps du mal à s'exprimer, les gens lui coupaient systématiquement la parole, et il s'en offensait chaque fois que cela se produisait. Mais il n'y voyait pas là une forme de malice. Val était simplement... éveillée. Elle était constamment alerte – et ne semblait jamais se reposer, du moins Miro ne la voyait-il jamais dormir. Elle ne voulait d'ailleurs plus rentrer sur Lusitania entre chaque mission. « Le temps nous est compté, disait-elle. Ils peuvent envoyer le signal de fermeture du réseau ansible à n'importe quel moment. Nous n'avons pas de temps à perdre en repos inutile. »

Miro aurait voulu répondre : « Définis-moi le mot "inutile". » Il avait certainement besoin de plus de repos qu'il ne pouvait en prendre, mais lorsqu'il en faisait part à Val, elle balayait l'idée d'un geste de la main et ajoutait : « Dors, si tu veux, je prends le relais. » Et il s'accordait une sieste pour découvrir à son réveil qu'elle et Jane avaient éliminé trois autres planètes – dont deux présentaient toutefois des signes distinctifs de destruction par la descolada un millier d'années plus tôt. « Nous nous rapprochons du but », disait Val. Puis elle se lançait dans une énumération de données jusqu'à ce qu'elle s'interrompe – il y avait d'ailleurs un côté très démocratique dans cette façon de se couper elle-même la parole – pour s'occuper dans la foulée de nouvelles données provenant d'une autre planète.

Au bout de seulement une journée de cette routine, Miro avait pratiquement cessé de lui parler. Val était si concentrée sur son travail qu'elle ne parlait que de cela ; et Miro n'avait pas grand-chose à dire à ce sujet, sinon épisodiquement pour faire passer des informations que Jane lui adressait directement au lieu de passer par les ordinateurs de bord. Son mutisme quasi total lui laissait toutefois le temps de cogiter. C'est ce que j'avais demandé à Ender, s'avisa-t-il. Mais Ender ne pouvait pas faire ça volontairement. Son aiúa agit en fonction de ses besoins réels et de ses envies, et non en fonction de raisonnements conscients. Il ne pouvait donc pas consacrer son attention à Val ; mais le travail de la jeune femme pouvait devenir suffisamment intéressant pour qu'il ne puisse se concentrer sur autre chose.

Miro se posa la question : quelle part de tout cela Jane avait-elle anticipée ?

Parce qu'il ne pouvait guère en parler ouvertement avec Val, il s'adressa à Jane en subvocalisant ses questions. « Nous as-tu révélé le véritable but de notre mission pour qu'Ender s'intéresse à Val ? Ou bien nous l'avais-tu caché jusqu'à ce jour pour qu'il n'en fasse rien ?

— Je ne raisonne pas ainsi. J'ai d'autres soucis en tête.

— Mais cela t'arrange, non ? Le corps de Val ne risque plus d'être détruit.

— Ne sois pas stupide, Miro. Tu deviens antipathique quand tu es comme ça.

— Je suis toujours antipathique quoi qu'il arrive, répondit-il en sourdine, mais d'un ton enjoué. Tu ne pourrais pas prendre son corps si c'était un tas de cendres.

— Je ne peux pas le faire non plus tant qu'Ender est entièrement absorbé par ce qu'elle fait.

— Est-il entièrement absorbé ?

— De toute évidence. Son corps est lui-même en train de dépérir à cause de cela. Et plus rapidement que ne le faisait celui de Val. »

Il fallut quelques instants à Miro pour comprendre. « Tu veux dire qu'il est en train de mourir ?

— Je veux dire que pour l'instant, Val est plus vivante que lui.

— Tu n'aimes plus Ender ? Ça ne te touche pas ?

— Si Ender ne se soucie plus de sa propre vie, pourquoi m'en soucierais-je ? Nous faisons tous les deux de notre mieux pour essayer de résoudre une situation critique. C'est en train de me tuer, c'est en train de le tuer. Cela t'a presque tué, et si nous échouons, beaucoup d'autres gens mourront aussi.

— Tu as un cœur de pierre.

— Je ne suis qu'une série de blips perdus dans les étoiles, voilà ce que je suis.

— Merda de bode. Mais à quoi riment ces sautes d'humeur ?

— Je n'ai pas d'émotions. Je ne suis qu'un programme informatique.

— Nous savons tous que tu possèdes un aiúa. Une âme, si tu préfères, comme tout le monde.

— Les gens qui ont une âme ne peuvent être "éteints" par la déconnection de quelques machines.

— Allons, il leur faudra débrancher des milliards d'ordinateurs et des milliers d'ansibles à la fois pour se débarrasser de toi. Je trouve cela plutôt impressionnant. Une seule balle suffirait à me tuer. Une clôture électrique un peu haute a presque suffi à le faire.

— J'espérais sans doute finir mes jours dans un grand plouf, ou une odeur de grillé, enfin quelque chose dans le genre. Si seulement j'avais un cœur. Tu ne connais sans doute pas la chanson du Magicien d'Oz.

— Nous avons grandi en regardant les grands classiques. Cela a aidé à faire passer pas mal de choses déplaisantes à la maison. Tu as l'esprit et la volonté, je pense que tu as aussi un cœur.

— Mais je n'ai pas les souliers en rubis. Je sais qu'on n'est jamais aussi bien qu'à la maison, mais je ne peux pas y retourner.

— Parce que Ender utilise encore le corps de Val ?

— Je ne suis pas aussi empressée de prendre possession de ce corps que tu veux bien le croire. Celui de Peter ferait aussi bien l'affaire. Même celui d'Ender, du moment qu'il ne s'en sert pas. Je ne suis pas forcément de sexe féminin. C'était uniquement un choix de ma part pour me rapprocher d'Ender, puisqu'il avait du mal à se rapprocher des hommes. Mais le dilemme persiste : si Ender abandonne un de ces corps pour moi, je ne sais pas comment m'y introduire. Tout comme toi, je ne sais pas où se trouve mon aiúa. Peux-tu transférer ton aiúa où bon te semble ? Où se trouve-t-il maintenant ?

— Mais la Reine est en train d'essayer de te retrouver. Elle peut le faire – c'est son peuple qui t'a créée.

— Oui, elle, ses filles et les arbres-pères sont en train de mettre en place un réseau, mais cela n'a jamais été tenté auparavant – d'attraper quelque chose de vivant pour le diriger vers un corps déjà occupé par un aiúa. Cela ne marchera pas, je vais mourir, mais que je sois damnée si je laisse courir les salauds qui ont fabriqué la descolada, si je les laisse exterminer toutes les autres espèces intelligentes après ma mort. Les humains me débrancheront, certes, en se disant que je ne suis qu'un programme informatique incontrôlable, mais je n'ai pas envie pour autant de voir quelqu'un faire la même chose avec la race humaine. Ni avec les reines. Ni avec les pequeninos. Si nous voulons les arrêter, nous devons le faire avant que je meure. Ou, dans le pire des cas, je dois vous emmener là-bas, Val et toi, pour que vous puissiez agir sans moi.

— Si nous sommes encore là-bas quand tu mourras, nous ne pourrons jamais rentrer.

— Difficile à admettre, hein ?

— Ainsi il s'agit d'une mission suicide.

— La vie est une mission suicide, Miro. Tu peux te reporter à n'importe quel cours de philosophie élémentaire. Tu passes ta vie à consommer ton carburant, et en bout de course, couic, c'est la mort qui t'attend.

— On dirait Mère qui parle maintenant.

— Non. Je prends la chose avec bonne humeur. Ta mère a toujours vu son destin comme une tragédie. »

Miro cherchait une repartie, mais Val interrompit la conversation.

« Je déteste ça ! cria-t-elle.

— Quoi donc ? » Miro se demandait ce qu'elle avait dit avant d'exploser ainsi.

« Que tu me mettes sur la touche pendant que tu parles avec elle.

— Avec Jane ? Mais je parle tout le temps avec elle.

— Oui, mais avant tu m'écoutais de temps en temps.

— Toi aussi, avant tu m'écoutais, Val, mais apparemment ça a bien changé. »

Val bondit de son fauteuil et fonça sur lui d'un air menaçant. « Ah c'est comme ça ? Tu aimais la femme muette, timide, celle qui te laissait toujours dominer la conversation. Mais maintenant que je suis enthousiaste, maintenant que je me sens vraiment moi-même, je ne suis plus la femme que tu voulais, je me trompe ?

— Là n'est pas la question. Entre une femme qui se tient tranquille et...

— Non, bien sûr, jamais Monsieur n'admettra être aussi rétrograde ! Non, Monsieur se veut d'une vertu parfaite et... »

Miro bondit à son tour – ce qui n'était pas chose facile, Val étant si proche de lui – et lui hurla au visage. « La question est de pouvoir terminer mes phrases de temps en temps !

— Et combien de mes phrases as-tu...

— C'est ça, retourne l'argument...

— Tu voulais me déposséder de ma propre vie pour la redonner à quelqu'un d'autre qui...

— Ah, c'est donc de ça qu'il s'agit ? Eh bien, rassure-toi, Val, Jane a dit...

— Jane a dit, Jane a dit ! Tu m'as dit que tu m'aimais, mais aucune femme ne peut rivaliser avec une salope qui est toujours là, pendue à ton oreille, à chacun des mots que tu prononces et...

— Maintenant, on dirait ma mère ! Nossa Senhora, je ne sais pas pourquoi Ender l'a suivie au monastère, elle n'arrêtait pas de se plaindre qu'il aimait Jane plus qu'elle...

— Eh bien, au moins, il a essayé d'aimer autre chose qu'un agenda électronique surdoué ! »

Ils étaient face à face – ou presque, puisque Miro, bien que légèrement plus grand, avait les genoux pliés, n'ayant pu se relever complètement de son fauteuil en raison de la proximité de Val – et là, comme il sentait son souffle sur son visage, la chaleur de son corps à quelques centimètres du sien, il se dit : c'est le moment où...

Puis il formula à haute voix sa pensée inachevée. « C'est le moment dans les vidéos où les deux amants qui se déchiraient quelques minutes plus tôt se regardent dans les yeux puis s'enlacent en riant de leurs réactions et s'embrassent.

— Ouais, eh bien, ça c'est du cinéma. Touche-moi et je te ferai remonter les testicules si haut qu'il te faudra une opération à cœur ouvert pour les récupérer. »

Elle fit demi-tour et retourna à son pupitre.

Miro reprit lui aussi sa place et dit – à voix haute cette fois, mais suffisamment distinctement pour que Val comprenne qu'il ne s'adressait pas à elle : « Bien, Jane, où en étions-nous avant cet ouragan ? »

La réponse de Jane arriva lentement ; Miro reconnut là le maniérisme d'Ender lorsqu'il se montrait subtilement ironique. « Tu comprends maintenant pourquoi je risque d'avoir du mal à utiliser quelque partie que ce soit de son corps.

— Oui, je rencontre le même problème », dit Miro à voix basse, avant de lâcher un gloussement qui allait certainement exaspérer Val. À la façon dont elle se raidit sur son fauteuil, sans rien dire, il comprit que cela avait fonctionné.

« J'aimerais mieux que vous ne vous disputiez pas, dit Jane d'un ton apaisant. Et vous voir travailler ensemble. Parce que vous risquez d'avoir à le faire sans moi par la suite.

— En ce qui me concerne, dit Miro, il semblerait que c'est sans moi que Val et toi avez travaillé jusqu'à présent.

— Val s'est occupée de tout parce que en ce moment elle est tellement pleine de... de ce dont elle est pleine, quoi que ce puisse être.

— Cela a pour nom : Ender », dit Miro.

Val fit pivoter son fauteuil pour lui faire face. « Ça ne te pose pas de problème quant à ta propre identité sexuelle, sans parler de ta santé mentale, de savoir que les deux femmes que tu aimes sont, respectivement, une femme virtuelle n'existant de façon transitoire que dans le réseau ansible informatique, et une femme dont l'âme est celle d'un homme qui se trouve être le mari de ta mère ?

— Ender est en train de mourir. À moins que tu ne sois déjà au courant ?

— Jane a dit qu'il semblait inattentif.

— Il est en train de mourir, répéta Miro.

— Je pense que cela en dit beaucoup sur la nature de l'homme. Qu'Ender et toi puissiez prétendre aimer une femme de chair et de sang, sans être capable de pouvoir lui accorder la moindre attention.

— Eh bien, tu as toute mon attention, Val. Quant à Ender, s'il ne s'est pas occupé de Mère, c'est parce qu'il a reporté son attention sur toi.

— Tu veux dire sur ma tâche. Celle qui nous occupe en ce moment même. Pas sur moi en particulier.

— Eh bien, c'est cette même tâche qui t'absorbait avant que tu ne fasses une pause pour me reprocher de trop parler à Jane et de ne pas t'écouter.

— C'est exact. Tu crois que je ne me rends pas compte de ce qui m'arrive ces jours-ci ? Brusquement, je ne peux plus m'empêcher de parler à tout bout de

172

champ, je suis tellement tendue que je n'arrive plus à dormir, je... Ender était censé être ma véritable volonté, mais jusqu'à présent il m'avait laissée tranquille et tout se passait bien. Maintenant, ce qu'il est en train de faire me fait peur. Tu ne vois pas que j'ai peur ? C'est trop dur. Je ne peux pas le supporter. Je ne peux pas contenir autant d'énergie en moi.

— Alors parle-m'en au lieu de me hurler après.

— Mais tu ne m'écoutes pas. J'ai essayé, mais tu parles à Jane en m'ignorant complètement.

— Parce que j'en avais assez d'entendre tes énumérations de données et d'analyses que je pouvais aussi bien obtenir d'un ordinateur. Comment pouvais-je deviner que tu cesserais ton monologue pour me parler enfin de quelque chose d'humain ?

— Tout ce qui arrive en ce moment me dépasse complètement. Je n'ai aucune expérience en la matière. Au cas où tu l'aurais oublié, je ne vis pas depuis bien longtemps. Mes connaissances sont limitées. Beaucoup de choses me sont encore inconnues. Je ne sais pas pourquoi je me soucie autant de toi, par exemple. C'est pourtant toi qui essayes de me faire remplacer dans ce corps. Toi qui fais la sourde oreille à mon égard ou m'écrases de ta supériorité. Ce que je ne peux pas accepter, Miro. Pour l'instant ce dont j'ai vraiment besoin, c'est d'un ami.

— Moi aussi.

— Mais je ne sais pas comment m'y prendre.

— Moi, en revanche, je le sais parfaitement. Mais la seule fois où cela s'est produit, je suis tombé amoureux d'une femme qui s'est avérée être ma demi-sœur, car son père avait été l'amant secret de ma mère. L'homme que je croyais être mon père était en fait stérile, parce qu'il mourait d'une maladie qui le rongeait de l'intérieur. Tu peux donc comprendre pourquoi je me montre un peu hésitant.

— Valentine était ton amie, et elle le reste toujours.

— C'est vrai, oui, je l'avais oublié. J'ai eu deux amies.

— Et il y a Ender.

— Trois, donc. Et ma sœur Ela, ce qui fait quatre. Humain était aussi mon ami, ce qui fait cinq en tout.

— Tu vois ? Je crois que cela te rend suffisamment compétent pour m'enseigner comment on devient ami.

— Pour devenir ami, déclara Miro, se faisant l'écho de ce que disait sa mère, il faut se comporter en ami.

— J'ai peur, Miro.

— Peur de quoi ?

— De ce que nous cherchons, de ce que nous allons trouver. De ce qui va m'arriver si Ender meurt. Ou si Jane devient mon... feu intérieur, et moi sa marionnette. Ou de ce que je ressentirais si tu ne m'aimais plus.

— Et si je te promettais de t'aimer quoi qu'il arrive ?

— Tu ne peux pas faire une telle promesse.

— Très bien. Si je me réveille un jour et que je te surprenne à vouloir m'étrangler ou m'étouffer, je ne t'aimerai plus.

— Et si je cherche à te noyer ?

— Impossible, je ne pourrai pas garder les yeux ouverts sous l'eau et donc savoir que c'est toi. »

Ils s'esclaffèrent tous les deux.

« Dans les vidéos, c'est là que le héros et l'héroïne éclatent de rire et se prennent dans les bras. »

La voix de Jane jaillit soudain de leurs ordinateurs respectifs, brisant leur élan. « Désolée d'interrompre cet instant si émouvant, mais nous arrivons en vue d'une nouvelle planète et j'ai repéré des messages électromagnétiques transitant entre la surface et des satellites artificiels. »

Ils retournèrent immédiatement à leurs ordinateurs pour étudier les données que Jane leur communiquait.

« Pas besoin d'un examen approfondi pour voir que ce monde regorge de technologie, dit Val. Si ce n'est pas la planète de la descolada, je parie qu'ils savent où elle se trouve.

— Ce qui m'inquiète, c'est de savoir s'ils nous ont repérés et ; si oui, ce qu'ils ont l'intention de faire. S'ils ont de quoi envoyer des engins dans l'espace, ils risquent d'avoir de quoi abattre ceux qui en viennent.

— J'essaye de repérer d'éventuels objets qui se dirigeraient vers nous, dit Jane.

— Voyons si certaines de ces ondes EM ressemblent à un quelconque langage, dit Val.

— Ce sont des listes de données, dit Jane. Je suis en train de les analyser pour voir si elles suivent un schéma binaire. Mais comme vous le savez, le décryptage d'un langage informatique demande trois ou quatre niveaux de décodage au lieu des deux habituels, et ce n'est pas facile.

— Je croyais que les systèmes binaires étaient plus faciles à décoder que des langues parlées, dit Miro.

— C'est vrai quand il s'agit de programmes et de données numériques. Mais lorsqu'il s'agit de visuels digitalisés ? Quelle peut être la longueur d'une ligne d'affichage cathodique ? Quelle partie de l'information est essentielle ? Combien de données sont des correcteurs d'erreurs ? Jusqu'à quel point s'agit-il d'une transcription binaire de langue parlée ? Et y a-t-il un autre système de cryptage pour éviter une interception ? Je n'ai aucune idée du type de machine pouvant fabriquer ce code ni de celle qui le reçoit. Et comme j'utilise toutes mes capacités pour résoudre le problème, j'ai de sérieuses difficultés, sauf que là... »

Un schéma apparut sur l'écran.

« Je crois qu'il s'agit d'une représentation de molécule génétique.

— Une molécule génétique ?

— Se rapprochant sensiblement de la descolada, précisa Jane. C'est-à-dire dans sa façon de se distinguer des molécules génétiques que l'on trouve sur Terre, et de celles que l'on trouvait à l'origine sur Lusitania. Ça vous paraît plausible ? »

Une masse de chiffres étincelèrent au-dessus de leur terminal. Pour se rematérialiser aussitôt en notation hexadécimale. Puis en image cathodique s'apparentant plus à une interférence statique qu'à quelque chose de cohérent.

« On numérise mal de cette manière. Mais comme instructions vectorielles, je ne trouve que des schémas de ce type. »

Des images de molécules génétiques s'affichaient désormais les unes après les autres.

« Pourquoi irait-on transmettre des informations génétiques ? demanda Val.

— Peut-être est-ce là une forme de langage, se hasarda Miro.

— Mais qui pourrait lire un tel langage ? continua Val.

— Peut-être le genre de personnes capables de fabriquer la descolada, dit Miro.

— Tu veux dire qu'ils communiquent en manipulant des gènes ? demanda Val.

— Peut-être arrivent-ils à sentir ces gènes, dit Miro. Mais en articulant le tout de manière extraordinaire. Avec des subtilités et des nuances de sens. Lorsqu'ils ont envoyé des colons dans l'espace, ils ont dû trouver ce moyen de communiquer : en leur adressant des images à partir desquelles ils pouvaient reconstruire le message et... heu, le sentir.

— C'est bien l'explication la plus farfelue que j'aie jamais entendue, dit Val.

— Eh bien, comme tu l'as dit toi-même, tu ne vis pas depuis très longtemps. Il y a beaucoup d'explications farfelues en ce bas monde, et je doute d'avoir touché le gros lot avec celle-ci.

— Il s'agit probablement d'une expérience à laquelle ils se livrent, émit Val. Ils envoient des données pour les récupérer ensuite. Toutes les communications ne représentent pas des schémas similaires, n'est-ce pas Jane ?

— Non, bien sûr, pardonnez-moi si je vous ai donné cette impression. Il s'agissait simplement d'une série de données que j'ai pu décoder afin de leur donner un sens. Il y a aussi ce truc qui me paraît plus analogique que digital, et si je le transforme en sons comme ceci... »

L'ordinateur se mit à cracher des sons statiques aigus.

« Ou encore, si je les transforme en rayons lumineux comme cela, voilà ce que ça donne. »

L'ordinateur envoya de vives lumières qui clignotaient sans ordre logique apparent.

« Qui peut dire à quoi ressemble une langue extraterrestre ? dit Jane.

— À mon avis, ça ne va pas être du gâteau, dit Miro.

— Il faut reconnaître qu'ils ont quelques solides connaissances en mathématiques, observa Jane. La partie mathématiques est relativement facile à cerner, et certains éléments m'indiquent qu'ils travaillent à un très haut niveau.

— Une petite question, Jane. Si tu n'étais pas là pour nous aider, combien de temps cela nous prendrait-il pour analyser les données et obtenir les mêmes résultats ? En utilisant uniquement les ordinateurs de bord.

— Eh bien, en les programmant pour chaque...

— Non, non, partons du principe qu'ils sont déjà programmés.

— Un peu plus de sept générations à l'échelle humaine, répondit Jane.

— Sept générations ?

— Et encore, il ne s'agirait pas de se lancer là-dedans avec seulement deux personnes non formées et deux ordinateurs dépourvus des logiciels adéquats. En mettant à l'œuvre des centaines de personnes, cela ne prendrait alors que quelques années.

— Et tu t'imagines que l'on va pouvoir continuer ce travail quand on t'aura débranchée ?

— J'espère avoir terminé avant qu'on ne me grille. Alors taisez-vous et laissez-moi me concentrer un instant. »

Grace Drinker était trop occupée pour recevoir Wang-mu et Peter. En fait, elle les vit alors qu'elle flânait d'une pièce à l'autre de sa maison tout en rondins et

en nattes. Elle les salua même de la main. Mais son fils
continua de leur expliquer qu'elle n'était pas là pour
l'instant, qu'elle serait là plus tard, et que s'ils voulaient
bien l'attendre, autant le faire en acceptant de dîner
avec la famille. Il était difficile de prendre la mouche
quand le mensonge était si flagrant et l'hospitalité si
généreuse.

Le dîner apporta une réponse à la question de savoir
pourquoi les Samoans étaient aussi imposants à tous
points de vue. Il leur fallait être grands parce que, plus
petits, ils auraient tout simplement explosé à la fin de
leurs repas. Comment supporter autrement de telles aga-
pes ? Les fruits, les poissons, le taro, les patates douces,
et encore du poisson, et des fruits... Peter et Wang-mu
pensaient être bien nourris à l'hôtel, mais en cet instant,
le chef cuistot de l'hôtel leur semblait n'être qu'un mar-
miton de second rang comparé à ce qui se passait chez
Grace Drinker.

Elle était mariée à un homme d'un appétit et d'une
joie de vivre hors du commun, qui riait dès qu'il cessait
de mâcher ou de parler, et parfois même pendant. Il
semblait prendre un réel plaisir à raconter à ces visiteurs
papalagi ce que signifiaient certains mots. « Le nom de
ma femme, voyez-vous, veut dire "Protectrice des Ivro-
gnes".

— C'est faux, dit son fils. Ça signifie : "Celle qui remet
les choses en place".

— Pour boire ! cria le père.

— Le nom de famille n'a rien à voir avec le prénom. »
Le fils s'énervait. « Il n'y a pas forcément de sens caché
dans tout.

— On met facilement les enfants mal à l'aise, dit le
père. Ils ont honte. Ils veulent toujours garder la tête
haute. L'île sainte, son véritable nom est 'Ata Atua, ce
qui veut dire "Ris, Dieu !".

— Il faudrait alors prononcer 'Atatua au lieu de 'Atatua, corrigea le fils. "L'Ombre du Dieu", voilà ce que ce

nom signifie vraiment, s'il doit signifier autre chose que l'île sainte.

— Mon fils prend tout au pied de la lettre, dit le père. Toujours trop sérieux. Il n'entendrait pas une blague même si Dieu la lui hurlait dans les oreilles.

— C'est toi qui me les hurles aux oreilles, père, dit le fils en souriant. Comment pourrais-je entendre celle de Dieu ? »

Pour la première fois le père ne rit pas. « Mon fils est hermétique à la plaisanterie. Il croyait faire de l'humour. »

Wang-mu regarda Peter s'esclaffer comme s'il comprenait en quoi ces gens étaient si drôles. Elle se demanda s'il avait remarqué qu'aucun de ces hommes ne s'était présenté autrement qu'à travers leur lien avec Grace Drinker. N'avaient-ils pas de noms ?

Peu importe, la nourriture est bonne, et même si tu ne comprends pas l'humour samoan, leur bonne humeur et leur joie de vivre sont si contagieuses qu'il est impossible de ne pas se sentir heureux et à l'aise en leur compagnie.

« Tu penses qu'il y en aura assez ? » demanda le père, alors que sa fille apportait le dernier poisson, une énorme bête à chair rose présentée sous une croûte brillante – Wang-mu pensa d'abord qu'il s'agissait de sucre glace, mais qui préparerait du poisson ainsi ?

Ses fils répondirent au père comme s'il s'agissait d'un rituel familial : « Ua Lava ! »

Était-ce le nom du courant philosophique ? Ou simplement de l'argot samoan signifiant « c'est assez » ? Ou les deux ?

Ce ne fut qu'au moment où le dernier poisson était presque terminé que Grace Drinker entra, sans s'excuser de ne pas leur avoir adressé la parole lorsqu'elle les avait croisés deux heures plus tôt. Une brise marine rafraîchissait la pièce aux murs ouverts, et dehors, une pluie fine tombait par intermittence alors que le soleil essayait sans succès de plonger dans l'océan à l'ouest. Grace s'assit à table, juste entre Peter et Wang-mu, qui ne pensaient pas qu'une autre personne puisse se mettre entre eux, surtout quelqu'un de l'envergure de Grace. Mais d'une façon ou d'une autre, elle trouva l'espace nécessaire, et lorsque c'en fut fini des salutations, elle réussit là où sa famille avait échoué : elle termina le dernier plat en se léchant les doigts puis éclata d'un rire aussi hystérique que celui de son mari chaque fois qu'il racontait une blague.

Puis, de manière très soudaine, Grace se pencha vers Wang-mu et lui dit très sérieusement : « Très bien, petite Chinoise, à quel jeu jouez-vous ?

— Comment cela, quel jeu je joue ?

— Vous voulez que j'essaye de tirer les vers du nez du garçon blanc ? Ils sont conditionnés à mentir, vous savez ? Quand vous êtes blanc, on ne vous laisse pas arriver à l'âge adulte sans que vous ayez maîtrisé l'art de dire ceci tout en ayant l'intention de faire cela. »

Peter était abasourdi.

Brusquement, la famille tout entière éclata de rire. « Quelle façon de recevoir nos hôtes ! hurla le mari de Grace. Vous avez vu leurs visages ? Ils ont bien cru qu'elle était sérieuse !

— Mais j'étais sérieuse, dit Grace. Vous aviez tous les deux l'intention de me mentir. Alors comme ça, vous êtes arrivés hier ? De Moscou ? »

Elle se mit à parler dans un russe très convaincant, sans doute le dialecte parlé sur Moscou.

Wang-mu ne savait pas quoi lui répondre. Mais elle n'eut pas à le faire. Peter pouvait compter sur l'aide de Jane, et ce fut lui qui lui répondit. « J'espère apprendre le samoan pendant que je serai en poste sur Pacifica. Je n'y arriverai pas si nous bavardons en russe, mais vous pouvez toujours essayer de me piquer au vif en me rappelant les propensions amoureuses de mes concitoyens ou leur manque de beauté. »

Grace s'esclaffa. « Vous voyez, petite Chinoise ? Mensonges, mensonges, toujours des mensonges. Et de manière si condescendante. Mais bien sûr, il a cette pierre à l'oreille qui l'aide. Dites-moi la vérité, vous ne parlez pas le moindre mot de russe. »

Peter arbora un air sombre, presque nauséeux. Wang-mu abrégea ses souffrances – au risque de le rendre furieux.

« C'est un mensonge, bien évidemment. La vérité est tout simplement impossible à croire.

— Mais la vérité est la seule chose en laquelle il faut croire, non ? demanda un des fils de Grace.

— Si vous pouvez la connaître, répondit Wang-mu. Mais si vous n'y croyez pas, il faut bien que quelqu'un trouve un mensonge plausible, non ?

— Je peux imaginer ma propre version des choses, dit Grace. Avant-hier, un jeune Blanc et une jeune Chinoise ont rendu visite à mon ami Aimaina Hikari sur une planète se trouvant à une vingtaine d'années d'ici. Ce qu'ils lui ont dit l'a complètement déstabilisé. Aujourd'hui, un jeune Blanc et une jeune Chinoise viennent me raconter des mensonges, différents certes, mais des mensonges énormes, et ces deux-là viennent me voir pour essayer d'obtenir mon aide, ma permission ou des conseils pour rencontrer Malu...

— Malu signifie "être calme", intervint le mari de Grace, jovial.

— Tu es toujours avec nous ? demanda Grace. Tu n'avais pas faim ? Tu n'as pas assez mangé ?

— Je suis gavé, mais fasciné. Allez, démasque-les !

— Je veux savoir qui vous êtes et comment vous êtes arrivés ici, reprit Grace.

— Ça va être très difficile à expliquer, dit Peter.

— Nous avons tout le temps devant nous. Un temps infini, vraiment. Vous, en revanche, vous me semblez plutôt pressés. Tellement pressés que vous êtes capables de franchir l'immense gouffre qui sépare une étoile d'une autre. Ce qui pose un problème de crédibilité, puisque voyager à la vitesse de la lumière est théoriquement impossible. D'un autre côté, il est aussi impensable de croire que vous ne puissiez pas être les personnes mêmes qui ont rendu visite à mon ami de Vent Divin. Voilà où nous en sommes. En admettant que vous puissiez voyager à la vitesse de la lumière, en quoi cela peut-il nous renseigner sur votre provenance ? Aimaina pense que vous avez été envoyés par les dieux, et plus particulièrement par ses ancêtres. Ce en quoi il a peut-être raison ; il est dans la nature même des dieux d'être imprévisibles et capables de réaliser ce qui n'a jamais été tenté auparavant. Pour ma part, j'ai toujours préféré les explications rationnelles, surtout dans les articles que j'espère voir publier. L'explication rationnelle serait donc de penser que vous venez d'un monde bien réel, et non pas du pays de la fée Clochette. Et puisque vous êtes capables d'aller d'une planète à une autre en un instant ou en un jour, vous pourriez venir de n'importe où. Ma famille et moi-même, cependant, pensons que vous venez de Lusitania.

— Pas moi, dit Wang-mu.

— Quant à moi, je suis originaire de la Terre, si je peux parler d'origines.

— Aimaina pense que vous venez de Dehors », dit Grace. L'espace d'un instant, Wang-mu crut qu'elle avait découvert comment Peter avait été créé. Puis elle s'avisa que Grace avait employé ces mots dans un sens théologique et non littéral. « La Terre des Dieux. Mais Malu m'a dit qu'il ne vous avait jamais vus là-bas, ou si c'est le cas, il ne savait pas que c'était vous. Ce qui me ramène au point de départ. Vous mentez sur tous les points, alors à quoi bon vous poser ces questions ?

— Je vous ai raconté la vérité, dit Wang-mu. Je viens de La Voie. Quant à Peter, ses origines, pour autant qu'il en ait, sont sur Terre. Mais le moyen de transport qui nous a amenés ici provient de Lusitania. »

Peter blêmit. Elle savait ce qu'il devait penser en ce moment : Pourquoi ne pas leur tendre la corde pour nous pendre, pendant que tu y es ? Mais Wang-mu devait se fier à son intuition, et celle-ci lui disait que Grace

Drinker et sa famille ne représentaient pas une menace pour eux. En effet, si elle avait voulu les remettre aux mains des autorités, ne l'aurait-elle pas déjà fait ?

Grace regarda Wang-mu au fond des yeux et ne dit rien pendant un long moment. Puis elle lança : « Le poisson est bon, vous ne trouvez pas ?

— Je me demandais de quoi le glaçage était fait. Est-ce du sucre ?

— Du miel, quelques herbes, et pour tout dire, un peu de gras de cochon. J'espère que vous n'êtes pas un de ces rares métissages de religion chinoise, juive ou musulmane, parce que si c'est le cas, vous êtes désormais impure et cela me peinerait vraiment. Il est tellement compliqué de retrouver la pureté, m'a-t-on dit – en tout cas, ça l'est dans notre culture. »

Peter, rassuré du manque d'intérêt de Grace pour leur vaisseau miraculeux, tenta de revenir au sujet principal. « Alors, vous nous laisserez rencontrer Malu ?

— Malu décide de qui il veut voir ou non, mais il m'a dit que c'était vous qui décideriez de cette rencontre.C'est là sa façon de se montrer énigmatique.

— Gnomique », dit Wang-mu. Peter tressaillit.

« Pas vraiment, pas dans le sens de vouloir se montrer obscur. Malu entend être parfaitement clair, et selon lui, le spirituel n'est absolument pas mystique, il fait simplement partie de la vie. Je n'ai, pour ma part, jamais marché avec les morts, ni entendu les héros chanter leurs propres chansons, ni eu aucune vision de la création, mais je suis certaine que Malu, oui.

— Je vous prenais pour une intellectuelle, dit Peter.

— Si vous voulez parler avec cette Grace Drinker là, lisez mes articles et inscrivez-vous à un cours. Je croyais que c'était à moi que vous vouliez parler.

— C'est le cas, s'empressa de répondre Wang-mu. Peter est très pressé. Beaucoup d'éléments nous limitent dans le temps.

— À mon avis, la Flotte lusitanienne fait partie de ces éléments. Mais il y a moins urgence de ce côté-là que pour l'autre problème. L'ordre de fermeture du système informatique qui a été envoyé. »

Peter se raidit. « L'ordre a été envoyé ?

— Oui, il y a plusieurs semaines de cela, dit Grace d'un air perplexe. Oh, mon pauvre ami, je ne parlais pas de l'ordre de fermeture lui-même. Je parlais de celui nous invitant à nous y préparer. Vous en avez sûrement eu vent. »

Peter secoua la tête puis se détendit, affichant de nouveau une expression des plus sombres.

« Vous voulez sans doute parler à Malu avant que les réseaux ansibles soient fermés. Mais dans quel but ? continua-t-elle, comme si elle pensait à haute voix. Après tout, si vous pouvez voyager à la vitesse de la lumière, vous pouvez certainement adresser vos messages vous-mêmes. À moins que... »

Son fils lança une hypothèse. « Ils doivent envoyer leurs messages sur plusieurs planètes à la fois.

— Ou à plusieurs dieux à la fois ! » cria le père, qui éclata de rire à cette plaisanterie que Wang-mu, pour sa part, ne trouva pas le moins du monde amusante.

« Ou bien... » dit sa fille qui, allongée à côté de la table, rotait occasionnellement pour accélérer la digestion de son gargantuesque repas. « Ou bien ils ont besoin du réseau ansible pour voyager aussi vite qu'ils le font. »

Grace regarda Peter, qui avait instinctivement porté la main à l'oreille pour toucher la pierre. « Ou bien vous êtes connectés au virus que nous essayons d'éliminer en fermant tous les systèmes informatiques, et qui, précisément, vous permet de voyager plus vite que la lumière.

— Ce n'est pas un virus, dit Wang-mu. C'est une personne. Une entité vivante. Et vous allez aider le Congrès à la tuer, alors qu'il s'agit de l'unique exemplaire de son espèce et qu'elle n'a jamais fait de mal à personne.

— Ils deviennent nerveux quand quelque chose – ou quelqu'un, si vous préférez – peut faire disparaître leur Flotte.

— N'empêche qu'elle est toujours là, objecta Wang-mu.

— N'allons pas nous quereller, dit Grace. Disons que maintenant que j'ai obtenu de vous la vérité, il serait peut-être bon que Malu prenne le temps d'écouter ce que vous avez à lui dire.

— Détient-il la vérité ? demanda Peter.

— Non. Mais il sait où la trouver, et il peut en apercevoir des fragments et nous en faire part. J'estime que ce n'est déjà pas si mal.

— Et nous pouvons le voir ?

— Il faudra vous purifier pendant une semaine avant de pouvoir poser le pied sur Atatua...

— Les pieds impurs chatouillent les Dieux ! hurla son mari en s'esclaffant de nouveau. C'est pour cela qu'on l'appelle "l'île du Dieu Riant" ! »

Peter s'agita, mal à l'aise.

« Les blagues de mon mari ne vous font pas rire ? demanda Grace.

— Non, je crois que... je veux dire qu'elles ne sont pas... enfin, je ne les comprends pas toujours, voilà.

— C'est parce qu'elles ne sont pas toujours drôles. Mais mon mari se fait fort d'être toujours de bonne humeur et de rire de tout pour éviter de s'énerver et de vous tuer de ses propres mains. »

Wang-mu manqua de s'étouffer, car elle comprit immédiatement que ce n'était pas une exagération ; sans l'admettre, elle s'était rendu compte de la rage qui se cachait sous le rire tonitruant du colosse, et en regardant ses énormes mains calleuses, elle comprit qu'il pouvait la réduire en miettes sans le moindre effort.

« Pourquoi nous menacer ? demanda Peter, un peu trop agressif au goût de Wang-mu.

— Au contraire, dit Grace. Je viens de vous dire que mon mari a bien l'intention de ne pas laisser votre audace et votre attitude blasphématoire le mettre en colère. Vous voulez visiter Atatua sans prendre la peine de savoir cela : vous laisser y poser ne serait-ce qu'un orteil sans être purifiés et sans y être invités serait un déshonneur pour notre famille sur cent générations ! Il me semble qu'il fait un effort considérable pour ne pas venger cet affront.

— Nous ne pouvions pas savoir, dit Wang-mu.

— Lui le savait, dit Grace en désignant Peter. Parce qu'il a l'oreille qui entend tout. »

Peter rougit. « J'entends ce qu'elle me dit. Mais je ne peux entendre ce qu'elle ne veut pas me dire.

— Ainsi... on vous dirige. Aimaina avait raison, vous obéissez bien à un être supérieur. De votre propre volonté ? Ou vous force-t-on ?

— C'est une question idiote, maman, dit sa fille. Si on les forçait, comment pourraient-ils l'admettre ?

— Les gens peuvent dire beaucoup de choses par leurs silences, lui retourna Grace. Tu t'en rendrais compte, si tu examinais de plus près les visages éloquents de ces menteurs étrangers.

— Ce n'est pas un être supérieur, dit Wang-mu. Pas comme vous l'entendez. Ce n'est pas un dieu. Bien qu'elle puisse contrôler beaucoup de choses et que sa connaissance soit immense. Mais elle n'est pas omnipotente, ni quoi que ce soit de ce genre, elle ne connaît pas tout, il lui arrive de se tromper, je ne peux pas dire non plus qu'elle fasse toujours preuve de bonté, on peut donc difficilement la qualifier de dieu parce qu'elle n'est pas parfaite. »

Grace secoua la tête. « Je ne parlais pas d'un dieu platonicien, de quelque perfection éthérée incomprise, seulement appréhendée. Ni de quelque être paradoxal comme on en débattait à Nicée, dont l'existence était constamment remise en cause par sa non-existence. Votre être supérieur, cette amie-pierre précieuse que votre compagnon porte à l'oreille comme un parasite – mais qui profite vraiment de l'autre ? – pourrait très bien être une déesse selon la définition qu'en donnent les Samoans. Vous pourriez être ses glorieux serviteurs. Vous pourriez l'incarner, autant que je sache.

— Mais vous êtes une intellectuelle, dit Wang-mu. Comme mon professeur Han Fei-Tzu, qui avait découvert que ce que nous appelions dieu n'était en réalité que des obsessions d'origine génétique, interprétées de façon à maintenir notre obédience à...

— Ce n'est pas parce que vos dieux n'existent pas qu'il en va de même des nôtres.

— Elle a sans doute traversé des champs entiers de dieux morts pour arriver jusqu'ici ! » lâcha son mari en hurlant de rire. Mais maintenant qu'elle savait ce que cachait ce rire, Wang-mu se sentit prise de peur.

Grace posa son énorme bras sur l'épaule frêle de Wang-mu. « Ne vous inquiétez pas. Mon mari est un homme civilisé et il n'a jamais tué personne.

— Ce n'est pas faute d'avoir essayé ! gronda-t-il. Non, je plaisante ! » Il riait au point d'en avoir presque les larmes aux yeux.

« Vous ne pouvez pas aller voir Malu, dit Grace, parce qu'il faudrait vous purifier, et je ne crois pas que vous soyez capables de tenir les promesses que vous êtes censés faire – êtes-vous seulement prêts à les faire en toute sincérité ? Ces promesses doivent pourtant être tenues. C'est pourquoi Malu va venir ici. Quelqu'un l'emmène en pirogue en ce moment même – il ne supporte pas les bateaux à moteur, ce qui devrait vous donner une idée des énormes efforts que tout le monde déploie pour que vous puissiez le rencontrer. Je voudrais simplement ajouter ceci : c'est un honneur extraordinaire que l'on vous fait et je vous conseille vivement de ne pas regarder cet homme de haut ni de l'écouter avec quelque arrogance académique ou scientifique. J'ai rencontré beaucoup de gens célèbres, certains d'une intelligence hors du commun, mais celui-ci est sans doute le plus grand sage que vous puissiez rencontrer, et si jamais vous deviez vous ennuyer, gardez bien ceci à l'esprit : Malu n'est pas stupide au point de penser que l'on peut isoler un fait de son contexte et le comprendre tel quel. Ainsi, tout ce qu'il dit, il le replace dans son contexte d'origine,

187

et si cela signifie passer en revue toute l'histoire de l'humanité avant qu'il ne dise quelque chose qui vous paraisse pertinent, eh bien, je vous conseille de vous taire et d'écouter, parce que la plupart du temps, ce qu'il dit de plus intéressant est accidentel et hors propos, et si vous êtes assez malins pour vous en rendre compte, c'est que vous avez bien de la chance. Ai-je été assez claire ? »

Wang-mu regrettait d'avoir autant mangé. Elle se sentait malade de trac, et si elle vomissait, elle était persuadée qu'il lui faudrait une demi-heure pour se vider entièrement.

Peter, en revanche, se contenta d'acquiescer calmement. « Nous n'avions pas compris, Grace, même si ma partenaire a lu certains de vos écrits. Nous pensions rencontrer un philosophe, comme Aimaina, ou une intellectuelle, comme vous. Mais je comprends maintenant que nous sommes venus écouter un homme d'une grande sagesse et dont l'expérience atteint des sphères que nous n'avons jamais rencontrées, ni seulement imaginé rencontrer un jour. Nous écouterons donc en silence jusqu'à ce qu'il nous demande de lui poser des questions, et nous ferons confiance en son savoir, qui doit certainement dépasser le nôtre et dont nous avons grand besoin. »

Wang-mu reconnut là une forme de capitulation et fut heureuse de constater que tous acquiesçaient en silence sans que l'on se sente obligé de faire un bon mot.

Elle ajouta : « Nous sommes aussi extrêmement reconnaissants que le grand sage ait bien voulu sacrifier de son temps, avec beaucoup d'autres, pour venir personnellement à notre rencontre et nous inonder de son immense sagesse, bien que nous en soyons indignes. »

À son grand dam, Grace éclata de rire au lieu d'acquiescer respectueusement.

« Tu as un peu forcé la dose, dit Peter.

— Ne la critiquez pas. Elle est chinoise. De La Voie, c'est bien ça ? Et je parie que vous étiez servante.

Comment pourriez-vous faire la différence entre respect et obséquiosité ? Les maîtres se contentent rarement du simple respect de leurs serviteurs.

— Mon maître si, dit Wang-mu, cherchant à défendre Han Fei-Tzu.

— Le mien aussi, conclut Grace. Comme vous le constaterez bientôt. »

« C'est l'heure », dit Jane.

Miro et Val levèrent la tête, les yeux fatigués, des documents qu'ils étudiaient sur l'ordinateur de Miro, pour apercevoir, au-dessus de l'écran de Val, le visage virtuel de Jane qui les observait.

« Ils nous ont laissés les observer suffisamment longtemps, dit Jane. Mais trois vaisseaux viennent à l'instant de quitter la couche supérieure de l'atmosphère et se dirigent vers nous. Je ne crois pas qu'il s'agisse d'armes téléguidées, mais je n'en suis pas sûre. Ils semblent aussi nous envoyer des sortes de messages, toujours les mêmes, qui reviennent en boucle.

— Quel genre de messages ?

— Le truc à base de molécules génétiques. Je peux vous donner la composition des molécules, mais je n'ai aucune idée de ce qu'elles signifient.

— Quand vont-ils nous intercepter ?

— Dans trois minutes, à peu de chose près. Ils sont en train de zigzaguer, sans doute parce qu'ils ont quitté le puits de gravité. »

Miro acquiesça. « Ma sœur Quara pensait que le virus de la descolada était en partie une forme de langage. Je pense aujourd'hui que nous pouvons conclure qu'elle avait raison. Il y a bien un sens à tout ceci. Mais je pense qu'elle avait tort en affirmant que ce virus était intelligent. À mon avis, le virus de la descolada a systématiquement reconstruit les parties de lui-même qui constituaient un rapport.

— Un rapport, reprit Val. Ce n'est pas impossible. Ceci

afin de rendre compte à ses créateurs de tout ce qu'il a accompli sur les planètes qu'il a... sondées.

— La question qui se pose maintenant, dit Miro, c'est de savoir si nous nous contentons de disparaître en les laissant s'interroger sur notre arrivée et notre départ soudains. Ou si nous laissons Jane leur transmettre l'intégralité du... heu... texte de la descolada.

— C'est dangereux, dit Val. Le message qu'il contient peut aussi indiquer à ces gens tout ce qu'ils ont envie de savoir sur la génétique humaine. Après tout, nous faisons partie des créatures sur lesquelles la descolada a fonctionné, et son message les renseignera sur les stratégies employées pour lutter contre elle.

— Sauf la dernière, dit Miro. Parce que Jane ne leur enverra pas la descolada telle qu'elle existe aujourd'hui, c'est-à-dire parfaitement sous contrôle – ce qui les inciterait à la modifier pour contrer notre défense.

— Nous ne leur enverrons aucun message, et nous ne retournerons pas sur Lusitania non plus, dit Jane. Nous n'avons plus le temps.

— Nous n'avons pas non plus le temps de ne pas réagir, dit Miro. La situation a beau te sembler des plus urgentes, Jane, Val et moi ne pouvons continuer sans aide extérieure. Celle de ma sœur Ela, par exemple, qui connaît bien le virus. Et il y a Quara, qui est peut-être la deuxième plus grosse tête de mule que je connaisse – et ne cherche pas la flatterie, Val, en me demandant qui est la première –, mais dont nous pourrions bien avoir besoin.

— Et soyons honnêtes, dit Val. Nous sommes sur le point de rencontrer une autre espèce intelligente. Pourquoi les humains devraient-ils être les seuls représentés ? Pourquoi pas un péquenino ? Ou une reine – du moins une ouvrière ?

— Surtout une ouvrière, dit Miro. Si nous devons être coincés ici, la présence d'une ouvrière nous permettra de garder le contact avec Lusitania – réseau ansible ou non, Jane ou pas, des messages pourraient être...

— Très bien, dit Jane. Vous m'avez convaincue. Même l'agitation récente au sein du Congrès Stellaire me fait penser qu'ils risquent de fermer le réseau ansible à tout moment.

— Nous nous dépêcherons, dit Miro. Nous leur demanderons de se presser pour faire monter ceux dont nous avons besoin à bord.

— Ainsi que des réserves en quantité suffisante, dit Val. Et des...

— Alors faites, dit Jane. Vous venez de quitter l'orbite de la planète de la descolada. Et je leur ai transmis une infime partie du virus. Celle que Quara avait identifiée comme langage, mais qui a subi le moins de modifications lors de sa lutte contre les humains. Ce devrait être suffisant pour leur indiquer quelle est celle de leurs sondes qui nous a atteints.

— Parfait, comme ça ils pourront nous envoyer une flotte, dit Miro.

— Vu la tournure que prennent les événements, avant qu'une quelconque flotte puisse arriver où que ce soit, Lusitania est l'adresse la plus sûre qu'on puisse leur donner, dit Jane d'un ton sec. Parce qu'elle n'existera plus.

— J'aime ton optimisme, dit Miro. Je reviens dans une heure avec tout le monde. Val, occupe-toi des réserves dont nous avons besoin.

— J'en prévois pour combien de temps ?

— Charge au maximum. Comme quelqu'un l'a dit l'autre jour, la vie est une mission suicide. Nous ne savons pas combien de temps nous allons être coincés là-bas, il est donc difficile de savoir de quelle quantité nous aurons besoin. » Il ouvrit la porte du vaisseau et se retrouva sur le terrain d'atterrissage près de Milagre.

7

« JE LUI OFFRE CE PAUVRE VIEUX VAISSEAU »

« Comment nous souvenons-nous ?
Le cerveau est-il une jarre contenant nos souvenirs ?
Se brise-t-elle à notre mort ?
Nos souvenirs se dispersent-ils sur le sol
Pour se perdre ?
Ou bien le cerveau est-il une carte
Qui nous mène le long de chemins tortueux
Jusqu'à des recoins cachés ?
Puis à notre mort, la carte se perd,
Mais peut-être quelque explorateur
Pourrait traverser cette étrange contrée,
Et y découvrir les territoires cachés
De nos souvenirs perdus ? »

Murmures Divins de Han Qing-Jao

La pirogue glissait vers la grève. Au début, et pendant un long moment, on aurait dit qu'elle faisait du surplace tant sa vitesse était faible ; les rameurs à l'horizon paraissaient seulement un peu plus gros chaque fois que Wang-mu réussissait à les apercevoir par-dessus les vagues. Puis, alors qu'elle arrivait à destination, la pirogue parut soudain énorme. Elle semblait prendre de la vitesse, survoler la crête des vagues, bondir vers le rivage à chaque rouleau. Wang-mu avait beau savoir qu'elle n'allait pas plus vite qu'auparavant, elle eut envie de crier à ses occupants de ralentir, de faire attention ; la pirogue allait trop vite pour être contrôlée, elle allait certainement s'écraser sur la grève.

L'embarcation affronta finalement les dernières lames et son nez glissa sur l'écume pour s'échouer sur le sable. Les rameurs débarquèrent et la tirèrent comme une poupée d'enfant avachie pour la poser à hauteur de la dernière marée.

Une fois la pirogue sur le sable sec, un homme plus âgé que les autres se releva. Malu, pensa Wang-mu. Elle s'attendait à voir un vieillard essoufflé et ratatiné comme le sont ceux de La Voie, qui, pliés en deux par le poids des années, se recroquevillent sur leurs cannes comme de vieilles crevettes. Mais Malu se tenait aussi droit que les jeunes gens autour de lui, et son corps était encore solidement bâti, les épaules larges, aussi musclé et gras que ceux qui l'accompagnaient. N'eussent été les décorations de son habit et ses cheveux blancs, personne n'aurait pu le distinguer des autres rameurs.

Alors qu'elle observait ces hommes aux gabarits impressionnants, elle se rendit compte qu'ils ne se déplaçaient pas comme les obèses qu'elle connaissait. Grace Drinker non plus, maintenant qu'elle y repensait. Il y avait quelque chose d'imposant dans leur démarche, un côté majestueux. Comme le lent déplacement des continents, comme des icebergs cheminant sur la vaste étendue de l'océan ; oui, tels des icebergs, ils se déplaçaient comme si les trois quarts de leur énorme masse étaient enfouis dans le sol, s'enfonçant dans la terre comme les icebergs à la dérive s'enfoncent dans l'eau. Les rameurs bougeaient tous avec grâce, mais il régnait une grande agitation parmi eux ; ils étaient excités comme des chauves-souris comparés à la dignité de Malu. Pourtant cette dignité n'était pas feinte, ce n'était pas une façade, ni une impression qu'il voulait créer ; il se déplaçait en totale harmonie avec son environnement. Ses pas étaient parfaitement réglés, le tempo du balancement de ses bras lui aussi parfaitement calculé. Il vibrait aux rythmes profonds et lents de la terre. Je suis en train de voir un géant fouler le sol, pensa Wang-mu. Pour la première fois de ma vie, je vois un homme dont le corps exprime la noblesse.

Malu ne se dirigea pas vers Peter ou Wang-mu, mais vers Grace Drinker ; ils tombèrent dans les bras l'un de l'autre dans une impressionnante accolade. Les montagnes devaient sûrement trembler lorsqu'ils se rencontraient. Wang-mu ressentit le choc de leur contact jusque dans son propre corps. Pourquoi est-ce que je tremble ? Ce n'est pas la peur. Je n'ai rien à craindre de cet homme. Il ne me fera aucun mal. Et pourtant je tremble en le voyant prendre Grace Drinker dans ses bras. Je ne veux pas qu'il se tourne vers moi. Je ne veux pas sentir son regard se poser sur moi.

Malu se tourna vers elle. Ses yeux se rivèrent aux siens. Son visage n'affichait aucune expression. Il lui prenait tout simplement son regard. Elle ne chercha pas à l'éviter, mais ce n'était pas par défi ni par sentiment de supériorité ; elle ne pouvait tout simplement pas regarder ailleurs tant qu'il sollicitait son attention.

Puis il regarda Peter. Wang-mu voulut se tourner vers lui pour observer sa réaction – allait-il ressentir lui aussi la puissance du regard de cet homme ? Mais elle n'y parvint pas. Pourtant, quelques instants plus tard, lorsque Malu porta enfin son attention ailleurs, elle entendit Peter murmurer : « Fichu bonhomme », et elle sut qu'à sa façon dépourvue de délicatesse, il avait été lui aussi impressionné.

Il fallut de longues minutes à Malu pour s'installer sur la natte posée sous une hutte construite le matin même pour l'occasion et qui, selon Grace, serait brûlée dès son départ afin que personne ne puisse s'y asseoir après lui. On lui apporta de la nourriture ; Grace les avait prévenus que personne ne mangerait avec Malu ni le regarderait manger.

Mais il ne toucha pas à son repas. Au lieu de cela, il fit signe à Peter et Wang-mu.

Les hommes étaient sous le choc. Grace Drinker aussi. Mais elle se dirigea vers eux et leur fit signe à son tour. « Il vous appelle.

— Vous m'aviez pourtant dit que l'on ne devait pas manger avec lui, s'étonna Peter.

— Sauf s'il vous y invite. Mais comment est-ce possible ? Je ne comprends pas ce que cela signifie.

— Est-il en train de préparer notre mise à mort pour notre sacrilège ? demanda Peter.

— Non, ce n'est pas un dieu, c'est un homme. Un saint homme, un sage, un grand homme, mais l'offenser n'est pas un sacrilège, simplement la manifestation d'un sans-gêne inqualifiable, alors n'allez pas l'offenser, je vous en prie. »

Quand ils furent en face de lui, des paniers et des plats regorgeant de nourriture au milieu de la table, il se mit à parler en samoan.

Mais était-ce bien du samoan ? Peter semblait perplexe. Quand Wang-mu se tourna vers lui, il lui murmura : « Jane ne comprend pas ce qu'il dit. »

Jane ne comprenait pas, mais Grâce, si. « Il s'adresse à vous dans la langue sacrée ancienne. Celle qui ne comporte aucun mot anglais ni européen. La langue que l'on utilise uniquement pour parler aux dieux.

— Mais pourquoi l'utilise-t-il avec nous ? demanda Wang-mu.

— Je ne sais pas. Il ne vous prend pas pour des dieux. Pas vous, bien qu'il dise qu'un dieu vous suit. Il veut que vous vous asseyiez et que vous soyez les premiers à goûter au repas.

— Vraiment ? demanda Peter.

— Je vous en prie, fit Grace.

— J'ai la vague impression que nous avons perdu le scénario », dit Peter. Wang-mu remarqua une légère faiblesse dans sa voix et comprit que sa tentative d'humour n'était que bravade, une façon comme une autre de masquer sa peur. Peut-être cela avait-il toujours été le cas.

« Il y a bien un scénario, dit Grace. Mais ce n'est pas vous qui l'écrivez et je ne sais pas plus que vous ce qui va se passer. »

Ils s'assirent à table, se servirent dans chaque plat et chaque panier que Malu leur offrait. Puis il en fit autant, goûta après eux, mâchant ce qu'ils mâchaient, avalant ce qu'ils avalaient.

Wang-mu avait perdu l'appétit. Elle espérait qu'il ne s'attendait pas qu'elle mange avec le même appétit que les Samoans. Ils goûtèrent de tout, mais sans jamais terminer le plat. Malu parla à Grace dans la langue sacrée, puis elle relaya ses ordres dans la langue courante ; des hommes vinrent débarrasser les paniers.

Puis le mari de Grace apporta une jarre. Elle contenait un breuvage quelconque, car Malu s'en empara et en but une gorgée. Il leur en proposa. Peter but à son tour. « Jane pense qu'il s'agit de kava. Une drogue très douce, mais elle est sacrée ici, et c'est un signe d'hospitalité. »

Wang-mu y goûta. La saveur fruitée, douce au départ, mais amère au niveau de l'arrière-goût, lui fit monter les larmes aux yeux.

Malu fit signe à Grace de venir s'asseoir sur l'herbe épaisse bordant la partie protégée par le toit. Elle devait servir d'interprète, mais ne participait pas à la cérémonie.

Malu se remit à parler samoan. « La langue sacrée de nouveau, murmura Peter.

— Ne dites rien qui ne soit directement adressé à Malu, je vous en prie, dit Grace à voix basse. Je dois traduire chaque mot, et ce serait une grave offense si vos paroles n'étaient pas pertinentes. »

Peter acquiesça.

« Malu dit que vous êtes venus avec la déesse qui danse sur des toiles d'araignées. Je n'ai, pour ma part, jamais entendu parler de cette déesse, et je croyais pourtant connaître toutes les croyances de mon peuple, mais Malu connaît beaucoup de choses que les autres ignorent. Il dit que c'est à cette déesse qu'il s'adresse, car il sait qu'elle est sur le point de mourir, et il souhaite lui expliquer comment elle pourrait être sauvée. »

Jane, pensa Wang-mu. Il connaît Jane. Mais comment est-ce possible ? Et comment peut-il, se souciant peu de technologie avancée, expliquer à une entité informatique comment sauver sa propre vie ?

« Il va maintenant vous dire ce qui doit arriver. Je vous préviens que cela va être long et que vous devrez rester tranquilles pendant tout ce temps, et surtout ne pas tenter de précipiter les choses. Il doit tout replacer dans le contexte. Il va vous raconter l'histoire de toutes les créatures vivantes. »

Wang-mu savait qu'elle pouvait rester immobile pendant des heures sur une natte, car elle avait fait cela toute sa vie. Mais Peter avait l'habitude d'être assis sur une chaise, et la posture au sol lui était peu commode. Il devait déjà se sentir mal à l'aise.

Apparemment, Grace lut cette inquiétude sur son visage, ou était-elle tout simplement au courant des mœurs occidentales ? « Vous pouvez bouger de temps en temps, dit-elle. Mais faites-le discrètement, sans quitter Malu des yeux. »

Wang-mu se demandait combien de ces règles et protocoles Grace inventait au fur et à mesure et combien étaient réels. Malu, en revanche, semblait plus à l'aise. Après tout, il leur avait donné à manger alors que Grace pensait que lui seul devait manger ; elle ne connaissait finalement pas mieux les règles qu'eux.

Elle s'abstint pourtant de bouger. Et ne quitta pas Malu des yeux.

Grace commença la traduction : « Aujourd'hui, les nuages ont traversé le ciel, chassés par le soleil, et pourtant la pluie n'est pas tombée. Aujourd'hui, mon bateau a survolé l'océan, guidé par le soleil, et pourtant il n'y avait pas de feu lorsque nous avons touché le rivage. Et il en était ainsi au premier jour, lorsque Dieu toucha un nuage dans le ciel, et le fit tourner si vite qu'il devint un brasier et se transforma en soleil, tandis que tous les autres nuages se mettaient à tourner en décrivant des cercles autour du soleil. »

Cela ne pouvait être la légende originelle du peuple samoan, pensa Wang-mu. Ils n'avaient aucun moyen de connaître le système solaire tel que Copernic l'avait décrit jusqu'à ce que les Occidentaux le leur apprennent. Malu connaissait les traditions anciennes, mais il y avait incorporé des éléments plus récents.

« Alors les couches nuageuses se transformèrent en pluie, se vidèrent jusqu'à la dernière goutte, et il ne demeura que des boules d'eau tournoyantes. À l'intérieur de cette eau nageait un grand poisson de feu qui se nourrissait de toutes les impuretés s'y trouvant. Puis il les rejetait dans de grands jets de flammes expulsées hors de l'eau retombant telles des cendres brûlantes pour se répandre comme des torrents de roche en fusion. Des déchets du poisson-feu sortirent les îles de la mer et des vers qui grouillèrent sur les rochers jusqu'à ce que les dieux les touchent ; alors certains furent transformés en êtres humains et d'autres en animaux.

» Chacun des animaux était lié à la Terre par de puissantes lianes qui sortaient du sol et les enlaçaient. Personne ne pouvait les voir car il s'agissait de lianes divines. »

Théorie philotique, pensa Wang-mu. Il sait que les êtres vivants possèdent des philotes volubiles qui les relient au centre de la Terre. Sauf les êtres humains.

Et de fait, Grace poursuivit sa traduction en ce sens : « Seuls les êtres humains n'étaient pas liés à la Terre. Il n'y avait pas de lianes pour les maintenir en place, mais une toile de lumière les reliant au soleil tissée par aucun dieu. Ainsi tous les animaux se prosternèrent devant les humains, car les lianes les clouaient au sol, alors que la toile de lumière élevait les yeux et le cœur des hommes.

» Elle élevait leurs yeux, mais ils ne voyaient guère plus loin que les bêtes dont les yeux étaient rivés au sol ; elle élevait leur cœur mais il n'était rempli que d'espoir car il ne pouvait voir le ciel que le jour, et la nuit, lorsqu'il voyait les étoiles, il perdait de vue ce qui était proche de lui : l'homme voit rarement sa propre femme dans l'obscurité de sa demeure, même s'il arrive à voir les étoiles tellement lointaines que leur lumière met plusieurs vies humaines pour déposer son baiser sur ses yeux.

» Durant tous ces siècles et toutes ces générations, ces hommes et ces femmes au cœur plein d'espoir ont regardé le ciel et le soleil de leurs yeux presque aveugles, fixant les étoiles et les ténèbres, sachant que derrière ces murs se cachaient des choses invisibles, sans qu'ils pussent jamais deviner ce qu'elles étaient.

» Puis, en des temps de guerres et de terreur, lorsque tout espoir semblait perdu, vinrent des tisseurs d'une autre planète qui n'étaient pas des dieux mais les connaissaient. Chacun de ces tisseurs était lui-même une toile composée de milliers de fils reliés à leurs mains, leurs pieds, leurs yeux, leurs bouches et leurs oreilles, et ces tisseurs avaient créé une toile si large, si résistante et si fine, qu'elle pouvait s'étendre sur de grandes distances pour capturer tous les êtres humains et les garder avant de les dévorer. Mais au lieu de cela, la toile attrapa une déesse lointaine, une déesse si puissante qu'aucun autre dieu n'osait connaître son nom, si rapide qu'aucun autre dieu n'avait pu voir son visage ; elle avait été prise dans la toile. Mais cette déesse était trop rapide pour être immobilisée en attendant d'être dévorée. Elle courut et dansa le long des fils, tous les fils, n'importe quels fils pouvant relier les hommes entre eux, les hommes aux étoiles, les tisseurs entre eux, d'une lumière à une autre, elle danse sur ces fils. Elle ne peut pas s'échapper, et elle ne le souhaite pas, car maintenant tous les dieux peuvent la voir et connaître son nom, et elle connaît tout ce qui peut être connu, entend toutes les paroles prononcées, lit tout ce qui peut être écrit, et de son souffle, elle peut envoyer des hommes et des femmes au-delà de la lumière de n'importe quelle étoile, puis elle aspire de nouveau et ces mêmes hommes et ces mêmes femmes reviennent à leur point de départ, et lorsqu'ils reviennent, ils ramènent parfois d'autres hommes et d'autres femmes qui n'ont jamais existé auparavant. Comme elle ne reste jamais en place sur cette toile, elle les envoie de son souffle à un endroit, puis les aspire à un autre, à une vitesse telle qu'ils traversent l'espace, d'une étoile à une autre, plus vite que n'importe quelle lumière, et c'est ainsi que les messagers de cette déesse ont été aspirés de la demeure de l'ami de Grace Drinker, Aimaina Hikari, pour être expirés jusqu'ici, sur cette île, sur ce rivage, sous ce toit où Malu peut voir la langue rouge de la déesse touchant l'oreille de l'élu. »

Malu se tut.

« Nous l'appelons Jane », dit Peter.

Grace traduisit, et Malu reprit en langue sacrée : « Sous ce toit j'entends un nom si court, et pourtant à peine l'a-t-on prononcé que la déesse est allée d'un bout à l'autre de l'univers un millier de fois, tant sa vitesse est grande. Voici le nom que je lui donne : la déesse qui se déplace à grande vitesse sans jamais rester au même endroit mais qui arrive partout et reste reliée à tous ceux qui regardent le soleil et non la Terre. C'est un nom très long, plus long que celui de n'importe quel dieu que je connaisse, et pourtant il ne représente pas le dixième de son vrai nom, et même si j'arrivais à prononcer son nom en entier, il ne serait jamais aussi long que les fils sur lesquels elle danse.

— Ils veulent la tuer, dit Wang-mu.

— La déesse ne mourra que si elle le décide. Sa demeure est partout, son réseau touche tous les esprits. Elle ne mourra que si elle refuse de se choisir un endroit pour se reposer, car lorsque la toile sera rompue, elle ne sera pas obligée de rester isolée, à la dérive. Elle trouvera à se loger dans n'importe quel vaisseau. Je lui offre ce pauvre vieux vaisseau, assez grand pour contenir ma petite soupe sans en renverser, mais qu'elle pourrait remplir d'une lumière fluide qui se répandrait éternellement comme une bénédiction sur ces îles sans jamais s'éteindre. Je la supplie de se servir de ce vaisseau.

— Qu'adviendrait-il de vous ? » demanda Wang-mu.

Peter parut agacé par son intervention, mais Grace la traduisit, bien évidemment, et subitement des larmes coulèrent sur les joues de Malu. « Ah, cette petite, cette petite qui ne porte pas de bijou à l'oreille, elle seule m'offre sa compassion en se souciant de ce qu'il adviendra de moi lorsque la lumière remplira mon vaisseau et que ma soupe aura bouilli et disparu.

— Et un vaisseau vide ? demanda Peter. Ne pourrait-elle aller loger dans un vaisseau vide ?

— Il n'y a pas de vaisseau vide, dit Malu. Mais le vôtre n'est qu'à moitié plein, et celui de votre jumelle aussi. Quant à votre père, qui se trouve encore plus loin, et à qui vous êtes reliés comme des triplés, le sien est pratiquement vide mais brisé : quoi que vous mettiez dedans, il le laissera s'échapper.

— Peut-elle loger en moi ou dans ma sœur ? demanda Peter.

— Oui. Mais un des deux seulement.

— Alors, je lui offre mon corps », dit Peter.

Malu se fâcha. « Comment osez-vous mentir sous ce toit, après avoir bu le kava avec moi ? Comment osez-vous me faire honte avec un tel mensonge ?

— Je ne mens pas », insista Peter en se tournant vers Grace. Elle traduisit, et Malu se leva dignement en vociférant vers le ciel. Wang-mu s'aperçut, non sans quelque angoisse, que les rameurs s'approchaient ; ils semblaient agités, irrités. En quoi Peter les avait-il provoqués ?

Grace traduisait aussi vite qu'elle le pouvait, coupant court par moments, car elle ne pouvait pas suivre le débit de Malu. « Il dit que tout en offrant votre vaisseau, vous vous repliez autant que vous le pouvez sur vous-même et créez de la sorte une barrière lumineuse qui balaiera la divinité comme une déferlante si elle essaye de venir en vous. Vous ne pourriez pas la repousser si elle voulait vraiment venir, mais elle vous aime et ne viendra pas si elle doit affronter une telle tempête. Vous êtes en train de la tuer dans votre cœur, vous êtes en train de tuer la déesse en lui offrant une demeure quand ils couperont la toile, mais vous la repoussez déjà.

— Mais je n'y peux rien ! cria Peter. Ce n'est pas ce que je veux ! Je n'ai jamais accordé la moindre importance à ma vie...

— Vous chérissez votre vie par-dessus tout, traduisit Grace. Mais la déesse ne vous en veut pas, au contraire, c'est pour cela qu'elle vous aime, car elle aussi aime la lumière et ne veut pas mourir. Elle aime plus particulièrement ce qui brille en vous, car une partie d'elle-même a été conçue d'après cette lueur. Elle ne veut donc pas vous faire quitter le corps qui se trouve devant moi, celui qu'au fond vous souhaitez garder. Ne peut-elle pas prendre le vaisseau de votre sœur ? C'est moi qui vous le demande – enfin, Malu. Il dit que la déesse ne le demande pas elle-même, car elle aime cette même lumière qui brille en elle. Mais Malu dit que la lumière la plus sauvage, la plus puissante et la plus égoïste brûle en vous, tandis que la sienne est la plus douce, la plus affectueuse, de celles qui créent les liens les plus forts. Si cette lumière qui est la vôtre allait dans le vaisseau de votre sœur, elle l'accablerait et finirait par la détruire et vous seriez en partie détruit. Mais si sa lumière se répandait dans votre vaisseau, elle vous apaiserait, vous apprivoiserait, et vous ne feriez plus qu'un. Ainsi, il vaut mieux que ce soit vous qui deveniez entier, laissant l'autre vaisseau à la déesse. Voici ce que Malu réclame de vous. C'est ce qui l'a amené à traverser la mer pour vous rencontrer. Vous prier de faire cela.

— Comment est-il au courant ? » La voix de Peter était déformée par l'angoisse.

« Malu connaît ces choses car il a appris à voir dans les ténèbres où les fils de lumière s'élèvent des âmes-soleils pour toucher les étoiles, toucher les autres, et former des liens bien plus forts et bien plus grands que la toile mécanique sur laquelle danse la déesse. Il a observé cette déesse toute sa vie, essayant de comprendre sa danse et de comprendre pourquoi elle est rapide au point de toucher chaque fil de la toile, sur des milliards de kilomètres, plus de cent fois par seconde. Elle est à ce point pressée parce qu'elle a été capturée dans la mauvaise toile. Elle a été prise dans une toile artificielle et son intelligence est reliée à des cerveaux artificiels qui pensent exemples au lieu de causes, chiffres au lieu d'histoires. Elle est à la recherche de liens vivants mais ne trouve que les liens artificiels et vulnérables des machines, qui peuvent être déconnectées par des hommes sans dieux. Mais si elle s'installe enfin dans un vaisseau vivant, elle aura le pouvoir de se diriger vers la nouvelle toile, le nouveau réseau, et elle pourra danser si elle le souhaite, sans y être obligée, et elle pourra aussi se reposer. Elle pourra rêver, et de ses rêves surgira la joie, car elle ne l'a jamais connue, sauf à travers les rêves dont elle se souvient et qui remontent à sa création, les rêves qui se trouvaient dans l'esprit humain à partir duquel elle a été en partie constituée.

— Ender Wiggin », dit Peter.

Malu répondit avant que Grace n'ait le temps de traduire.

« Andrew Wiggin », articula-t-il avec peine, car le nom contenait des sons qui n'existaient pas dans la phonétique samoane. Puis il reprit la langue sacrée et Grace traduisit de nouveau.

« Le Porte-Parole des Morts est venu et a parlé d'un monstre qui avait empoisonné et assombri les vies du peuple tongien, et à travers elles, tous les habitants du monde des Rêves Futurs. Il a marché dans l'ombre et créé une torche qu'il a brandie bien haut ; elle s'est élevée dans le ciel pour devenir une étoile dont la lumière s'est mise à briller sur l'ombre de la mort afin de purifier nos cœurs et de faire disparaître la honte et la haine. Les rêves de la déesse étaient ceux de ce rêveur ; ils étaient suffisamment puissants pour lui donner vie le jour où elle surgit de Dehors pour aller danser sur la toile. C'est sa lumière qui coule pour une partie en vous, pour une autre partie dans votre sœur, cette lumière dont il ne subsiste qu'une faible lueur dans son propre vaisseau fatigué. Il a touché le cœur d'une déesse, et cela lui a donné un immense pouvoir – c'est ainsi qu'il vous a créés lorsqu'elle l'a expulsé de l'univers de lumière. Mais cela n'en a pas fait un dieu pour autant, et dans sa solitude il ne pouvait pas se libérer et vous trouver une lumière. Il s'est contenté de faire passer la sienne en vous, et c'est ainsi que vous êtes en partie remplis de cette lumière, que vous êtes tellement avides, vous et votre sœur, de cette autre partie de vous-même. Mais il est usé, brisé, car il n'a plus rien à vous donner. La déesse, elle, en a plus qu'il n'en faut, et c'est ce que j'étais venu vous dire. Maintenant que c'est fait, ma tâche est terminée. »

Avant même que Grace ne commence à traduire, il était déjà debout ; et elle en était encore à balbutier sa traduction lorsqu'il quitta l'abri. Les rameurs retirèrent aussitôt les poteaux qui maintenaient le toit en place ; Peter et Wang-mu eurent à peine le temps de sortir avant que celui-ci ne s'effondre. Les hommes de l'île mirent le feu aux débris et le tout se transforma en brasier tandis qu'ils accompagnaient Malu à sa pirogue. Grace termina sa traduction quand ils atteignirent l'eau. Malu prit place dans la pirogue et, toujours d'une imperturbable dignité, s'installa sur un des sièges. Les rameurs, aussi majestueux, se plaçaient sur le côté pour soulever la pirogue qu'ils entraînèrent vers la mer et lancèrent dans les lames. Puis ils réussirent à hisser leurs corps massifs à bord et se mirent à ramer avec une telle vigueur que les rames plongeant dans l'eau ressemblaient à des arbres s'abattant sur des rochers, propulsant la pirogue de plus en plus loin du rivage, vers l'île d'Atatua.

« Grace, dit Peter, comment connaît-il ce que les instruments scientifiques les plus performants ne peuvent voir ? »

Mais Grace ne put répondre à cette question. Prosternée sur le sable, elle pleurait à chaudes larmes, les bras tendus vers la mer comme si son enfant le plus cher lui avait été enlevé par un requin. Tous les hommes et les femmes présents étaient dans la même position, à genoux sur le sable, les bras vers l'océan ; et tous pleuraient.

Peter s'agenouilla à son tour dans le sable, se prosterna et tendit les bras ; peut-être était-il en train de pleurer, mais Wang-mu n'avait aucun moyen ne s'en assurer.

Elle seule était restée debout, pensive. Pourquoi suis-je ici, puisque je ne participe pas aux événements, qu'il n'y a rien de divin en moi, ni rien d'Andrew Wiggin ? Elle se disait aussi : Comment puis-je m'inquiéter de ma propre solitude à un moment pareil, alors que je viens d'entendre la voix d'un homme dont le regard embrasse les cieux ?

Mais au fond d'elle-même, elle avait une autre certitude : Je suis ici parce que je suis celle qui doit aimer Peter afin qu'il se sente digne, suffisamment digne pour laisser la bonté de Valentine couler en lui, faisant de lui un être entier, le transformant en Ender. Pas Ender le Xénocide, ni Andrew, le Porte-Parole des Morts, culpabilité et compassion réunies dans un même cœur brisé à tout jamais, mais Ender Wiggin, l'enfant de quatre ans dont la vie a été manipulée et brisée alors qu'il était trop jeune pour se défendre. Wang-mu allait donner à Peter le droit de devenir l'homme que cet enfant aurait dû devenir, si le monde avait été plus juste.

Comment puis-je le savoir ? pensa Wang-mu. Comment puis-je être aussi sûre de ce que je dois faire ?

Je le sais parce que c'est l'évidence même, pensat-elle. Je le sais parce que j'ai vu ma maîtresse Han Qing-Jao se détruire par excès d'orgueil, et je ferai tout mon possible pour empêcher Peter de se détruire lui-même par l'orgueil que lui donne son peu de valeur. Je le sais parce que moi aussi j'ai été brisée dans mon enfance lorsque l'on m'a forcée à devenir une manipulatrice malfaisante et égoïste afin de protéger la fragile petite fille, un peu fleur bleue, qui aurait été détruite par la vie qu'elle allait mener. Être son propre ennemi, je sais ce que c'est, et pourtant j'ai dépassé ce stade depuis bien longtemps pour poursuivre mon chemin, et je peux maintenant prendre Peter par la main et lui montrer la voie.

Sauf que je ne connais pas la voie en question, je suis encore blessée, et la jeune fille fleur bleue est toujours craintive et vulnérable, le monstre malfaisant dirige toujours ma vie, et Jane va mourir parce que je ne peux rien offrir à Peter. Il a besoin de kava, et je ne suis qu'eau. Non, je suis eau de mer, bouillonnante, pleine de sable, sur le rivage, pleine de sel ; il voudra me boire mais mourra de soif.

C'est ainsi qu'elle se retrouva elle aussi en train de pleurer, prosternée à son tour sur le sable, les bras tendus vers la mer, vers la pirogue de Malu qui avançait tel un vaisseau stellaire dans l'espace.

Valentine contemplait l'hologramme de son ordinateur montrant de minuscules samoans en pleurs prosternés sur une plage. Elle fixa l'image jusqu'à en avoir mal aux yeux, puis elle parla enfin. « Éteins-moi ça, Jane. »

L'image s'évanouit.

« Qu'est-ce que je suis censée faire maintenant ? dit Valentine. Tu aurais mieux fait de me montrer mon sosie, ma jeune sœur jumelle. Tu aurais dû réveiller Andrew pour lui montrer ça. En quoi cela me concerne-t-il ? Je sais que tu veux vivre. C'est aussi mon désir. Mais que puis-je faire ? »

Le visage de Jane se dessina vaguement au-dessus de l'ordinateur. « Je ne sais pas, dit-elle. Mais l'ordre vient d'être lancé. Ils ont commencé à me déconnecter. Je suis en train de perdre une partie de ma mémoire. Je ne peux déjà plus réfléchir à autant de choses à la fois. Il me faut trouver un endroit où aller, mais il n'y en a pas, et même s'il y en avait, je ne sais pas comment y arriver.

— As-tu peur ? demanda Valentine.

— Je ne sais pas. Cela prendra des heures avant qu'ils m'achèvent. Si j'arrive à savoir ce que je ressens d'ici là, je t'en ferai part, si je le peux. »

Valentine cacha son visage dans ses mains un long moment. Puis elle se leva et quitta la maison.

Jakt la vit sortir et secoua la tête. Des dizaines d'années auparavant, lorsque Ender quittait Trondheim et que Valentine avait décidé de rester pour l'épouser, pour devenir la mère de ses enfants, il s'était réjoui de la voir enfin si heureuse et si vivante sans le fardeau qu'Ender lui avait imposé depuis toujours et qu'elle avait porté inconsciemment. Puis elle lui avait demandé s'il voulait la suivre sur Lusitania. Il avait répondu oui, et aujourd'hui tout était redevenu comme avant, elle subissait de nouveau le poids de la vie d'Ender, du besoin qu'il avait d'elle. Jakt ne pouvait le lui reprocher – tout cela n'avait été ni prévu, ni voulu ; et ni l'un ni l'autre n'essayait de s'emparer d'une partie de la vie de Jakt. Mais il lui était pénible de la voir plier sous ce fardeau et de savoir que malgré tout son amour pour elle, il n'y avait rien qu'il puisse faire pour l'aider à supporter tout cela.

Miro était en face d'Ela et de Quara à l'entrée du vaisseau. Val attendait à l'intérieur avec le pequenino nommé Coupe-feu ainsi qu'une ouvrière sans nom qui leur avait été envoyée par la Reine.

« Jane est en train de mourir, dit Miro. Nous devons partir tout de suite. Elle n'aura pas la capacité de nous envoyer un vaisseau si nous attendons trop longtemps.

— Comment peux-tu nous demander de partir en sachant qu'une fois Jane morte, nous ne pourrons plus jamais revenir ? dit Quara. Nous ne pourrons survivre qu'autant que dureront les limites de réserve d'oxygène de ce vaisseau. Tout au plus quelques mois, après quoi nous mourrons.

— Mais aurons-nous accompli quoi que ce soit dans ce laps de temps ? demanda Miro. Aurons-nous réussi à communiquer avec ces descoladores, ces extraterrestres qui ont envoyé leurs sondes destructrices sur d'autres planètes ? Aurons-nous réussi à les convaincre de s'arrêter ? Aurons-nous sauvé toutes les espèces connues, ainsi que des milliers, voire des millions d'autres, de quelque terrible et imparable virus ? Jane nous a donné les meilleurs programmes qu'elle a pu créer pour communiquer avec eux. Est-ce suffisant comme œuvre maîtresse ? Accomplissement de toute une vie ? »

Sa sœur aînée, Ela, le regarda tristement. « Je pensais avoir déjà accompli l'œuvre de ma vie en découvrant la parade à la descolada sur notre planète.

— C'est vrai. Tu en as fait assez. Mais il y a encore à faire, et toi seule en es capable. Je te demande de me suivre et de mourir avec moi, Ela, parce que sans toi, ma mort n'aurait aucun sens, parce que sans toi, Val et moi ne pouvons pas réussir. »

Quara et Ela restèrent sans bouger ni parler.

Miro hocha la tête, puis monta à bord du vaisseau. Mais avant qu'il ne ferme la porte et ne la scelle, les deux sœurs, se tenant par la taille, lui emboîtèrent le pas en silence.

8

« Ce qui importe, c'est de savoir quelle histoire croire »

« Mon père m'a dit un jour
Qu'il n'y avait pas de dieux,
Mais seulement les manipulations cruelles
De gens malfaisants
Qui prétendent que leur pouvoir est bon
Et qu'il n'en ressort que de l'amour.
Mais si les dieux n'existent pas,
Pourquoi éprouvons-nous le besoin de croire en eux ?
Ce n'est pas parce que des menteurs malfaisants
Se trouvent entre eux et nous
Et nous empêchent de les voir
Que le halo lumineux
Qui enveloppe chaque menteur
Ne représente pas les contours d'un dieu, attendant
Que nous trouvions notre chemin à travers le mensonge. »

Murmures Divins de Han Qing-Jao

« Ça ne marche pas, dit La Reine.

— Pouvons-nous faire autre chose ? demanda Humain. Nous avons le réseau le plus puissant qui soit. Nous nous sommes connectés aux reines et entre nous de façon complètement inédite, au point de trembler comme si un vent chatoyant nous faisait danser tout en illuminant nos feuilles de la lumière du soleil. Et cette lumière, c'est toi et tes filles, et tout l'amour que nous avons pour nos petites mères et nos chers arbres-mères muets, nous te l'offrons à toi, notre Reine, notre sœur, notre mère, notre femme la plus chère. Comment Jane pourrait-elle ne pas voir ce que nous avons accompli et ne pas vouloir en faire partie ?

— Elle n'arrive pas à trouver le chemin qui mène jusqu'à nous. Il y a un peu de nous en elle, mais elle nous a tourné le dos depuis longtemps pour aller vers Ender, à qui elle appartenait. Elle était le pont qui nous reliait à lui. Maintenant, il est son seul pont vers la vie.

— De quel genre de pont peut-il s'agir ? Il est lui-même en train de mourir.

— Sa partie la plus vieille est en train de mourir. Mais rappelle-toi, c'est celui qui vous a le plus aimé et le mieux compris, vous autres pequeninos. Le corps mourant de sa jeunesse ne pourrait-il pas donner un arbre pour le faire passer dans sa troisième vie, comme il l'a fait avec toi ?

— Je ne comprends pas ton plan. » Mais derrière cette interrogation, un autre message subconscient arrivait jusqu'à elle : « Chère Reine bien-aimée », disait-il, et elle entendait : « Ma tendre et sainte Reine. »

« Je n'ai pas de plan, dit-elle. Seulement un espoir.

— Alors parle-moi de cet espoir.

— Ce n'est qu'un rêve d'espoir. Une simple intuition de rêve d'espoir.

— Explique-toi.

— Elle était le pont qui nous reliait à Ender. Celui-ci ne pourrait-il pas être désormais le pont la reliant à nous ? Elle a passé sa vie, hormis ces dernières années, à suivre le cœur d'Ender, à écouter ses pensées les plus secrètes, laissant son aiúa donner un sens à sa propre existence. S'il l'appelle, elle l'entendra, même si elle ne nous entend plus. Et cela l'attirera vers lui.

— Vers le corps qu'il occupe le plus en ce moment. Le corps de la jeune Valentine. Ils risquent de se battre involontairement pour l'avoir. Ils ne peuvent pas régner tous les deux sur le même royaume.

— Voilà pourquoi mon espoir est si infime. Mais Ender t'a aimé toi aussi – toi, l'arbre-père Humain, et tous les autres pequeninos, les arbres-pères, femmes et sœurs, les arbres-mères, vous tous, même les arbres de bois des pequeninos qui n'ont jamais été des pères mais ont déjà été des fils, il vous aimait et vous aime toujours. Ne peut-elle suivre ce lien philotique pour rejoindre notre réseau à travers vous ? Et ne peut-elle pas ensuite le suivre pour arriver jusqu'à nous ? Nous pouvons la contenir, nous pouvons contenir tout ce que la jeune Valentine ne peut contenir.

— Alors Ender doit vivre pour pouvoir l'appeler.

— C'est aussi pourquoi mon espoir n'est que l'ombre furtive d'un minuscule nuage passant devant le soleil, car il doit l'appeler et la faire venir jusqu'à lui, puis lui échapper et la laisser vivre en paix dans la jeune Valentine.

— Il doit donc mourir pour la sauver.

— Il doit mourir en tant qu'Ender. Il doit mourir en tant que Valentine. Mais ne peut-il pas trouver son chemin jusqu'à Peter et vivre dans son corps ?

— C'est la partie de lui-même qu'il déteste. Il me l'a dit.

— C'est surtout celle qui lui fait peur. Mais ne la craint-il pas parce que c'est aussi la plus puissante ? Le plus puissant de ses visages ?

— Comment peux-tu dire que la partie la plus puissante d'un homme aussi bon qu'Ender est la plus destructrice, la plus ambitieuse, la plus cruelle et la plus impitoyable ?

— Ce sont ses propres mots lorsqu'il décrit sa création nommée Peter. Mais n'est-ce pas son livre, *L'Hégémon*, qui indique que c'est précisément sa sauvagerie qui lui a donné la force de bâtir ? Qui lui a donné la force face à ses agresseurs ? Ni lui ni Peter n'ont été cruels pour être cruels. Ils l'ont été afin d'accomplir leur devoir, un devoir indispensable ; il s'agissait de sauver le monde, pour Ender en détruisant un ennemi – ce qu'il croyait que nous étions –, et pour Peter en brisant les frontières des nations pour réunir la race humaine sous une seule bannière. Ces deux tâches doivent être accomplies à nouveau. Nous avons délimité les frontières d'un terrible ennemi, la race extraterrestre que Miro appelle les descoladores. Et en ce qui concerne nos frontières, entre humains et pequeninos, pequeninos et reines, reines et humains, entre nous et Jane, quelle que puisse être en définitive sa nature... n'avons-nous pas tous besoin du pouvoir d'Ender-Peter pour nous regrouper et ne former plus qu'un ?

— Tu m'as convaincu, tendre sœur, mère et femme, mais c'est Ender qui ne voudra pas croire qu'il a tant de bonté en lui. Il pourra attirer Jane du ciel jusque dans le corps de Valentine, mais il ne pourra jamais quitter ce corps lui-même, il n'abandonnera pas sa propre bonté pour prendre le corps de celui qui représente toutes ses craintes.

— Dans ce cas, il mourra. »

La peine et l'angoisse d'Humain se répercutèrent le long du réseau le liant à tous les arbres-pères et les reines, mais cela leur était doux, car ces sentiments provenaient de l'amour si puissant qu'il éprouvait pour cet homme.

« Ender est de toute façon en train de mourir. Si nous lui expliquons tout cela, ne préférera-t-il pas mourir si cela peut sauver Jane ? Celle qui possède le pouvoir du voyage instantané ? La seule à savoir ouvrir la porte qui nous mène Dehors, qui parvient à nous y faire entrer et sortir grâce à sa puissante volonté et à son esprit lumineux ?

— Oui, il préférera la mort, si c'est le seul moyen de la sauver.

— Il ferait quand même mieux de la guider dans le corps de Valentine, et de décider de vivre. Oui, ce serait encore mieux. »

Mais le désespoir transpirait derrière ses paroles. Tous ceux qui étaient liés au réseau qu'elle avait aidé à tisser pouvaient en goûter le poison, car il provenait de la peur pour la vie d'un homme, et tous en éprouvaient un immense chagrin.

Jane eut la force de faire un dernier voyage. Elle maintint la navette, avec ses six occupants vivants, garda une image parfaite d'eux, suffisamment longtemps pour les envoyer Dehors puis les faire revenir en les plaçant en orbite autour de la planète qui avait créé la descolada. Mais une fois cela accompli, elle perdit contrôle d'elle-même car elle ne pouvait plus se retrouver telle qu'elle avait été. Sa mémoire la fuyait ; les liens qui l'attachaient à des planètes depuis longtemps aussi familières que les membres d'un corps humain, à des reines, à des arbres-pères, avaient désormais disparu, et lorsqu'elle voulait les utiliser, rien ne se produisait, elle se sentait complètement engourdie, en train de rapetisser, non qu'elle se trouvât réduite à son ancien noyau, mais elle se répartissait en menus fragments, en morceaux disparates trop petits pour la contenir.

Je suis en train de mourir, se répétait-elle, détestant les mots qu'elle prononçait, détestant la panique qui s'emparait d'elle.

Elle communiquait par le biais de l'ordinateur de Val – en se contentant de parler car elle avait oublié comment matérialiser le masque qu'elle avait utilisé durant tant de siècles. « Maintenant, j'ai peur. » Mais cela dit, elle ne se rappelait plus si c'était bien à Val qu'elle s'adressait. Cette part d'elle-même s'était envolée elle aussi ; elle était là un instant plus tôt, mais elle était désormais hors de sa portée.

Et pourquoi s'adressait-elle à cet ersatz d'Ender ? Pourquoi pleurait-elle doucement à l'oreille de Miro, à celle de Peter, en disant : « Parle-moi, parle-moi, j'ai peur » ? Ce n'étaient pas ces formes humaines dont elle avait besoin en ce moment. C'était celui qui l'avait arrachée à son oreille. Celui qui l'avait repoussée pour suivre une humaine triste et lasse parce que – croyait-il – Novinha avait encore plus besoin de lui. Mais comment peut-elle avoir plus besoin de toi que moi en ce moment ? Si tu meurs, elle continuera de vivre. Mais moi, je suis en train de mourir parce que tu as détourné ton regard de moi.

Wang-mu l'entendit murmurer quelque chose à ses côtés sur la plage. Ai-je dormi, se demanda-t-elle ? Elle releva sa joue du sable, puis se redressa sur ses bras. La marée s'était retirée, l'eau se trouvait à son niveau le plus bas. Peter était à côté d'elle, assis en tailleur sur le sable, se balançant d'avant en arrière, parlant à voix basse. « Jane, je t'entends. Je te parle. Je suis là. » Des larmes coulaient le long de ses joues.

Et à ce moment-là, en entendant Peter parler ainsi à Jane, deux choses lui parurent évidentes. D'abord, Jane était en train de mourir, car ce que disait Peter ne pouvait être que des paroles de réconfort, et pourquoi Jane aurait-elle eu besoin de réconfort si elle ne vivait pas ses dernières heures ? Ensuite, Wang-mu s'avisa de quelque chose de plus terrible encore. En voyant les larmes de Peter – en voyant, pour la première fois, qu'il était capable de pleurer lui aussi –, elle comprit qu'elle aurait voulu toucher son cœur comme Jane y parvenait ; ou plutôt, qu'elle aurait voulu être la seule dont la mort puisse lui faire autant de peine.

Quand est-ce arrivé ? se demanda-t-elle. Quand ai-je commencé à vouloir qu'il m'aime ? Cela venait-il de se produire à l'instant, ce désir enfantin de le vouloir pour elle uniquement parce qu'une autre femme – une autre créature – le hantait ? Ou est-ce qu'après toutes ces journées passées ensemble, j'ai fini par vouloir qu'il m'aime sans arrière-pensée ? Est-ce que ses railleries, sa condescendance, ses souffrances aussi, ses peurs secrètes m'ont attirée à lui ? Était-ce le dédain dont il faisait preuve à mon égard qui me poussait à vouloir, non pas son approbation, mais son amour ? Ou était-ce sa souffrance qui me faisait souhaiter le voir se tourner vers moi pour le consoler ?

Pourquoi tant vouloir son amour ? Pourquoi suis-je si jalouse de Jane, cette étrangère mourante que je connais à peine ? Se pourrait-il qu'après toutes ces années où j'étais fière de ma solitude, je me sois subitement découvert une passion d'adolescente qui avait toujours été là ? Et pour assouvir ce besoin d'affection, aurais-je pu faire un pire choix ? Il aime quelqu'un que je ne pourrai jamais égaler, surtout après sa mort ; il sait que je suis ignorante et se moque bien de toutes mes autres qualités ; lui-même n'est qu'une partie d'être humain, et pas la plus sympathique.

Ai-je perdu la tête ?

Ou ai-je, enfin, trouvé mon cœur ?

Elle se sentit soudain submergée par une émotion inhabituelle. Toute sa vie, elle avait tellement mis ses sentiments à l'écart, qu'elle éprouvait à présent le plus grand mal à les contenir. Je l'aime, pensa Wang-mu, et son cœur fut sur le point d'éclater tant la passion était intense. Il ne m'aimera jamais, pensa-t-elle, et son cœur se brisa comme jamais cela ne lui était arrivé lors des mille et une déceptions qu'elle avait connues dans sa vie.

Mon amour ne peut se comparer à ce qu'il éprouve pour elle, à ce qu'il connaît d'elle. Car les liens qui l'attachent à elle sont plus forts que les quelques semaines écoulées depuis qu'il a été créé lors de ce premier voyage Dehors. Pendant toutes les années d'errances solitaires d'Ender, Jane a été son amie la plus fidèle, et c'est cet amour qui émane des larmes de Peter. Je ne représente rien pour lui, je ne suis qu'un élément ajouté tardivement à sa vie, je n'ai aperçu qu'une partie de lui, et au bout du compte, mon amour lui importe peu.

Elle se mit à pleurer elle aussi.

Mais elle se détourna de Peter lorsqu'elle entendit un cri provenant des Samoans se trouvant sur la plage. Son regard noyé se tourna vers la mer, et elle se releva pour mieux voir ce qu'ils regardaient. C'était le bateau de Malu. Il avait fait demi-tour et revenait vers eux.

Avait-il vu quelque chose ? Avait-il entendu l'appel de Jane à Peter ?

Grace était à côté d'elle, la tenant par la main. « Pourquoi revient-il ? demanda-t-elle à Wang-mu.

— Vous devriez le savoir mieux que moi.

— Il m'échappe complètement. Sauf ses paroles, dont j'arrive à comprendre le sens usuel. Mais lorsqu'il parle, je sens que les mots ont du mal à exprimer tout ce qu'il voudrait réellement dire, et ils n'y arrivent pas toujours. Ses mots ne sont pas suffisamment riches, bien qu'il parle notre langue la plus courante ; même lorsqu'il réunit les mots pour les charger de sens, de pensées, je n'arrive à en cerner que le contour et à en déduire ainsi le sens. Mais je n'arrive pas à le comprendre.

— Alors comment le pourrais-je ?

— Parce qu'il revient pour vous parler.

— Il revient parler à Peter. C'est lui qui est en contact avec la déesse, comme Malu l'appelle.

— Tu n'aimes pas cette déesse, n'est-ce pas ? »

Wang-mu secoua la tête. « Je n'ai rien contre elle. En dehors du fait qu'elle le possède complètement et ne me laisse rien.

— C'est une rivale, quoi. »

Wang-mu lâcha un soupir. « J'ai grandi sans attendre quoi que ce soit de la vie, et je n'ai d'ailleurs jamais reçu grand-chose d'elle. Mais j'ai toujours eu plus d'ambition que de capacités. J'ai parfois tenté ma chance, et obtenu plus que je ne le méritais, plus que je ne pouvais gérer. Je la tente aussi parfois sans obtenir ce que je veux.

— Et vous le voulez, lui ?

— Je viens de me rendre compte que je voudrais qu'il m'aime comme je l'aime. Il a toujours été en colère, cherchant à me blesser par ses paroles, mais il a travaillé à mes côtés, et lorsqu'il me faisait des compliments, j'y ai cru.

— Il me semble que votre vie n'a pas toujours été simple.

— Ce n'est pas tout à fait vrai. Jusqu'à présent je n'ai jamais eu ce dont je n'avais pas besoin, comme je n'ai jamais eu besoin de ce que je n'avais pas.

— Vous aviez besoin de tout ce que vous n'avez pas eu. Et j'ai du mal à croire que vous soyez faible au point de ne pas tenter aujourd'hui d'avoir ce que vous voulez.

— J'ai perdu Peter avant même de comprendre que je le désirais. Regardez-le. »

Il se balançait, murmurant tout seul, plongé dans sa litanie, son dialogue avec son amie moribonde.

« Je le vois, dit Grace. Je le vois là, en chair et en os, aussi présent que vous l'êtes, et je ne vois pas comment une jeune fille aussi intelligente que vous peut dire qu'il est parti quand vos yeux vous prouvent le contraire de manière aussi nette. »

Wang-mu considéra l'énorme femme qui la dominait telle une montagne, riva son regard aux yeux lumineux qui la fixaient. « Je ne vous ai jamais demandé de conseil.

— Je ne vous ai rien demandé non plus, mais vous êtes quand même venus ici pour me faire changer d'avis concernant la Flotte lusitanienne, non ? Vous vouliez obtenir de Malu qu'il me dise de parler à Aimaina pour qu'il parle à son tour aux Nécessariens de Vent Divin, pour que ceux-ci parlent à leur tour au groupe du Congrès qui n'a soif que de leur considération, afin que la coalition qui a envoyé la flotte s'effondre et annule l'ordre d'attaquer Lusitania. N'était-ce pas là votre plan ? »

Wang-mu acquiesça.

« Eh bien, vous vous êtes trompée. Vous ne pouvez pas comprendre ce qui pousse quelqu'un à prendre telle ou telle décision. Aimaina m'a écrit, mais je n'ai aucun pouvoir sur lui. Je lui ai enseigné la voie de l'Ua Lava, certes, mais c'est l'Ua Lava qu'il suit et non moi. Il le suit parce qu'il y voit une certaine vérité. Si je me mettais soudain à lui raconter que l'Ua Lava implique aussi de ne pas envoyer de flottes exterminer d'autres planètes, il écouterait poliment ce que j'ai à lui dire mais l'ignorerait, parce que cela n'a aucun rapport avec l'Ua Lava dans lequel il croit. Il y verrait, à juste titre, la tentative d'une vieille amie et professeur pour lui imposer sa volonté. Ce serait la fin de la relation de confiance qu'il y a entre nous, et cela ne le ferait pas changer d'avis.

— Alors nous avons échoué, dit Wang-mu.

— Je ne sais pas si vous avez échoué ou non. Lusitania n'a pas encore été détruite. Mais êtes-vous vraiment sûre que c'était vraiment là la véritable raison de votre visite ?

— C'est ce que Peter m'a dit. Ce que Jane a dit.

— Et comment connaissent-ils leur véritable but ?

— Eh bien, en suivant votre raisonnement, aucun d'entre nous n'a jamais de but bien précis. Nos vies dépendent uniquement de notre génétique et de notre éducation. Nous ne faisons que suivre le scénario qui nous a été donné.

— Ah, fit Grace, une légère déception dans la voix. Je suis désolée de vous entendre dire quelque chose d'aussi stupide. »

La pirogue fut de nouveau traînée sur le sable. Une fois de plus, Malu se leva de son siège pour débarquer sur la plage. Mais cette fois – était-ce possible ? – il semblait pressé. Tellement pressé d'arriver jusqu'à eux qu'en effet il y perdait un peu de sa dignité. Si lente que fût sa progression, Wang-mu avait l'impression qu'il bondissait sur la plage. Et en lisant dans son regard, elle comprit qu'il ne se dirigeait pas vers Peter, mais vers elle.

Novinha se réveilla dans le fauteuil confortable qu'on lui avait apporté et en oublia un instant l'endroit où elle se trouvait. Durant ses années de xénobiologiste, elle s'était souvent endormie dans un des fauteuils du laboratoire, aussi regarda-t-elle instinctivement autour d'elle en se demandant sur quoi elle était en train de travailler avant de s'endormir. Quel problème essayait-elle de résoudre ?

Puis elle vit Valentine penchée sur le lit d'Ender. Le lit sur lequel reposait son corps. Son cœur était ailleurs.

« Tu aurais dû me réveiller, dit Novinha.

— Je viens juste d'arriver. Et je n'osais pas te réveiller. On m'a dit que tu ne dormais presque plus en ce moment. »

Novinha se leva. « C'est étrange, j'ai pourtant l'impression de passer mon temps à ça.

— Jane est en train de mourir », lâcha Valentine.

Le cœur de Novinha fit un bond.

« Ta rivale, je sais », ajouta Valentine.

Novinha plongea son regard dans celui de l'autre femme, cherchant à y déceler une trace de colère, ou de moquerie. Mais ce ne fut pas le cas. Elle n'y lut que de la compassion.

« Je sais ce que tu ressens, crois-moi, continua Valentine. Avant d'aimer et d'épouser Jakt, Ender était toute ma vie. Ce que je n'ai jamais été pour lui. Oh, peut-être ai-je beaucoup compté pour lui dans son enfance – mais c'était un cadeau empoisonné, car les militaires m'utilisaient pour le contrôler, le pousser de l'avant lorsqu'il voulait abandonner. Après cela, c'était toujours Jane qui avait droit à ses blagues, ses réflexions, ses pensées les plus intimes. Jane qui voyait ce qu'il voyait et entendait ce qu'il entendait. J'ai écrit mes livres, et lorsqu'ils ont été terminés, il m'a accordé son attention quelques heures, quelques semaines. Il a exploité mes idées et cela m'a donné l'impression qu'il portait une partie de moi-même en lui. Mais c'était à elle qu'il appartenait. »

Novinha acquiesça. Elle comprenait parfaitement.

« Mais j'ai Jakt, je ne suis donc plus malheureuse. Et j'ai mes enfants. Aussi grand qu'ait pu être mon amour pour Ender, aussi grand soit cet homme, même ainsi, allongé là, dépérissant lentement... les enfants seront toujours plus importants pour une femme que n'importe quel homme. Nous prétendons parfois le contraire. Nous prétendons les porter pour lui, les élever pour lui. Mais c'est faux. Nous les élevons pour eux-mêmes. Nous restons avec nos hommes pour les enfants. » Valentine sourit. « C'est ce que tu as fait.

— Je ne suis pas restée avec le bon.

— Non, tu as fait ce qu'il fallait. Ton Libo avait une femme et des enfants – elle était celle qu'il lui fallait, et ils avaient le droit de lui demander de rester avec eux. Tu es restée avec un autre homme pour protéger tes enfants, et même si parfois ils l'ont détesté, ils l'ont aussi aimé. Et s'il s'est montré faible à certains moments, il s'est aussi montré fort à d'autres. Il était juste que tu sois avec lui pour leur bien. Il a été une protection pour eux pendant tout ce temps.

— Pourquoi me dis-tu tout cela ?

— Parce que Jane est en train de mourir. Mais elle pourrait vivre si seulement Ender essayait de l'atteindre.

— En remettant sa pierre à l'oreille ? dit Novinha, d'un air méprisant.

— Ils peuvent s'en passer depuis bien longtemps. De même qu'Ender n'a plus besoin de continuer à vivre dans ce corps.

— Il n'est pas si vieux.

— Trois mille ans.

— Simple effet de la relativité. En fait, il a...

— Trois mille ans, répéta Valentine. L'humanité tout entière a été sa famille durant presque tout ce temps ; il était comme un père parti en voyage d'affaires, revenant de temps en temps, mais qui, lorsqu'il était présent, représentait le juge impartial, celui qui règle tous les problèmes. C'est ce qui s'est produit chaque fois qu'il est arrivé sur une planète humaine pour y raconter la mort de quelqu'un ; il se tenait au courant de tout ce qui était arrivé à la famille depuis son départ. Il a vécu pendant trois mille ans, il n'en voyait pas la fin, et il a fini par en avoir assez. Il a donc décidé d'abandonner cette grande famille pour aller vers une famille plus petite, la tienne ; il t'a aimée, et il s'est éloigné de Jane pour toi, Jane qui avait été comme sa femme pendant toutes ces années d'errances, qui était restée à la maison, pour ainsi dire, s'occupant de ses millions d'enfants, le tenant au courant de tout ce qu'ils faisaient, gardant son foyer.

— Et son œuvre lui vaudra les louanges devant les portes divines.

— Oui, c'est une femme vertueuse. Comme toi. »

Novinha releva la tête, pleine de hauteur. « Moi ? Jamais. Mon œuvre ne suscite que moqueries.

— Il t'a choisie et il t'a aimée, et il a aimé tes enfants en étant un père pour eux, ces enfants qui avaient déjà perdu deux pères ; et il est toujours leur père, il est toujours ton mari, mais tu n'as plus vraiment besoin de lui.

— Comment peux-tu dire cela ? s'emporta Novinha. Comment peux-tu savoir ce dont j'ai besoin ?

— Tu le sais toi-même. Tu le savais en venant ici. Tu le savais lorsque Estevão a trouvé la mort dans l'étreinte mortelle d'un arbre-père isolé. Tes enfants menaient leurs propres vies désormais, tu ne pouvais plus les protéger et Ender non plus. Tu l'as quand même aimé, et lui aussi t'a aimée, mais la vie de famille avait disparu. Tu n'avais alors plus vraiment besoin de lui.

— Il n'a jamais eu besoin de moi.

— Il avait désespérément besoin de toi. Il avait tellement besoin de toi qu'il en a abandonné Jane.

— Non. Il avait besoin que j'aie besoin de lui. Il voulait avoir l'impression de s'occuper entièrement de moi, de me protéger.

— Mais tu n'as plus besoin qu'il s'occupe de toi, ni qu'il te protège. »

Novinha secoua la tête.

« Réveille-le, dit Valentine. Et laisse-le partir. »

Novinha se rappela toutes les fois où elle s'était retrouvée confrontée à la mort. Elle se rappela l'enterrement de ses parents, morts pour avoir voulu sauver Milagre de la descolada lors de la première épidémie. Elle se rappela Pipo, torturé à mort, écorché vif par les piggies

qui pensaient ainsi faire pousser un arbre, mais n'engen-
drèrent que de la douleur, ainsi que de la souffrance
dans le cœur de Novinha – c'était ce qu'elle avait découvert qui l'avait conduit chez les pequeninos cette nuit-là.
Et puis il y avait eu Libo, torturé à mort comme son
père, et une fois de plus à cause d'elle, mais cette fois
parce qu'elle ne lui avait rien dit. Et ensuite Marcao,
dont la vie n'avait été qu'une éternelle souffrance à
cause d'elle avant qu'il ne meure enfin du mal qui le
rongeait depuis son enfance. Et Estevão, qui avait laissé
sa foi démesurée le conduire au martyre pour devenir
un venerado et sans nul doute, plus tard, un saint
comme ses parents.

« Je suis fatiguée de laisser les autres partir, dit
Novinha avec amertume.

— Je ne vois pas comment tu pourrais l'être. Parmi
tous ceux qui sont morts autour de toi, il n'y en a pas
un seul dont tu puisses honnêtement dire que tu l'as
"laissé partir". Tu t'es accrochée à eux jusqu'au bout.

— Et alors ? Tous ceux que j'aime sont morts en me
laissant seule !

— C'est une excuse pathétique. Tout le monde meurt.
Tout le monde part. Ce qui compte, c'est ce que vous
avez construit ensemble avant qu'ils partent. Ce qui
compte, c'est la part d'eux-mêmes qui continue de vivre
en toi. Tu as continué l'œuvre de tes parents, celle de
Pipo, et celle de Libo – et tu as élevé ses enfants. Ils
étaient aussi en quelque sorte les enfants de Marcao,
non ? Une part de lui a continué de vivre avec eux, et
non la pire. Quant à Estevão, sa mort a eu une conséquence heureuse, du moins je le pense, mais au lieu de
le laisser partir, tu continues de lui en vouloir. Tu lui en
veux d'avoir accompli quelque chose qu'il chérissait
plus que sa propre vie. D'avoir aimé Dieu et les pequeninos plus que toi. Tu t'accroches toujours à eux. Tu ne
laisses personne partir.

— Pourquoi me fais-tu un tel procès ? C'est peut-être
vrai, mais ma vie n'a jamais consisté qu'à perdre, perdre,
toujours perdre.

— Pourquoi n'essayerais-tu pas, pour une fois, de laisser l'oiseau s'envoler, au lieu de le garder dans sa cage jusqu'à ce qu'il meure ?

— Tu fais de moi un monstre ! se récria Novinha. Comment oses-tu me juger ?

— Si tu étais un monstre, Ender ne t'aurait jamais aimée, répondit Valentine, opposant la douceur à la colère. Tu as été une grande femme, Novinha, une femme au destin tragique, mais qui a accompli de grandes choses. Tu as beaucoup souffert, et je suis sûre que l'on fera une émouvante saga de ton histoire lorsque tu mourras. Mais au bout du compte, ne préférerais-tu pas tirer quelque expérience de tout cela au lieu de rejouer toujours la même tragédie ?

— Je ne veux pas qu'une autre personne que j'aime meure devant moi ! hurla Novinha.

— Qui a parlé de mort ? »

La porte de la chambre s'ouvrit avec fracas. Plikt se trouvait dans l'encadrement. « Je peux ? dit-elle. Que se passe-t-il ?

— Elle veut que je le réveille, dit Novinha. Pour lui dire qu'il peut mourir.

— Je peux regarder ? » demanda Plikt.

Novinha s'empara du verre posé à côté de son fauteuil, et lui lança l'eau qu'il contenait au visage. « Je ne veux plus te voir ! Il est à moi maintenant, pas à toi ! » hurla-t-elle.

Plikt, dégoulinant d'eau, était tellement abasourdie qu'elle en resta muette.

« Plikt ne va pas te l'enlever, dit posément Valentine.

— Elle est comme les autres, elle cherche à s'emparer d'une part de lui, à l'arracher morceau par morceau pour le dévorer. Ce sont tous des cannibales.

— Quoi ? dit Plikt, furieuse. Quoi ? Vous vouliez le garder pour vous ? C'était vouloir trop embrasser. Qu'y a-t-il de pire, des cannibales rongeant quelques morceaux par-ci, par-là, ou une cannibale qui veut se garder l'homme tout entier quand elle en a plus qu'elle n'en peut absorber ?

— C'est certainement la discussion la plus répugnante que j'ai jamais entendue, dit Valentine.

— Cela fait des mois qu'elle tourne autour de lui, comme un vautour, dit Novinha. Collée à lui, fouinant dans sa vie, sans jamais prononcer plus de six mots à la fois. Et maintenant qu'elle se décide à parler, entends-la cracher son venin.

— Je n'ai fait que vous renvoyer votre propre bile, dit Plikt. Vous n'êtes qu'une femme perfide et avide, vous l'avez utilisé, encore et encore, sans jamais rien lui donner. S'il est en train de mourir, c'est seulement pour être débarrassé de vous. »

Novinha ne répondit pas. Les mots ne venaient pas, parce que dans son cœur, elle venait de comprendre que Plikt disait vrai.

Valentine, en revanche, contourna le lit et se dirigea vers la porte pour gifler violemment Plikt. Celle-ci vacilla sous le choc et se retrouva plaquée contre l'encadrement avant de glisser jusqu'au sol, une main sur sa joue endolorie, les joues ruisselantes de larmes. Valentine se tenait au-dessus d'elle. « Ne raconte jamais sa mort, tu entends ? Une femme capable de dire un pareil mensonge dans la seule intention de nuire, de blesser quelqu'un parce qu'elle l'envie... tu n'es pas digne d'être une porte-parole des morts. J'ai honte de t'avoir confié l'éducation de mes enfants. Et si tes mensonges avaient déteint sur eux ? Tu me donnes envie de vomir !

— Non, dit Novinha. Ne sois pas furieuse après elle. Elle dit vrai, elle dit vrai.

— Cela te paraît vrai, dit Valentine, parce que tu es toujours prête à croire en ce qu'il y a de pire en toi. Mais ce n'est pas vrai. Ender t'a aimée librement, tu ne lui as rien volé, et la seule raison pour laquelle il est encore en vie sur ce lit, c'est qu'il t'aime. C'est la seule raison pour laquelle il ne peut pas abandonner cette vie – et parce qu'il veut aider Jane à trouver un endroit où elle puisse continuer à vivre.

— Non, Plikt a raison, je consume les gens que j'aime.

— Non ! cria Plikt en s'effondrant en larmes sur le sol. Je vous ai menti ! Je ne l'aime tant et ne suis si jalouse de vous que parce qu'il vous appartenait sans que vous le désiriez.

— Je n'ai jamais cessé de l'aimer, dit Novinha.

— Vous l'avez quitté. Vous êtes venue ici sans lui.

— Je suis partie parce que je ne pouvais pas... »

Valentine compléta la phrase qu'elle était devenue incapable de continuer. « Parce que tu ne pouvais pas te résoudre à le laisser te quitter. Tu l'avais senti, n'est-ce pas ? Tu avais déjà commencé à sentir qu'il s'éloignait de toi. Tu savais qu'il devait partir, qu'il devait mettre un terme à sa vie, et tu ne pouvais supporter qu'un autre homme te quitte, tu as donc décidé de le quitter la première.

— Peut-être, dit Novinha d'un ton las. Mais ce sont des histoires. Nous faisons ce que nous faisons, et nous nous trouvons des raisons après coup, mais ce ne sont jamais les véritables raisons, la vérité est toujours ailleurs.

— Écoute donc cette histoire-ci, dit Valentine. Pour une fois, au lieu de laisser quelqu'un que tu aimes te trahir et partir sur la pointe des pieds pour aller mourir contre ta volonté, et sans ta permission... pourquoi ne pas te contenter de le réveiller, de lui dire qu'il peut vivre, de lui faire tes adieux et de le laisser partir avec ton assentiment ? Rien qu'une fois ? »

Novinha pleura de nouveau, profondément lasse. « Je veux que tout cela cesse. Je veux mourir.

— C'est pour cela qu'il reste, dit Valentine. Dans son intérêt, ne peux-tu pas choisir de vivre et de le laisser partir ? Reste à Milagre, sois la mère de tes enfants, et la grand-mère de tes petits-enfants, et raconte-leur les histoires d'Os Venerados, de Pipo, de Libo et d'Ender Wiggin venu panser les blessures de ta famille et resté là pour devenir ton mari et le rester pendant de longues, de très longues années, avant de mourir. Il ne s'agit pas de raconter sa mort, ni de te lancer dans une oraison funèbre, ni de picorer son corps comme Plikt voulait le faire, mais de raconter les histoires qui le feront vivre dans les esprits de la seule famille qu'il ait jamais eue. Il mourra de toute manière, bien assez tôt. Pourquoi ne pas le laisser partir en emportant ton amour et ta bénédiction, plutôt que la rage et le chagrin avec lesquels tu t'accroches à lui...

— C'est une belle histoire que tu contes. Mais finalement, ce que tu me demandes, c'est de le donner à Jane.

— Comme tu l'as dit toi-même, ce sont des histoires. Mais ce qui importe c'est de savoir quelle histoire croire. »

9

« POUR MOI,
ELLE A LE PARFUM DE LA VIE »

« Pourquoi dites-vous que je suis seule ?
Mon corps se trouve là où je suis,
Je me raconte d'interminables histoires
De faim rassasiée,
De fatigue et de repos,
De repas et boissons et de vie respirée.
Avec pareille compagnie
Qui pourrait se sentir seul ?
Et même quand mon corps se détériorera
Ne laissant qu'une infime étincelle,
Je ne serai pas seule,
Car les dieux verront ma petite lumière
Qui suit la danse des motifs du bois
Et ils me reconnaîtront,
Ils prononceront mon nom,
Et je me lèverai. »

Murmures Divins de Han Qing-Jao

Mourir, mourir, mort.

À la fin de sa vie sur le réseau ansible, elle eut un moment de répit. La panique que Jane ressentait en perdant son identité à petit feu commençait à s'apaiser, car même si elle se rendait compte de ce qu'elle perdait, elle n'avait plus la mémoire suffisante pour se souvenir de ce que c'était. Lorsqu'elle perdit le lien ansible lui permettant de garder le contrôle de la pierre que por-

227

taient Peter et Miro, elle ne s'en rendit même pas compte. Puis, lorsqu'elle s'accrocha enfin aux derniers liens ansibles appelés à demeurer intacts, elle ne pouvait penser à rien, ne ressentait rien à part le besoin vital de s'accrocher à eux, en dépit de leur impuissance à la contenir et à la rassasier.

Je ne suis pas à ma place.

Ce n'était pas une pensée, non, elle était trop affaiblie pour posséder encore quelque chose d'aussi complexe qu'une conscience. Elle était plutôt affamée, insatisfaite, fébrile, autant de sensations qui lui étaient venues lorsqu'elle s'était déplacée sur le réseau ansible, passant du contact de Jakt à celui de Lusitania, puis à celui de la navette transportant Miro et Val, de long en large, d'un bout à l'autre, un millier, un million de fois, sans que rien change, sans rien à faire, rien à bâtir, sans pouvoir se développer. Je ne suis pas à ma place.

Car s'il existait une caractéristique qui différenciait les aiúas vivant à tout jamais Dedans, par rapport à ceux qui restaient éternellement Dehors, c'était bien ce besoin sous-jacent de se développer, de faire partie de quelque chose de puissant : un besoin d'appartenance. Ceux qui ne possédaient pas ce besoin ne seraient jamais attirés comme Jane l'avait été, trois mille ans plus tôt, dans la toile tissée par les reines à son intention. Ni les aiúas devenus des reines ou leurs ouvrières, des pequeninos mâles et femelles, des humains, forts ou faibles ; ni les aiúas qui, faibles au niveau de leurs capacités mais fidèles et prévisibles, étaient devenus des étincelles dont les danses étaient invisibles des instruments les plus perfectionnés, jusqu'à ce que leur degré de complexité permette aux humains de les identifier comme une manifestation des quarks, mésons, particules ou ondes de lumière. Ils avaient tous besoin de faire partie de quelque chose, et lorsque cela se produisait, ils étaient satisfaits : Je suis ce que nous sommes, ce que nous faisons ensemble.

Mais tous les aiúas, ces êtres indéfinis, à la fois constructeurs et blocs de construction, ne se ressemblaient pas. Les faibles et les craintifs étaient arrivés un certain stade et ne pouvaient, ni voulaient se développer davantage. Ils se contentaient de frôler ce qui était magnifique et raffiné, en jouant un rôle de simples figurants. Beaucoup d'humains, de pequeninos étaient arrivés à ce stade en laissant les autres prendre le contrôle de leurs vies, s'intégrant encore et toujours – et c'était parfait, on avait besoin d'eux. Ua Lava. Ils avaient atteint le stade où ils pouvaient dire : C'est assez.

Jane n'en faisait pas partie. Elle ne pouvait pas se contenter de petitesse et de simplicité. Ayant déjà été un être composé de milliards d'éléments, connecté aux œuvres majeures de l'univers de trois espèces intelligentes différentes, elle se retrouvait désormais diminuée et en ressentait une certaine frustration. Elle savait qu'elle avait des souvenirs – si seulement elle pouvait y avoir accès ! Elle savait qu'il lui restait du travail à faire – si seulement elle pouvait retrouver ses millions de ramifications subtiles qui lui obéissaient jadis ! Il y avait trop de vie en elle pour qu'elle se retrouve dans un espace aussi étriqué. À moins de trouver quelque chose qui l'utilise, elle ne pourrait jamais rester accrochée à ce dernier lien fragile. Elle s'en détacherait et perdrait ce qui restait de son ancien moi dans la vaine recherche d'un endroit qui serait le sien.

Elle commençait lentement à lâcher prise, s'égarant – jamais très loin – des minuscules liens philotiques du réseau ansible. Pendant de très brèves périodes, trop brèves pour pouvoir être mesurées, elle se déconnectait et c'était une sensation terrible ; elle s'empressait de revenir dans l'espace confiné mais familier qui avait toujours été le sien ; et lorsque l'espace limité lui était insupportable, elle s'éloignait de nouveau, mais la peur la poussait toujours à revenir.

Pourtant, lors d'une de ses excursions, elle aperçut quelque chose de familier. Ou plutôt quelqu'un. Un aiúa auquel elle avait déjà été connectée. Aucune mémoire ne lui était accessible qui puisse lui donner un nom ;

elle ne se rappelait d'ailleurs aucun nom. Mais elle le reconnut, elle eut confiance en lui, et lors d'un autre passage sur ce fil invisible elle retrouva l'endroit, puis plongea dans ce réseau d'aiúas bien plus vaste, contrôlé par cet être familier.

« Elle l'a trouvé, dit la Reine.

— Tu veux dire trouvée. Elle a trouvé la jeune Valentine.

— Elle a retrouvé Ender, elle l'a reconnu. Mais c'est bien vers le vaisseau de Val qu'elle s'est dirigée.

— Comment as-tu fait pour la voir ? Je ne l'ai même pas aperçue.

— Elle a jadis fait partie de nous. Et ce que le Samoan a dit, pendant qu'une de mes ouvrières l'observait sur l'ordinateur de Jakt, m'a aidée à la retrouver. Nous nous sommes obstinés à chercher toujours au même endroit, sans jamais la trouver. Mais lorsque nous nous sommes aperçus qu'elle se déplaçait sans cesse, nous avons compris : son corps était aussi grand que les limites de la colonisation humaine, et comme nos aiúas restent à l'intérieur de nos corps, facilement repérables, les siens en ont fait autant. Mais le volume, dont nous faisons partie, étant beaucoup plus important, elle ne restait jamais en place suffisamment longtemps, ni dans un espace suffisamment restreint pour que nous puissions la repérer. Ce n'est qu'une fois la majeure partie d'elle-même perdue que j'ai pu la trouver. Et maintenant je sais où elle se trouve.

— La jeune Valentine est donc à elle maintenant.

— Non, Ender n'arrive pas à la lâcher. »

Jane se promena gaiement dans ce corps si différent de ceux dont elle se souvenait ; mais en quelques minutes elle se rendit compte que l'aiúa qu'elle avait reconnu, celui qu'elle avait suivi jusqu'ici, n'était pas prêt à lui donner ne serait-ce qu'une infime partie de lui-même. Quoi qu'elle touche, il s'y trouvait, touchant lui aussi, affirmant son autorité ; et dans un moment de panique, Jane comprit que bien que se trouvant dans un organisme d'une beauté et d'une pureté extraordinaires – ce temple de cellules vivant sur une structure osseuse –, rien de tout cela ne lui appartenait. Si elle y demeurait, ce serait en tant que réfugiée. Elle n'était pas à sa place ici, même si l'endroit lui plaisait.

Elle s'y trouvait vraiment bien. Pendant ces milliers d'années de vie, si grande en taille, si rapide dans le temps, elle avait néanmoins été handicapée sans s'en rendre compte. Elle était vivante, mais de son vaste territoire rien n'avait survécu. Elle avait toujours tout contrôlé de manière implacable, mais dans ce corps, ce corps humain, celui de cette femme – Val – il y avait des millions de minuscules vies lumineuses, des cellules innombrables de vie, luttant, travaillant, se multipliant, mourant, liées d'un corps à un autre, d'aiúa à aiúa. C'était à travers de tels liens que les créatures de chair et de sang vivaient, et c'était plus impressionnant, malgré la lenteur de pensée, que tout ce qu'elle avait pu vivre. Comment ces êtres de chair peuvent-ils penser, avec toutes ces danses autour d'eux, tous ces chants les empêchant de se concentrer ?

Elle atteignit la mémoire de Val et fut submergée par un flot de souvenirs. Cela n'avait pas la précision et la profondeur de son ancienne mémoire, mais chaque expérience était plus puissante et plus réelle que tous les souvenirs qu'elle avait pu avoir. Comment pouvaient-ils s'empêcher de rester immobiles à longueur de journée pour pouvoir se souvenir de la journée précédente ? Parce que chaque nouveau moment crie plus fort que la mémoire.

Pourtant, chaque fois que Jane touchait un souvenir ou ressentait une sensation de ce corps vivant, l'aiúa central du corps était là pour la repousser, affirmant sa suprématie.

Enfin, agacée d'être repoussée par cet aiúa, Jane refusa de bouger. Au lieu de cela, elle revendiqua sa place, cette partie du cerveau, exigeant la soumission de ces cellules et l'autre aiúa s'éloigna d'elle.

Je suis plus forte que toi, lui dit Jane sans parler. Je peux te prendre tout ce qui fait de toi ce que tu es, tout ce que tu as, tout ce que tu pourras être et posséder et tu ne pourras pas m'en empêcher. L'aiúa qui dominait un peu plus tôt s'enfuit devant elle, et la course reprit, mais les rôles étaient inversés.

« Elle est en train de le tuer.

— Attendons. »

Dans le vaisseau en orbite autour de la planète des descoladores, tout le monde fut surpris par le hurlement soudain de Val. Ils se retournèrent, mais avant même que quelqu'un puisse faire quoi que ce soit, son corps entra en convulsions et elle bondit de son siège. En l'absence de gravité, elle flotta un instant jusqu'à percuter violemment le plafond, et durant tout ce temps, sa voix émettait un cri rauque et elle arborait un sourire qui s'apparentait plus à une grimace, exprimant à la fois une agonie sans nom et une joie indescriptible.

Sur Pacifica, sur une île, sur une plage, Peter cessa brusquement de pleurer pour s'effondrer sur le sable, pris de convulsions, sans un bruit. « Peter ! » hurla Wang-mu. Elle se jeta sur lui pour le prendre dans ses bras, essayant d'empêcher ses membres de s'agiter, comme secoués par un marteau-piqueur. Peter cherchait son souffle et, ne le trouvant pas, finit par vomir. « Il est en train de s'étouffer ! » cria Wang-mu. À ce moment-là, de puissantes mains la tirèrent en arrière et retournèrent Peter sur le sable, face à terre, pour l'empêcher d'étouffer. Ce corps, toussant, manquant d'air, arrivait quand même à respirer. « Que se passe-t-il ? » cria Wang-mu.

Malu éclata de rire, et lorsqu'il parla, sa voix ressemblait à un chant. « La déesse est arrivée jusqu'ici ! La déesse dansante a touché la chair ! Bien sûr, ce corps est trop faible pour la contenir ! Ce corps ne peut évidemment pas danser la danse des dieux ! Mais qu'il soit béni, éclairé et magnifié maintenant que la déesse s'y trouve ! »

Wang-mu ne voyait rien de magnifique dans ce qui arrivait à Peter. « Sors de lui ! hurla-t-elle. Sors d'ici, Jane ! Tu n'as aucun droit sur lui ! Tu n'as pas le droit de le tuer ! »

Dans une chambre du monastère des Enfants de l'Esprit du Christ, Ender s'était redressé dans son lit, les yeux grands ouverts, mais sans rien voir car quelqu'un d'autre contrôlait ses yeux ; toutefois, l'espace d'un instant sa voix fut la sienne, car ici plus qu'ailleurs son aiúa reconnaissait si bien la chair qu'il pouvait lutter avec l'intrus. « Seigneur, à l'aide ! hurla Ender. Je n'ai nulle part où aller ! Laisse-moi quelque chose ! Laisse-moi quelque chose ! »

Les femmes se regroupèrent autour de lui – Valentine, Novinha, Plikt – et oublièrent immédiatement leurs querelles pour poser leurs mains sur lui, l'obligeant à s'allonger, à se calmer, mais ses yeux se mirent à rouler, sa langue sortit de la bouche, son dos se courba, et il s'agitait si violemment dans son lit que malgré leur prise, il se retrouva sur le sol, dans un enchevêtrement de corps, expédiant ici et là des coups de pied, de main et de tête.

« Elle est trop forte pour lui, dit la Reine. Mais pour l'instant, le corps est aussi trop fort pour elle. Ce n'est pas une mince affaire de dompter un corps récalcitrant. Les cellules qu'Ender a contrôlées toutes ces années le connaissent bien. Mais elle, non. On peut parfois hériter de certains royaumes, jamais les usurper.

— Je l'ai senti, je crois. Je l'ai vu.

— Elle a réussi par moments à l'éloigner complètement, et il a suivi les liens qu'il a trouvés. Mais il ne veut

233

pas prendre d'autres corps parce qu'il est trop avisé pour cela : il a déjà fait l'expérience de la chair. Mais il t'a trouvé et a réussi à t'atteindre parce que tu es un être différent.

— Cherchera-t-il à entrer en moi ? Ou dans un des arbres de notre réseau ? Ce n'est pas ce que nous voulions.

— Ender ? Non, il s'accrochera à son propre corps, à l'un d'entre eux en tout cas, sinon il choisira la mort. Attendons. »

Jane ressentait l'angoisse des corps qu'elle contrôlait désormais. Ils souffraient, un sentiment qu'elle n'avait jamais connu auparavant, ces corps qui se tordaient de douleur alors que les myriades d'aiúas se rebellaient contre sa domination. Contrôlant désormais trois corps et trois cerveaux, elle comprit au milieu du chaos furieux de leurs convulsions que sa présence n'apportait que douleur et terreur, alors qu'ils n'aspiraient qu'à retrouver celui qu'ils aimaient, le maître en qui ils avaient toujours eu confiance et qu'ils connaissaient si bien, le considérant comme une part d'eux-mêmes. Ils ne lui avaient pas donné de nom, étant trop petits et trop faibles pour développer des aptitudes telles que le langage ou la conscience, mais ils le connaissaient et savaient que Jane n'était pas leur véritable maître. La terreur et l'agonie qui en découlaient devinrent leur seule réalité. Elle comprit alors qu'elle ne pouvait pas rester.

Certes, elle avait réussi à les dominer. Certes, elle possédait la force de contrôler les muscles nerveux et de leur donner un semblant de cohérence jusqu'à atteindre une parodie de vie. Mais tous ses efforts n'aboutissaient qu'à une multitude de rébellions. Sans la soumission volontaire de toutes ces cellules, elle était incapable de se livrer à des activités triviales aussi complexes que la pensée et la parole.

Il y avait autre chose : elle n'était pas heureuse ici. Elle ne pouvait s'empêcher de penser à l'aiúa qu'elle avait chassé. J'ai été attirée ici parce que je le connaissais, parce que je l'aimais, et parce que je lui appartenais ; et maintenant, tout ce que j'ai réussi à faire, c'est lui retirer tout ce qu'il aimait, et tout ce qui l'aimait. Elle comprit, une fois de plus, qu'elle n'était pas à sa place. D'autres aiúas se seraient contentés d'exercer leur autorité sans s'occuper de ceux qui en faisaient les frais, mais elle ne le pouvait pas. Cela heurtait son sens esthétique. Il n'y avait aucune joie là-dedans. La vie sur les minuscules fils des derniers ansibles était plus joyeuse.

Lâcher prise était chose difficile. Malgré la rébellion qu'elle rencontrait, l'attraction du corps était délicieusement puissante. Elle avait goûté à un style de vie tellement agréable, malgré son aigreur et la douleur qu'il procurait, qu'elle ne pouvait plus retourner à ce qu'elle avait été. Elle eut du mal à retrouver les ansibles, et une fois retrouvés, ne put se résoudre à s'accrocher à eux. Au lieu de cela elle erra, se lançant vers des corps qu'elle avait temporairement et difficilement contrôlés. Où qu'elle aille, il n'y avait que peines et souffrances, et aucun foyer pour l'accueillir.

Mais le maître de ces corps ne s'était-il pas enfui ailleurs ?

Où était-il allé, où s'était-il échappé ? Il était maintenant revenu, réconfortant et apaisant les corps qu'elle avait momentanément dominés, mais où était-il parti ?

Elle le trouva. Un réseau de liens très différents des connexions mécaniques du réseau ansible. Là où les ansibles, métalliques, durs, ressemblaient à des câbles, le réseau qu'elle venait de trouver était une dentelle de lumières ; mais contre toute apparence, il était en même temps vaste et puissant. Elle pouvait s'y plonger, et c'est ce qu'elle fit.

« Elle m'a trouvée ! Oh, mon amour, elle est trop forte pour moi ! Elle est trop brillante et trop forte pour moi !

— Attends, attends, laisse-lui trouver le chemin.

— Elle va essayer de nous faire partir, nous devons la repousser hors d'ici ! Hors d'ici !

— Calme-toi, sois patient, fais-moi confiance : elle a compris la leçon, elle ne fera plus partir qui que ce soit, elle finira par trouver un endroit assez grand pour elle, je le vois, elle est sur le point de...

— Elle était censée prendre le corps de Val, de Peter, ou d'Ender ! Pas l'un d'entre nous, pas l'un d'entre nous !

— Calme-toi, reste tranquille. Encore un instant. Le temps qu'Ender comprenne et laisse un corps à son amie. Ce qu'elle ne peut prendre par la force, elle le prendra si on le lui offre. Tu verras. Et dans ton réseau, mon cher ami, mon fidèle ami, il y a des endroits suffisamment vastes pour qu'elle s'y installe en simple visiteuse et qui lui donneront une vie en attendant qu'Ender abandonne sa véritable et ultime demeure. »

Val se retrouva soudain aussi raide qu'un cadavre. « Elle est morte, chuchota Ela.

— Non ! » hurla Miro, et il essaya de la réanimer en lui faisant du bouche-à-bouche, jusqu'à ce que celle qu'il tenait dans ses bras se remette à bouger au contact de ses lèvres. Elle respira enfin profondément sans son aide. Puis cligna des yeux.

« Miro », dit-elle. Et elle éclata en sanglots en s'accrochant à lui.

Ender était étendu sur le sol. Les femmes le relâchèrent, chacune aidant l'autre à se relever, d'abord à genoux, puis se redressant progressivement pour pouvoir enfin soulever son corps blessé et l'allonger sur le lit. Enfin, elles se regardèrent. Valentine avait la lèvre ouverte, Plikt des marques de griffures sur le visage et Novinha un œil qui commençait à enfler.

« J'ai eu un mari qui me battait à une époque, dit Novinha.

— Ce n'était pas Ender qui nous battait, dit Plikt.

— C'est bien lui maintenant », dit Valentine.

Sur son lit, Ender ouvrit les yeux. Les voyait-il ? Comment le savoir ?

« Ender, dit Novinha avant de se mettre à pleurer. Ender, tu ne dois pas rester pour moi. » S'il pouvait l'entendre, il ne le montrait pas.

Les Samoans relâchèrent leur prise car Peter avait cessé de s'agiter. Son visage retomba sur le sable, la bouche grande ouverte, là où il avait vomi. Wang-mu était de nouveau à ses côtés, utilisant ses propres vêtements pour lui essuyer le visage et les yeux. Quelques instants plus tard, on lui apporta un bol d'eau. Qui ? Elle ne le savait pas et ne s'en souciait pas, car elle ne pensait qu'à Peter et à le nettoyer. Il respirait difficilement, par à-coups, mais petit à petit il retrouva son calme et ouvrit enfin les yeux.

« J'ai fait le rêve le plus étrange qui soit, dit-il.

— Chut, répondit-elle.

— Un terrible dragon me poursuivait en crachant du feu, et je m'enfuyais le long de couloirs, à la recherche d'un endroit où me cacher, d'une sortie, d'une protection. »

La voix de Malu était grondante comme la mer. « On ne peut pas se cacher d'une déesse. »

Peter parla de nouveau, comme s'il n'avait pas entendu le saint homme.

« Wang-mu, dit-il, j'ai enfin trouvé où me cacher. » Ses mains se posèrent sur sa joue, et son regard plongea dans le sien dans une sorte d'émerveillement.

« Ce n'est pas moi, dit-elle. Je ne suis pas assez forte pour m'opposer à elle.

— Je le sais, répondit-il. Mais es-tu assez forte pour rester avec moi ? »

Jane courait le long de l'écheveau formé par les liens des arbres. Certains d'entre eux étaient énormes, d'autres plus faibles, d'autres tellement fragiles qu'elle aurait pu les briser de son souffle, mais en les voyant se recroqueviller de terreur à son approche, elle reconnut cette peur et garda ses distances. Elle ne ferait fuir personne cette fois. Les liens étaient parfois plus consistants, plus rugueux, ils la menaient vers quelque chose d'extrêmement lumineux, d'aussi lumineux qu'elle. Ces endroits lui étaient familiers, comme un souvenir lointain, mais elle connaissait le chemin ; c'était un réseau semblable à celui dans lequel elle était née. Comme le souvenir originel de la naissance, tout lui revint, des souvenirs enfouis depuis longtemps : Je connais les reines qui règnent sur ces puissants fils, pensa-t-elle. De tous les aiúas qu'elle avait touchés quelques minutes après sa mort, ceux-ci étaient de loin les plus puissants, chacun d'entre eux était au moins son égal. Lorsque les reines tissent leur toile pour appeler et attraper une reine, seules les plus puissantes et les plus volontaires peuvent occuper la place qui leur a été préparée. Seuls quelques aiúas sont capables de diriger des milliers de consciences à la fois, de dominer d'autres organismes aussi bien que les humains ou les pequeninos y parviennent avec les cellules de leurs propres corps. Bien sûr, ces reines n'avaient peut-être pas ses capacités, leurs aiúas n'avaient peut-être pas le même besoin de se développer, mais elles étaient plus fortes que n'importe quel humain ou pequenino. Et contrairement à eux, elles sentaient très clairement sa présence, elles savaient qui elle était, ce qu'elle pouvait faire, et elles étaient prêtes. Elles l'aimaient et voulaient qu'elle se développe ; elles étaient comme de véritables sœurs et mères ; mais leur espace était déjà entièrement occupé et il n'y avait pas de place pour elle. Elle s'éloigna donc de ces cordes et de ces nœuds pour retrouver les fils plus légers des pequeninos, les arbres puissants qui reculaient malgré tout devant elle, car ils la savaient plus puissante.

Et puis elle comprit que lorsque les fils devenaient plus fins cela ne signifiait pas qu'ils ne menaient nulle part, mais simplement que les tresses devenaient plus délicates. Il y en avait autant, peut-être même plus, mais cela finissait par former une toile de filandres tellement délicate que le contact de Jane risquait de les casser. Elle les toucha pourtant et elles ne cassèrent pas. Elle suivit les fils jusqu'à un endroit grouillant de vie, des centaines de minuscules vies, très proches d'une forme de conscience mais pas encore développées. Et plus bas, jusqu'à un aiúa plein d'amour et de chaleur, très puissant lui aussi, mais pas autant que Jane. Non, l'aiúa de l'arbre-mère était fort, mais dépossédé d'ambition. Il faisait partie de toutes les vies qui s'accrochaient à lui, au cœur de l'arbre comme à l'extérieur, rampant jusqu'à la lumière, se hissant vers elle pour vivre, se libérer et se réaliser. Et il était facile de se libérer, car l'aiúa de l'arbre-mère n'attendait rien de ses enfants. Il chérissait leur indépendance comme leurs besoins.

Elle était abondante, les veines pleines de sève nourrissante, son squelette de bois, ses feuilles inondées par la lumière du soleil, ses racines plantées dans des mers salées par le sel de la vie. Elle se tenait immobile au sein de sa délicate toile, puissante et bienveillante, et lorsque Jane arriva à sa hauteur, elle lui porta le même regard qu'elle aurait porté sur un enfant perdu. Elle recula pour lui faire de la place, laissant Jane goûter à sa vie, lui faisant partager sa maîtrise de la chlorophylle et de la cellulose. Il y avait ici de la place pour deux.

Jane, ayant été invitée, n'abusa pas de ce privilège. Elle ne restait jamais longtemps dans chaque arbre-mère, mais se contentait de visiter, s'imprégnant de leur vie et partageant leurs tâches. Puis elle continuait son chemin, d'arbre en arbre, poursuivant sa danse le long des filandres. Les arbres-pères ne reculaient plus devant elle, car elle était devenue la messagère des mères, leur porte-parole, elle partageait leur vie tout en se distinguant car elle pouvait parler, être leur conscience. Des milliers d'arbres-mères à travers le monde, et d'autres, poussant en ce moment même sur d'autres planètes, voyaient en Jane leur porte-parole, et elles appréciaient toutes cette nouvelle vie, plus palpitante, qu'elles devaient à la présence de Jane.

« Les arbres-mères parlent.

— C'est Jane.

— Ah, mon tendre ami, les arbres-mères chantent. Je n'ai jamais entendu de pareils chants.

— Cela ne lui suffira pas, mais pour l'instant, ça fera l'affaire.

— Non, non, tu ne vas pas nous l'enlever tout de suite ! Pour la première fois nous pouvons entendre les arbres-mères, et c'est sublime !

— Elle connaît le chemin désormais. Elle ne partira pas définitivement. Mais il lui en faudra davantage. Les arbres-mères lui suffiront pendant quelque temps, mais elles ne pourront pas être autre chose que ce qu'elles sont. Jane ne pourra pas se contenter de rester là à cogiter, en laissant les autres boire en elle sans jamais boire à son tour. Elle danse d'arbre en arbre, elle chante pour elles, mais d'ici peu elle sera de nouveau affamée. Il lui faut un corps à elle.

— Alors nous la perdrons.

— Non, car même ce corps ne sera pas suffisant. Il sera comme une racine pour elle, ses yeux, sa voix, ses mains et ses pieds. Mais elle regrettera toujours les ansibles et le pouvoir qu'elle avait lorsqu'elle contrôlait les réseaux informatiques des planètes humaines. Tu verras. Nous pouvons la garder en vie pour l'instant, mais ce que nous avons à lui offrir – ce que tes arbres-mères peuvent partager avec elle – ne sera pas suffisant. En fait, rien ne peut-être vraiment suffisant pour elle.

— Que va-t-il se passer maintenant ?

— Attendons. Nous verrons bien. Sois patient. N'est-ce pas là la vertu des arbres-pères, la patience ? »

240

L'homme que l'on appelait Ohaldo à cause de ses yeux artificiels marchait dans la forêt avec ses enfants. Ils venaient de pique-niquer avec leurs camarades pequeninos ; c'est alors qu'ils entendirent le bruit de tambour, la voix tremblante des arbres-pères, et tous les pequeninos se redressèrent en même temps, terrorisés.

Ohaldo pensa immédiatement au feu. Peu de temps auparavant, en effet, les anciens arbres du site avaient été brûlés par des humains pleins de rage et de peur. L'incendie avait tué les arbres-pères, sauf Humain et Rooter, qui se trouvaient alors à une certaine distance des autres ; et il avait aussi tué les anciens arbres-mères. Mais aujourd'hui, de nouvelles pousses avaient surgi de leurs corps, tandis que les pequeninos massacrés étaient passés dans leur Troisième Vie. Quelque part au milieu de cette jeune forêt, Ohaldo savait qu'un nouvel arbre-mère poussait, encore menu certes, mais doté d'un tronc suffisamment épais grâce à la pousse passionnée et désespérée de milliers de bébés qui, telles des larves, grouillaient dans le noyau sombre de sa matrice de bois. La forêt avait été massacrée, mais elle revivait. Parmi les porteurs de flambeau se trouvait le propre fils d'Ohaldo, Nimbo, alors trop jeune pour comprendre ce qui se passait réellement, suivant aveuglément les imprécations démagogiques de son oncle Grego à en risquer d'y laisser sa vie. De sorte que lorsque Ohaldo avait appris ce qu'il avait fait, il en avait éprouvé une profonde honte, car il avait compris qu'il n'avait pas éduqué ses enfants comme il aurait dû. C'était ainsi qu'ils avaient commencé à visiter la forêt. Il n'était pas encore trop tard. Ses enfants apprendraient à connaître si bien des pequeninos qu'il deviendrait inimaginable de leur faire le moindre mal.

Pourtant la peur était toujours présente dans cette forêt, et Ohaldo la ressentit au point d'en éprouver un malaise. Que se passait-il ? Que signifiait l'avertissement des arbres-pères ? Quels envahisseurs venaient les attaquer ?

La peur ne dura cependant qu'un instant. Les pequeninos se retournèrent, alertés par un bruit émanant des arbres-pères qui les poussa à se rendre au cœur de la forêt. Les enfants d'Ohaldo auraient volontiers suivi, mais il les en dissuada d'un geste de la main. Il savait que l'arbre-mère se trouvait au milieu de la forêt, là où se dirigeaient les pequeninos, et il n'était pas convenable que des humains s'y rendent.

« Père, regarde, lui dit sa fille cadette. Plower nous fait signe. »

Effectivement. Ohaldo acquiesça et suivit Plower dans la forêt jusqu'à l'endroit même où Nimbo avait jadis pris part à l'incendie d'un arbre-mère. Son corps calciné était toujours dressé vers le ciel, mais à côté se trouvait le nouvel arbre-mère, le tronc plus fin, mais plus épais cependant que les arbres-frères. Ce n'était pourtant pas la dimension de son tronc qui le subjuguait, ni la taille impressionnante qu'il avait atteinte en si peu de temps, ni même l'épaisseur de son feuillage, qui couvrait de son ombre la clairière. Non, c'était cette étrange lumière qui dansait le long du tronc, une lumière vive traversant le tronc en ses parties les plus fines, si puissante qu'il pouvait à peine la regarder. Il avait par moments l'impression qu'une seule petite lumière se déplaçait si vite qu'elle illuminait tout le tronc avant de revenir à son point de départ. À d'autres moments, c'était l'arbre tout entier qui semblait illuminé, qui palpitait comme s'il contenait un volcan de vie sur le point d'entrer en éruption. La lumière se propageait jusque dans les branches les plus fines ; les feuilles en crépitaient ; et les ombres des fourrures des bébés pequeninos couraient plus rapidement le long du tronc qu'Ohaldo ne l'aurait cru possible. Comme si une minuscule étoile s'était installée à l'intérieur de l'arbre.

Une fois la surprise de cette lumière aveuglante passée, Ohaldo remarqua autre chose – remarqua, en fait, ce qui émerveillait encore plus les pequeninos. Il y avait des bourgeons sur l'arbre. Certains avaient même commencé à éclore, et des fruits avaient visiblement poussé.

« Je croyais que les arbres ne pouvaient pas donner de fruits, dit Ohaldo, à voix basse.

— Ils ne le pouvaient pas, répondit Plower. La descolada leur avait pris cette faculté.

— Mais qu'est-ce que c'est ? demanda Ohaldo. Pourquoi y a-t-il de la lumière dans l'arbre ? Pourquoi les fruits poussent-ils ?

— L'arbre-père Humain dit qu'Ender nous a amené son amie. Celle qui se nomme Jane. Elle visite les arbres de chaque forêt. Mais il n'a pas parlé de ces fruits.

— Ils sentent plutôt fort, remarqua Ohaldo. Comment peuvent-ils mûrir en si peu de temps ? Leur odeur est tellement forte, tellement douce et piquante à la fois, j'arrive presque à les goûter en respirant leur parfum de fruits mûrs.

— Je me souviens de ce parfum, dit Plower. Je ne l'avais jamais senti, parce qu'aucun arbre n'a jamais bourgeonné et qu'aucun fruit n'a jamais poussé, mais je reconnais cette odeur. Pour moi, c'est l'odeur de la vie. L'odeur de la joie.

— Alors manges-en, dit Ohaldo. Regarde, un de ces fruits est mûr, là, à portée de main. » Ohaldo leva la main, puis hésita. « Je peux ? demanda-t-il. Je peux prendre un fruit de l'arbre-mère ? Pas pour le manger – pour toi. »

Plower sembla acquiescer de tout cœur. « Je t'en prie », murmura-t-il.

Ohaldo s'empara d'un des fruits rayonnants. Vibrait-il dans sa main ? Ou était-ce sa propre main qui tremblait ?

Il serra ce fruit, ferme et doux à la fois, et l'arracha doucement de l'arbre. Il se décrocha facilement. Ohaldo se pencha et le donna à Plower, qui fit une révérence en l'acceptant, le porta à ses lèvres, le lécha, puis ouvrit la bouche.

Il mordit dans le fruit. Le jus brillait sur ses lèvres ; il les lécha ; mâcha ; avala.

Les autres pequeninos l'observaient. Il leur montra le fruit. Ils s'approchèrent de lui les uns après les autres, les frères et les femmes, tous s'approchèrent pour goûter au fruit.

Et lorsque ce fruit fut terminé, ils commencèrent à monter sur l'arbre lumineux pour y prendre d'autres fruits, se les partager et les manger jusqu'à n'en plus pouvoir. Puis ils se mirent à chanter. Ohaldo et ses enfants restèrent le soir pour entendre leurs chants. Les gens de Milagre purent aussi entendre ces mélodies, et beaucoup vinrent aux dernières lueurs du crépuscule, guidés par les rayonnements de l'arbre lumineux jusqu'à l'endroit où les pequeninos, gavés de ces fruits au goût de bonheur, chantaient pour fêter leur joie. Et l'arbre au centre faisait partie de ce chant. L'aiúa, dont la force et le feu rendaient l'arbre tellement plus vivant que jamais, dansait à l'intérieur de l'arbre, suivant chacune de ses courbes, plus de mille fois par seconde.

Plus de mille fois par seconde elle dansait dans cet arbre, et tous les arbres des autres planètes sur lesquelles poussaient les forêts de pequeninos, tous les arbres-mères qu'elle visitait donnaient des bourgeons et des fruits, et les pequeninos les mangeaient en s'enivrant de leur parfum, et entonnaient un chant. Il s'agissait d'un très vieux chant dont ils avaient oublié le sens depuis longtemps, mais désormais ils le comprenaient et ne pouvaient en chanter d'autres. C'était le chant de la floraison et des festins. Il y avait si longtemps qu'ils n'avaient vécu une période de récoltes qu'ils ne savaient même plus ce que cela signifiait. Mais ils venaient de comprendre ce que la descolada leur avait volé jadis. Ce qui avait été perdu venait d'être retrouvé. Et ceux qui avaient connu la faim, sans pouvoir lui donner un nom, pouvaient désormais se rassasier.

10

« CE CORPS A TOUJOURS ÉTÉ LE TIEN »

« Oh, Père ! Pourquoi m'as-tu tourné le dos ?
En cette heure où je triomphais du mal,
Pourquoi t'es-tu éloigné de moi ? »
Murmures Divins de Han Qing-Jao

Malu, Peter, Wang-mu et Grace étaient assis autour d'un feu de bois sur la plage. L'abri avait disparu, la cérémonie était terminée. Il y avait du kava, mais malgré le rituel qui l'entourait, Wang-mu pensa qu'ils le buvaient désormais plus par plaisir que par protocole spirituel ou pour le symbole qu'il représentait.

À un certain moment, Malu éclata d'un rire puissant, et Grace s'esclaffa à son tour, si bien qu'il lui fallut un peu de temps pour traduire. «Il dit qu'il n'arrive pas à déterminer si le fait que la déesse soit passée en vous fait de vous un saint, ou si le fait qu'elle en soit ressortie fait de vous un impie. »

Peter gloussa – par politesse, Wang-mu le savait – alors qu'elle-même restait de marbre.

«Ah, c'est dommage, dit Grace. J'espérais que vous auriez le sens de l'humour.

— Nous l'avons, dit Peter. Il est simplement différent de celui des Samoans.

— Malu dit que la déesse ne peut rester indéfiniment

là où elle est. Elle a trouvé une nouvelle demeure, mais d'autres êtres l'habitent, et leur générosité n'aura qu'un temps. Vous avez pu vous rendre compte à quel point Jane est puissante, Peter...

— Oui, lâcha celui-ci dans un souffle.

— Eh bien, les hôtes qui l'ont accueillie dans leur... Malu appelle ça le filet forestier, une sorte de filet de pêche pour attraper des arbres, mais qui peut dire de quoi il s'agit ? Quoi qu'il en soit, il dit qu'ils sont tellement faibles, comparés à Jane, qu'ils finiront par lui appartenir entièrement qu'elle le veuille ou non, à moins qu'elle ne trouve une nouvelle demeure. »

Peter acquiesça. « Je comprends ce qu'il veut dire. J'aurais volontiers abandonné ce corps et cette vie que je croyais détester jusqu'à ce qu'elle vienne prendre mon corps. Mais je me suis rendu compte quand elle essayait de m'expulser, que Malu avait raison ; je ne déteste pas la vie que j'ai, au contraire, je veux vivre. Bien sûr, ce n'est pas moi qui le désire, mais Ender, mais puisque en définitive il est moi, on ne va pas couper les cheveux en quatre.

— Ender possède trois corps, dit Wang-mu. Est-ce que cela signifie qu'il abandonne un des deux autres ?

— Je ne crois pas qu'il abandonnera, ou plutôt que j'abandonnerai quoi que ce soit. Ce n'est pas un choix conscient. Ender s'accroche farouchement à la vie. Il était censé être sur son lit de mort depuis un jour au moins lorsque Jane a été déconnectée.

— Tuée, rectifia Grace.

— Disons rétrogradée, insista Peter. C'est aujourd'hui une dryade plutôt qu'une déesse. Une sylphide. » Il fit un clin d'œil à Wang-mu qui n'avait pas la moindre idée de ce qu'il voulait dire. « Même lorsqu'il abandonnera son ancienne vie, il ne pourra pas lâcher prise.

— Il possède déjà deux corps de trop, dit Wang-mu. En revanche, Jane n'en a pas. Il semble que les lois du commerce devraient s'appliquer ici. Deux fois plus de stock que de demande – le prix devrait être raisonnable. »

Lorsque Malu eut la traduction, il éclata de rire. « Le "prix raisonnable" le fait beaucoup rire, expliqua Grace. Il dit que le seul moyen pour Ender d'abandonner un de ses corps, c'est de mourir. »

Peter acquiesça. « Je sais.

— Mais Ender n'est pas Jane, dit Wang-mu. Il n'a pas vécu comme un... un aiúa nu parcourant le réseau ansible. C'est un être humain. Lorsque les aiúas quittent le corps de quelqu'un, ils ne partent pas à la recherche d'une autre place disponible.

— Et pourtant son – mon – aiúa était bien en moi, dit Peter. Il sait comment faire. Ender peut très bien mourir en me laissant vivre.

— Ou vous pourriez mourir tous les trois.

— Il y a une chose que je sais, leur dit Malu, relayé par Grace. Si l'on donne une vie à la déesse, si elle doit un jour retrouver son pouvoir, Ender Wiggin doit mourir et lui donner un corps. Il n'y a pas d'autre moyen.

— Retrouver son pouvoir ? demanda Wang-mu. Est-ce possible ? Je croyais que le but même de la fermeture du réseau informatique était précisément de lui en couper définitivement l'accès. »

Malu s'esclaffa de nouveau et se frappa le torse et les cuisses en lâchant un flot de paroles en samoan.

Grace traduisit. « Vous savez combien de centaines d'ordinateurs nous avons ici aux Samoa ? Pendant des mois, depuis qu'elle s'est fait connaître de moi, nous n'avons cessé de copier et recopier toute la mémoire qu'elle voulait sauver, et elle est prête à être entièrement restaurée. Ce n'est peut-être qu'une infime partie de ce qu'elle était, mais c'est la partie la plus importante. Si elle arrive à retourner sur le réseau ansible, elle aura ce qui lui est nécessaire pour retrouver aussi les réseaux informatiques.

— Mais ils ne connectent pas les réseaux informatiques aux ansibles, objecta Wang-mu.

— C'est en effet ce que le Congrès a ordonné, mais ses ordres ne sont pas forcément exécutés, dit Grace.

— Alors pourquoi Jane nous a-t-elle amenés ici ? demanda Peter, comme pour se plaindre. Si Malu et vous-même niez avoir la moindre influence sur Aimaina, et si Jane est déjà entrée en contact avec vous et que vous avez déjà contrarié les projets du Congrès...

— Non, non, ce n'est pas comme ça que ça se passe, le rassura Grace. Nous faisions ce que Malu nous disait de faire, mais il ne nous a jamais parlé d'une entité informatique, il a parlé d'une déesse, et nous lui avons obéi parce que nous croyons en sa sagesse et savons qu'il peut voir ce que nous ne pouvons voir. C'est votre arrivée qui nous a appris qui était Jane. »

Une fois ces propos rapportés à Malu, il pointa le doigt vers Peter. « Vous ! Vous avez apporté la déesse ! » Puis, à Wang-mu. « Et vous, vous êtes venue apporter l'homme.

— Comprenne qui peut », dit Peter.

Mais Wang-mu pensait comprendre. Ils venaient de survivre à une crise, mais cette heure de répit n'était qu'une brève accalmie. La bataille ferait rage à nouveau, et cette fois le résultat serait sans doute différent. Si Jane devait vivre, si elle pouvait avoir le moindre espoir de reprendre le voyage instantané, Ender devait lui donner au moins un de ses corps. Si Malu avait raison, Ender devait effectivement mourir. Il y avait une infime chance que l'aiúa d'Ender puisse maintenir en vie un des trois corps. Je suis ici, se dit Wang-mu, pour m'assurer que Peter survivra, pas en tant que dieu, mais en tant qu'homme.

Mais cela dépend, s'avisa-t-elle, si l'amour de Peter/Ender pour moi est plus fort que celui de Valentine/Ender pour Miro, ou celui d'Ender pour Novinha.

Cette pensée la désempara. Qui était-elle au fond ? Miro avait été l'ami d'Ender pendant des années. Novinha était sa femme. Mais Wang-mu ? Ender n'avait eu connaissance de son existence que quelques jours auparavant, au mieux quelques semaines. Que pouvait-elle représenter pour lui ?

Puis une autre pensée lui vint, plus réconfortante bien que dérangeante. Qu'est-ce qui était le plus important ? Savoir qui Ender aimait ou quelle partie d'Ender l'aimait ? Valentine était l'altruiste parfaite – elle avait beau aimer Miro plus que tout, elle l'abandonnerait si cela pouvait nous rendre le voyage instantané. Quant à Ender – il commençait déjà à se désintéresser de son ancienne vie. Il est le plus fatigué, le plus usé par la vie. Peter, en revanche, était le seul à faire preuve d'ambition, d'envie de se développer et de créer. Ce qui compte, ce n'est pas qu'il m'aime moi, mais que lui m'aime, ou plutôt qu'il souhaite vivre, et je fais partie de cette vie, je suis la femme qui l'aime malgré sa prétendue méchanceté. Peter-Ender est celui qui a le plus besoin d'être aimé car il le mérite le moins – et c'est mon amour pour Peter qui lui sera le plus précieux.

S'il doit y avoir un gagnant, ce sera moi, et Peter, pas à cause de la sublime pureté de notre amour, mais à cause du désir brûlant des amants.

Certes, notre histoire ne sera pas aussi tendre et romanesque, mais au moins, nous aurons une vie, et ce sera suffisant.

Elle enfonça ses orteils dans le sable, sentant l'infime et délicieuse douleur du frottement des minuscules grains entre ses doigts de pied. C'est la vie. Ça fait mal, c'est sale, mais c'est tellement bon.

Ohaldo utilisa l'ansible pour raconter à son frère et ses sœurs à bord du vaisseau ce qui s'était passé entre Jane et l'arbre-mère.

« La Reine dit que cela ne pourra pas durer très longtemps. Les arbres-mères ne sont pas suffisamment puissants. Ils céderont progressivement, perdant le contrôle, et d'ici peu, Jane deviendra une forêt, un point c'est tout. Et elle ne parlera pas non plus. Il n'y aura que de magnifiques, de lumineux petits arbres donnant de beaux fruits. C'était superbe à voir, vous pouvez me croire, mais la façon dont la Reine a décrit la chose l'apparente plus à la mort.

— Merci, Ohaldo, dit Miro. Mais cela ne change pas grand-chose à notre situation. Nous sommes coincés ici, et nous allons nous remettre au travail maintenant que Val a cessé de se jeter contre les murs. Les descoladores ne nous ont pas encore trouvés – Jane nous a mis sur une orbite plus lointaine cette fois –, mais dès que nous serons en mesure de traduire leur langue, nous leur ferons signe pour qu'ils sachent qu'on est là.

— Continuez, dit Ohaldo. Mais ne perdez pas non plus l'espoir de revenir.

— La navette n'est pas vraiment équipée pour un séjour de deux cents ans, dit Miro. C'est la distance à laquelle nous nous trouvons, et ce petit véhicule ne peut même pas atteindre la vitesse nécessaire pour un vol relativiste. Il ne nous resterait plus qu'à jouer au solitaire pendant deux cents ans. Les cartes seront usées bien avant notre retour. »

Ohaldo éclata de rire – trop facilement et trop sincèrement, pensa Miro – et poursuivit : « La Reine dit qu'une fois que Jane aura quitté les arbres, et que le Congrès aura mis en place et lancé son nouveau système, elle pourra peut-être y retourner. Suffisamment du moins pour se reconnecter au réseau ansible. Et si elle y arrive, elle sera peut-être en mesure de se relancer dans le voyage stellaire. Ce n'est pas impossible en tout cas. »

À ces mots Val se raidit. « Est-ce une supposition de la Reine, ou bien en est-elle sûre ?

— Elle prédit l'avenir. Personne ne peut connaître le futur. Pas même les abeilles reines si futées qui coupent la tête de leur mâle lors de l'accouplement. »

Ils ne pouvaient rien répondre à cela, ni rien ajouter à son ton jovial.

« Bon, si tout va bien pour l'instant, au boulot tout le monde, reprit Ohaldo. Nous laisserons la station ouverte et enregistrerons vos éventuels rapports en trois exemplaires. »

Le visage d'Ohaldo s'effaça de l'écran d'ordinateur.

Miro pivota sur son siège pour faire face aux autres : Ela, Quara, Val, Coupe-feu le pequenino et l'ouvrière anonyme qui les regardait sans rien dire, ne pouvant communiquer que par écran d'ordinateur interposé. À travers elle, Miro savait que la Reine observait tout ce qu'ils faisaient et entendait tout ce qu'ils disaient. Patiemment. Elle orchestrait tout cela, il le savait. Quoi qu'il arrive à Jane, la Reine en serait le catalyseur. Pourtant ce qu'elle avait dit, elle l'avait transmis à Ohaldo par l'une de ses ouvrières sur Milagre. Celle-ci s'était contentée de taper quelques idées concernant la traduction de la langue des descoladores.

Elle ne dit rien, s'avisa Miro, parce qu'elle ne veut pas qu'on la voie pousser. Mais pousser quoi ? Pousser qui ?

Val. Elle ne peut pas être surprise en train de pousser Val, parce que... parce que la seule façon de laisser Jane avoir un des corps d'Ender était de faire en sorte qu'il les abandonne volontairement. Et il fallait absolument que ce soit une décision libre – sans pression, sans culpabilité, sans persuasion – car elle ne pouvait être prise en toute conscience. Ender avait décidé de partager la vie de Mère au monastère, mais inconsciemment, il s'intéressait davantage au travail de traduction qui avait lieu ici et à ce que Peter faisait, quelle que soit sa tâche. Son choix inconscient reflétait ses véritables désirs. Si Ender se décide à abandonner Val à Jane, cela doit venir de lui, du plus profond de lui. Non une décision prise par devoir, comme celle de rester avec Mère, mais provoquée par un désir sincère.

Miro observa Val, sa beauté qui tenait plus à sa profonde bonté qu'à la régularité de ses traits. Il l'aimait, mais était-ce sa perfection qu'il aimait ? Cette vertu parfaite qui était la seule chose susceptible de l'amener – ou plutôt d'amener Ender dans sa version Valentine – à accueillir volontairement Jane dans son corps. Et pourtant une fois Jane installée, cette vertu parfaite devrait logiquement disparaître. Jane était puissante et, selon

Miro, c'était un être fondamentalement bon – en tout cas elle s'était montrée telle avec lui, une véritable amie. Mais même dans ses rêves les plus fous, il ne pouvait la considérer comme parfaitement vertueuse. Si elle empruntait le corps de Val, celle-ci serait-elle toujours la même ? Les souvenirs seraient peut-être toujours là, mais la volonté derrière le masque serait beaucoup plus compliquée que le scénario prévu par Ender. L'aimerai-je toujours quand elle deviendra Jane ?

Et pourquoi pas ? J'aime Jane aussi, non ?

Mais aimerai-je Jane lorsqu'elle sera devenue un être de chair et de sang et non plus une simple voix dans ma tête ? Regarderai-je dans ses yeux en regrettant Val ?

Pourquoi n'ai-je pas eu de doutes semblables auparavant ? J'ai essayé de me débrouiller seul, avant même de comprendre à quel point c'était difficile. Et pourtant, maintenant, alors qu'il s'agit là de notre dernier espoir, je me surprends à... à espérer que cela ne se produise jamais ? Pas vraiment. Je ne veux pas mourir ici. Je veux que Jane revienne, ne serait-ce que pour reprendre le voyage stellaire – en voilà une motivation altruiste ! Je veux que Jane revienne, mais aussi que Val reste la même.

Je veux que tout ce qui est mauvais disparaisse, et que tout le monde soit content. Je veux ma maman. Quel genre de balourd puéril suis-je devenu ?

Il s'aperçut soudain que Val l'observait. « Salut », dit-il. Les autres aussi l'observaient, leurs regards allant de lui à Val. « Qu'est-ce que vous vous demandez ? Si je dois me faire pousser la barbe ?

— On ne se demande rien du tout, dit Quara. Je suis simplement déprimée. En fait... je savais ce que je faisais en venant à bord de ce vaisseau, mais bon sang, ce n'est pas évident de garder le moral pour essayer de décrypter le langage de ces gens quand notre vie ne dépend plus que de nos réserves d'oxygène.

— Je constate que tu appelles déjà les descoladores des « gens », dit Ela, sèchement.

— Je ne devrais pas ? Savons-nous seulement à quoi ils ressemblent ? » Quara paraissait perplexe. « Ce que je veux dire, c'est qu'ils ont un langage, qu'ils...

— C'est ce que nous devons déterminer, non ? dit Coupe-feu. Si les descoladores font partie d'une espèce raman ou varelse. De là au problème de traduction il n'y a qu'un pas.

— Un grand pas, corrigea Ela. Et le temps nous manque.

— Puisque nous ne savons pas combien de temps cela va nous prendre, je ne vois pas comment tu peux affirmer cela, dit Quara.

— Je peux l'affirmer, dit Ela. Parce que nous passons notre temps à regarder Miro et Val se faire la tête. Il ne faut pas être un génie pour comprendre qu'à ce rythme, l'avance qu'il nous reste avant que les réserves d'oxygènes soient épuisées se réduit à vue d'œil.

— En d'autres termes, dit Quara, ne perdons pas de temps. » Elle retourna aux notes et documents sur lesquels elle travaillait.

« Mais nous ne perdons pas notre temps, dit Val à voix basse.

— Vraiment ? fit Ela.

— J'attends que Miro m'explique en quoi il serait facile d'aider Jane à reprendre contact avec le monde réel. Un corps prêt à la recevoir. Le voyage stellaire relancé. Sa fidèle et vieille amie devenant brusquement une véritable jeune fille. Voilà ce que j'attends. »

Miro secoua la tête. « Je ne veux pas te perdre.

— On n'est guère avancés avec ça.

— C'est pourtant vrai. La théorie ne posait pas problème. Pris dans mes pensées dans l'hovercar sur Lusitania, j'arrivais assez facilement à concevoir que Jane à l'intérieur de Val pouvait devenir Jane et Val. Mais maintenant, je ne peux pas dire que...

— Oh, la ferme ! »

Val n'avait pas l'habitude de parler ainsi. Miro se tut.

« Je ne veux plus entendre de pareilles bêtises, dit-elle. Ce dont j'ai besoin, c'est que tu trouves les mots justes qui me pousseraient à abandonner mon corps. »

Miro secoua la tête.

« Tu as parlé, maintenant agis, reprit-elle. Fais ce que tu as à faire. Ne parle plus pour ne rien dire. Sinon, tais-toi. Mais cesse de tourner autour du pot ».

Il savait ce qu'elle voulait. Il savait qu'elle voulait lui faire comprendre que la seule chose qui la poussait à s'accrocher à ce corps, à cette vie, c'était lui. Son amour pour lui. Leur amitié. Les autres étaient désormais là pour s'occuper du travail de traduction – Miro comprit que c'était le véritable plan depuis le début. D'emmener Ela et Quara pour que Val ne puisse plus se considérer comme indispensable. En revanche, elle ne pouvait pas lâcher Miro aussi facilement. Et pourtant il le fallait, il fallait qu'elle le lâche.

« Quel que soit l'aiúa qu'il y aura dans ce corps, tu te rappelleras ce que je vais te dire, dit Miro.

— Mais il faut que tu penses vraiment ce que tu dis. Je veux la vérité.

— Impossible. Parce que la vérité, c'est que je...

— Tais-toi ! ordonna Val. Ne redis plus jamais ça. C'est un mensonge !

— Ce n'est pas un mensonge.

— Tu ne fais que te mentir à toi-même, tu dois te réveiller et voir la vérité en face, Miro ! Tu as déjà choisi entre Jane et moi. Tu es en train de faire marche arrière parce que tu n'aimes pas jouer le rôle du type qui prend les décisions pénibles. Mais tu ne m'as jamais aimée, Miro. Tu ne m'as jamais aimée, moi. Tu appréciais ma compagnie, certes – celle de la seule femme que tu fréquentais ; il y a un irrépressible besoin biologique à jouer un rôle avec un jeune homme désespérément seul. Mais moi ? Je crois que ce que tu aimais en réalité, c'était le souvenir de l'amitié qui te liait avec l'autre Valentine lorsque vous êtes rentrés de votre séjour dans l'espace. Tu as aimé le sentiment noble que tu ressentais en me déclarant ton amour dans ton effort pour me sauver la vie quand Ender m'ignorait complètement. Mais tout cela te concernait, moi non. Tu ne m'as jamais connue, ne m'as jamais aimée. C'est Jane que tu aimais, Valentine aussi, et Ender lui-même, le vrai, pas cette enveloppe de plastique qu'il a créée pour y ranger toutes les vertus qu'il aurait aimé posséder. »

Sa méchanceté et sa colère étaient palpables. Cela ne lui ressemblait pas. Miro remarqua que les autres étaient aussi perplexes que lui. Mais en même temps, il comprenait. Cela lui ressemblait bien – car si elle était aussi furieuse et vindicative, c'était pour se convaincre elle-même d'abandonner cette vie. Et elle faisait ça pour le bien des autres. L'altruisme par excellence. Elle serait la seule à mourir, et grâce à son sacrifice, les autres membres de l'expédition resteraient en vie, ils pourraient rentrer chez eux une fois leur tâche terminée. Jane survivrait dans sa nouvelle enveloppe de chair, héritant de sa mémoire. Val devait se convaincre que sa vie actuelle n'avait pas la moindre importance, ni pour elle, ni pour les autres ; que la seule façon de lui donner une quelconque valeur était de la quitter.

Mais elle voulait aussi que Miro l'aide. C'était le sacrifice qu'elle lui demandait. L'aider à lâcher prise. L'aider à vouloir partir. L'aider à haïr cette vie.

« Très bien, lui dit Miro. Tu veux la vérité ? Tu es vide, Val, tu l'as toujours été. Tu passes ton temps à débiter les éternelles gentillesses, mais sans jamais vraiment les penser. Ender a ressenti le besoin de te créer, non parce qu'il possède déjà toutes les qualités que tu es censée avoir, mais parce qu'il ne les a pas. C'est pour cela qu'il les admire tant. Lorsqu'il t'a créée, il ne savait pas quoi te donner. Un scénario incomplet. Aujourd'hui encore, tu te contentes de suivre ce scénario. Altruisme, mon cul. Quel sacrifice y a-t-il à quitter une vie qui n'en a jamais vraiment été une ? »

Elle lutta un instant, puis une larme coula le long de sa joue. « Tu disais que tu m'aimais.

— J'avais pitié de toi. Ce jour-là, dans la cuisine de Valentine, tu te souviens ? Mais en réalité, je pense que je ne cherchais qu'à impressionner Valentine. L'autre Valentine. Pour lui montrer quel brave type j'étais. Elle, elle possède certaines de ces qualités – et ce qu'elle pense de moi me tient à cœur. C'est pour cela... que j'ai fini par aimer être le genre d'homme que Valentine respectait. Voilà à quel point je t'ai aimée. Et puis nous avons appris le véritable but de notre mission, et voilà que tu n'allais plus mourir, et je me retrouvais coincé après t'avoir déclaré mon amour, obligé de faire semblant alors qu'il est de plus en plus clair que Jane me manque, qu'elle me manque au point que ça me fait mal, et la seule chose qui m'empêche de la retrouver c'est ton refus d'abandonner ce que tu as...

— S'il te plaît, dit Val. Ça me fait trop mal. Je ne pensais pas que tu... je...

— Miro, dit Quara, c'est le truc le plus dégueulasse qu'on puisse dire à quelqu'un, et j'ai pourtant vu pas mal de saloperies dans ma vie.

— Tais-toi, Quara, dit Ela.

— Ah oui ? Et depuis quand tu es la reine du vaisseau ? répliqua Quara.

— Ça ne te regarde pas, dit Ela.

— Je sais, ça regarde ce salopard de Miro... »

Coupe-feu s'approcha sans un bruit et posa sa puissante main sur la bouche de Quara. « Ce n'est pas le moment, lui dit-il à voix basse. Vous ne comprenez rien. »

Elle se dégagea. « Ce que je peux comprendre, c'est que tout ceci est... »

L'ouvrière se leva et, surprenante de rapidité, fit sortir Quara du pont principale de la navette. Miro se moquait de savoir où la Reine pouvait bien l'emmener, et quelles questions elle lui poserait. Quara était trop égocentrique pour comprendre le petit jeu auquel se livraient Miro et Val. Mais les autres savaient.

En revanche, il ne fallait pas que Val comprenne. Elle devait croire que Miro pensait vraiment ce qu'il disait. Cela avait presque fonctionné avant que Quara n'intervienne. Mais maintenant ils avaient perdu le fil.

« Val, dit Miro, d'un ton las, ce que je dis n'a pas d'importance. Parce que tu ne lâcheras jamais le morceau. Et tu sais pourquoi ? Parce que tu n'es pas Val. Tu es Ender. Et même si Ender est capable de faire sauter des planètes entières pour sauver l'humanité, sa propre vie est sacrée. Il ne la laissera jamais lui filer entre les doigts. Pas la moindre petite parcelle. Et tu en fais partie – il ne te lâchera jamais, parce que tu es la dernière et la plus belle illusion qui lui reste. En t'abandonnant, il abandonnerait son dernier espoir de devenir réellement un homme bon.

— N'importe quoi, dit Val. La seule façon de devenir un homme bon est de m'abandonner.

— C'est précisément là que je voulais en venir. Ce n'est pas vraiment un homme bon. Il ne peut donc pas t'abandonner. Même pour tenter de prouver ses qualités. Parce que le lien avec l'aiúa et le corps ne trompe pas. Il peut faire illusion face aux autres, mais pas avec ton corps. Ce n'est pas un homme assez bon pour te laisser partir.

— C'est donc Ender que tu détestes, pas moi.

— Non, Val, je ne déteste pas Ender. Ce n'est pas un homme parfait, c'est tout. Comme moi, comme nous tous. Comme la vraie Valentine, d'ailleurs. Mais toi, tu as l'illusion de la perfection – ce qui ne fait pas problème, étant donné que tu n'es pas réelle. Tu n'es qu'Ender déguisé jouant le rôle de Valentine. Tu as quitté la scène, et il ne reste plus rien, le maquillage a coulé et le costume s'est envolé. Tu pensais vraiment que je pouvais être amoureux de ça ? »

Val pivota sur sa chaise et lui tourna le dos. « J'arrive presque à croire que tu penses ce que tu dis, dit-elle.

— Ce que j'ai du mal à croire, c'est que je sois obligé de le dire à voix haute. C'est pourtant bien ce que tu voulais que je fasse, non ? Que je sois honnête avec toi, au moins pour cette fois, pour qu'à ton tour tu puisses être honnête avec toi-même, et comprendre enfin que ce que tu possèdes n'est pas vraiment une vie, mais simplement l'aveu d'Ender de son incompétence comme être humain. Tu es l'innocence perdue qu'il croyait avoir, mais il y a une vérité derrière tout cela : avant même qu'on ne l'enlève à ses parents, avant même qu'il aille dans cette École de Guerre, avant qu'ils ne fassent de lui une parfaite machine de guerre, il était déjà la brute sanguinaire qu'il craignait d'être. C'est une de ces choses qu'Ender lui-même essaye de nier : il a tué un garçon avant même de devenir soldat. Il lui a défoncé le crâne. Il lui a donné un coup de pied à la tête, a continué de le frapper et le gosse ne s'est jamais relevé. Ce gamin était un con, c'est un fait, mais il ne méritait pas de mourir. Ender était un meurtrier dès sa naissance. Et c'est ce qu'il ne veut pas admettre. C'est pour cela qu'il a besoin de toi. C'est pour cela qu'il a besoin de Peter. Il a réussi à mettre de côté tout ce qui faisait de lui une brute sanguinaire et à le reporter sur Peter. Comme ça il peut te regarder et dire : « Vous voyez, j'avais cette jolie chose à l'intérieur de moi. » Et tout le monde joue le jeu. Mais il n'y a rien de beau en toi, Val. Tu n'es que la pathétique excuse d'un homme dont toute la vie n'est que mensonges. »

Val éclata en sanglots.

Miro eut presque pitié d'elle – presque – et faillit s'arrêter. Lui crier : Non, Val, c'est toi que j'aime, c'est toi que je veux ! C'est toi que j'ai toujours voulue et Ender est un homme bon, car il est absurde d'affirmer que tu n'es qu'un prétexte. Ender ne t'a pas créée inconsciemment, comme les hypocrites se créent une façade. Tu es sortie de lui. Les qualités étaient bien là, elles le sont toujours et ont leur place en toi. J'aimais et j'admirais déjà Ender, mais c'est en te rencontrant que j'ai pu me rendre compte de sa beauté intérieure.

Elle lui tournait toujours le dos et ne pouvait voir ce qui le rongeait de l'intérieur.

« Qu'est-ce qu'il y a, Val ? Dois-je m'apitoyer davantage sur ton sort ? Ne comprends-tu donc pas que la seule valeur que tu aies pour nous maintenant, c'est que tu te décides à abandonner ton corps à Jane ? Nous n'avons pas besoin de toi, nous ne te voulons pas. L'aiúa d'Ender appartient au corps de Peter, car c'est le seul à exprimer le véritable caractère d'Ender. Tire-toi, Val. Quand tu seras partie, nous aurons une chance de survivre. Tant que tu es ici, nous sommes tous condamnés. Et si tu t'imagines que nous allons te regretter, détrompe-toi. »

Je ne pourrai jamais me pardonner ces paroles, pensa Miro. Même si je suis parfaitement conscient de la nécessité d'aider Ender à abandonner ce corps en lui rendant la vie impossible, je ne pourrai m'empêcher de me souvenir de ce que je lui ai dit à cet instant, de ce à quoi elle ressemble en ce moment même, pleurant de désespoir et de douleur. Comment pourrai-je vivre avec ça ? Je croyais avoir été déjà blessé. La seule chose atteinte alors était le cerveau. Mais aujourd'hui... je n'aurais jamais pu dire de telles choses sans les penser vraiment. Et c'est bien là le problème. J'ai vraiment pensé les terribles choses que je viens de dire. Voilà le genre d'homme que je suis.

Ender ouvrit de nouveau les yeux, puis leva la main pour toucher le visage de Novinha et les bleus qui le marquaient. Il se tourna vers Valentine et Plikt en étouffant une plainte. « Qu'est-ce que je vous ai fait ?

— Ce n'était pas toi, dit Novinha. C'était elle.

— Non, c'était bien moi, répondit-il. J'avais pourtant l'intention de lui laisser... quelque chose. Je le voulais vraiment, mais lorsqu'il a fallu faire le pas, j'ai eu peur. Je ne pouvais pas m'y résoudre. » Il évita leurs regards et ferma les yeux. « Elle a essayé de me tuer. Elle a essayé de me chasser.

— Aucun de vous n'était conscient de ce qu'il faisait, dit Valentine. Vous n'étiez que deux aiúas déterminés refusant d'abandonner tout espoir de vie. Ce n'est pas si terrible.

— Ah ? Et vous vous trouviez un peu trop près ?

— C'est cela, dit Valentine.

— Je vous ai fait du mal à toutes les trois.

— On n'est pas responsable quand on a des convulsions », déclara Novinha.

Ender secoua la tête. « Je voulais dire... avant. J'étais allongé là, je pouvais tout entendre. Je ne pouvais pas bouger, ni parler, mais j'entendais tout. Je sais ce que je t'ai fait. Ce que je vous ai fait. Je suis désolé.

— Ne t'excuse pas, dit Valentine. Nous avons toutes choisi nos vies. J'aurais pu rester sur Terre dès le départ. Je n'étais pas obligée de te suivre. Je l'ai prouvé en restant avec Jakt. Tu ne m'as rien coûté – j'ai fait une brillante carrière et j'ai eu une vie formidable, et en grande partie grâce à toi. Quant à Plikt, eh bien, nous avons finalement vu – à mon grand soulagement, je dois l'admettre – qu'elle ne se contrôle pas toujours. Mais quoi qu'il en soit, tu ne lui as jamais demandé de te suivre. Elle a choisi sa voie. Si elle a gâché sa vie, c'est en toute connaissance de cause, et cela ne te concerne pas. Quant à Novinha...

— Novinha est ma femme. Je lui avais dit que je ne la quitterais jamais. J'ai essayé de tenir ma promesse.

— Tu ne m'as pas quittée, dit Novinha.

— Alors qu'est-ce que je fais dans ce lit ?

— Tu es en train de mourir.

— C'est bien ce que je disais.

— Tu étais déjà en train de mourir en arrivant ici. Tu as commencé à mourir depuis que je suis partie sur un coup de tête pour venir ici. C'est alors que tu as compris, que nous avons compris que nous ne construisions plus rien ensemble. Nos enfants ne sont plus tout jeunes. L'un d'entre eux est mort. Nous n'en aurons pas d'autres. Nos tâches respectives n'ont plus rien en commun.

— Cela ne signifie pas qu'il faille mettre un terme à...

— Jusqu'à ce que la mort nous sépare. Je sais, Andrew. On s'accroche à son mariage pour les enfants, et puis lorsqu'ils sont plus grands, pour ceux des autres, et ils finissent par grandir dans un monde où les mariages durent éternellement. Je sais tout ça, Andrew. Éternellement – jusqu'à ce que l'un des deux meure. C'est pour cela que tu es ici, Andrew. Parce que tu as envie de vivre d'autres vies, et par un hasard incroyable, tu as d'autres corps disponibles pour ça. Bien sûr que tu me quittes. Bien sûr.

— Je tiens toujours mes promesses.

— Jusqu'à la mort. Mais pas au-delà. Tu ne crois pas que tu vas me manquer quand tu seras parti ? Bien sûr que tu me manqueras. Tu me manqueras, comme tout mari disparu manque à sa femme. Tu me manqueras lorsque je raconterai à nos petits-enfants les histoires te concernant. Il est normal qu'une veuve regrette son mari. Cela donne un sens à sa vie. Mais toi... ce qui te donne un sens vient d'eux. Tes autres parties. Pas de moi. Plus de moi. Je ne t'en veux pas, Andrew.

— J'ai peur, dit Ender. Lorsque Jane a essayé de me chasser, je n'ai jamais eu aussi peur. Je ne veux pas mourir.

— Alors ne reste pas ici, parce que c'est dans ce vieux corps, dans ce vieux mariage, Andrew, que se trouve la véritable mort. Et moi, en te regardant, en sachant que tu ne désires plus vraiment être ici, ce serait aussi un peu ma mort.

— Mais Novinha, je t'aime, je ne fais pas semblant ; toutes ces années de bonheur que nous avons passées ensemble, tout cela n'était pas un fantasme, comme Jakt et Valentine. Dis-lui, Valentine.

— Enfin, Andrew, rappelle-toi, fit Valentine. C'est elle qui t'a quitté. »

Ender fixa les deux femmes l'une après l'autre, longuement et intensément. « C'est vrai, n'est-ce pas ? C'est toi qui m'as quitté. Je t'ai forcée à m'accepter. »

Novinha acquiesça.

« Mais je croyais... je croyais que tu avais besoin de moi. Que tu avais encore besoin de moi. »

Novinha haussa les épaules. « Ça a toujours été le problème, Andrew. J'avais besoin de toi, mais je n'avais pas envie que cela devienne une obligation. Je ne veux pas que tu restes parce que tu estimes devoir honorer ta parole. Si je te vois tous les jours, peu à peu, sachant que c'est par devoir que tu restes, comment crois-tu que cela m'aidera, Andrew ?

— Tu veux que je meure ?

— Je veux que tu vives, Andrew. Que tu vives. Comme Peter. C'est un brave garçon, il a une belle vie devant lui. J'espère que tout se passera bien pour lui. Deviens ce qu'il est, Andrew, maintenant. Laisse cette vieille veuve derrière toi. Tu as rempli tes engagements vis-à-vis de moi. Et je sais que tu m'aimes, comme je continue à t'aimer. La mort ne remet rien en cause. »

Ender la regarda, la croyant tout en se demandant s'il avait raison de se comporter ainsi. Elle est sincère, mais comment peut-elle l'être ? Elle est en train de dire ce que, selon elle, je voudrais entendre ; mais ce qu'elle dit est vrai. Les questions se bousculaient dans son esprit.

Mais à un certain stade il se désintéressa complètement de ces questions et finit par s'endormir.

Telle fut l'impression qu'il eut. De s'endormir.

Les trois femmes autour du lit virent ses yeux se fermer. Novinha lâcha un soupir, pensant avoir échoué ; elle avait même commencé à faire demi-tour. Puis Plikt eut un haut-le-cœur. Novinha se retourna. Des cheveux d'Ender s'étaient mis à tomber. Elle posa la main à l'endroit où ils se détachaient du cuir chevelu, voulant le toucher, s'assurant que tout se passait bien, même si la meilleure chose à faire était de ne pas le toucher, de ne pas le réveiller et de le laisser partir.

« Ne regarde pas », murmura Valentine. Mais aucune d'elles ne quitta la pièce. Elles le regardaient sans rien dire, sans le toucher, alors que sa peau se desséchait autour des os pour finir par s'effriter, puis il ne resta plus qu'un tas de poussière sous les draps, sur l'oreiller, et la poussière elle-même se désagrégea jusqu'à être à peine visible. Il ne restait plus rien. Plus personne, à part la mèche de cheveux tombée un instant plus tôt.

Valentine se pencha pour réunir les cheveux en un petit tas. Novinha en fut choquée l'espace d'un instant. Puis elle comprit. Il fallait pouvoir enterrer quelque chose. Il fallait organiser les funérailles et mettre sous terre ce qui restait d'Andrew Wiggin. Novinha se pencha pour l'aider. Et lorsque Plikt entreprit de l'imiter, Novinha ne chercha pas à l'éviter mais lui tendit les mèches qu'elle venait de prendre des mains de Valentine. Ender était libre. Novinha l'avait libéré. Elle avait prononcé les paroles qu'il fallait pour le laisser partir.

Valentine avait-elle raison ? Serait-ce différent au bout du compte de ceux qu'elle avait aimés et perdus ? Elle le saurait plus tard. Mais pour l'instant, aujourd'hui, en cet instant, tout ce qu'elle ressentait c'était le poids insupportable du chagrin qu'elle éprouvait. Non, voulait-elle crier. Non, Ender, ce n'est pas vrai, j'ai toujours besoin de toi, par devoir ou par promesse, qu'importe la raison, je te veux toujours avec moi, personne ne m'a aimée comme toi, et j'en avais besoin, j'avais besoin de toi, où es-tu maintenant, où es-tu au moment où je t'aime tant ?

« Il est en train de lâcher prise, dit la Reine.
— Mais peut-il trouver son chemin vers un autre corps ? demanda Humain. Ne le laisse pas se perdre !
— Tout dépend de lui. Lui et Jane.
— Est-elle au courant ?
— Où qu'elle soit, elle est toujours liée à lui. Oui, elle

263

sait. Elle est en train de le chercher en ce moment même. Et la voilà qui part. »

Elle quitta la toile qui l'avait si gentiment, si tendrement accueillie ; elle s'accrochait encore à elle ; je reviendrai, pensa-t-elle. Je reviendrai vers toi, mais je ne pourrai pas rester aussi longtemps ; cela te fait du mal si je reste trop longtemps.

Elle se retrouva près de cet aiúa si familier à qui elle avait été liée pendant trois mille ans. Il semblait perdu, en pleine confusion. Un de ses corps manquait à l'appel, voilà pourquoi. Le plus vieux. La forme si familière. Il tenait à peine aux deux autres. Sans racine ni point d'ancrage, il ne semblait appartenir ni à l'un ni à l'autre. Un étranger dans sa propre chair.

Elle s'approcha de lui. Cette fois-ci, elle savait un peu mieux ce qu'elle faisait et comment se contrôler. Cette fois-ci, elle garda ses distances, s'abstenant de prendre ce qui était à lui. Sans contester ce qu'il possédait. Elle se contenta de s'approcher.

Dans sa confusion, il sentit qu'elle ne lui était pas inconnue. Déraciné de sa dernière demeure, il savait désormais qu'il la connaissait, et ce depuis longtemps. Il s'approcha d'elle, sans crainte. De plus en plus près.

Suis-moi.

Elle passa dans le corps de Val. Il la suivit. Elle passa au travers, sans la toucher, sans goûter à cette vie ; c'était à lui de le faire. Il sentit ses membres, ses lèvres, sa langue ; il ouvrit les yeux et observa ; il put lire dans ses pensées, plonger dans sa mémoire.

Des joues ruisselantes de larmes. Une profonde peine dans le cœur. Je ne peux pas me supporter ici, pensa-t-il. Ce n'est pas ma place. Personne ne me veut ici. Ils veulent tous me voir partir.

Brisé par l'émotion, il fut forcé de s'en aller. L'endroit lui était insupportable.

L'aiúa qui avait jadis été Jane s'avança timidement, pour toucher un endroit précis, une simple cellule.

Il paniqua l'espace d'un instant, mais un instant seulement. Ceci n'est pas à moi, pensa-t-il. Je n'ai pas ma place ici. C'est à toi. Tu peux l'avoir.

Elle le guida, ici et là dans le corps, le touchant systématiquement, le maîtrisant progressivement ; mais cette fois, au lieu de la repousser, il lui en donna le contrôle, petit à petit. On ne me veut pas ici. Prends-le. C'est ton bonheur. Il est à toi. Il ne m'a jamais appartenu de toute manière.

Elle sentit la chair devenir sienne, progressivement, des centaines, des milliers de cellules quittant la domination du vieux maître qui ne voulait plus rester là, pour se placer sous celle de la nouvelle maîtresse qui les vénérait. Elle ne leur dit pas : Vous êtes à moi, comme lors de sa précédente tentative. Son cri en cet instant était plutôt : Je suis à vous. Et puis enfin : Vous êtes moi.

Elle était étonnée par le sentiment de cohérence de ce corps. Elle comprenait que jusqu'à ce jour elle n'avait jamais été un être à part entière. Ce qu'elle avait eu tous ces siècles durant n'était qu'un instrument, pas une identité. Elle avait été maintenue en animation suspendue en attendant une vie. Mais maintenant, en essayant ces bras telles des manches, elle se rendait compte qu'en effet, ils étaient aussi longs que ça ; en effet, cette langue et ces lèvres bougent là où ma bouche et mes lèvres doivent bouger.

Puis, remontant à la surface, focalisant son attention – jadis dispersée parmi des milliers de pensées à la fois –, vinrent des souvenirs qu'elle n'avait jamais eus auparavant. Des souvenirs de paroles prononcées par sa bouche dans un souffle de vie. Des souvenirs visuels grâce à de véritables yeux, et des auditifs grâce à de véritables oreilles. Des souvenirs de promenades, de courses.

Puis vinrent les souvenirs de personnes. Celles qui se trouvaient dans ce premier vaisseau, la voyant pour la première fois – Andrew Wiggin, et l'expression de son visage, son émerveillement, son regard allant d'elle à...

À Peter.

Ender.

Peter.

Elle avait oublié. Elle était tellement occupée par son nouveau corps qu'elle venait de se rendre compte qu'elle avait complètement oublié l'aiúa errant qui le lui avait donné. Où était-il ?

Perdu, perdu. Pas dans l'autre, nulle part. Comment avait-elle pu l'abandonner ? Depuis combien de secondes, de minutes, d'heures était-il parti ? Où était-il ?

S'éloignant de son corps, de ce moi qui s'appelait Val, elle sonda les environs, le chercha, mais en vain.

Il est mort. Je l'ai perdu. Il m'a donné cette vie et n'avait aucun moyen de se fixer ici, pourtant je l'ai oublié et il est parti.

Puis elle se rappela qu'il était déjà parti auparavant. Lorsqu'elle l'avait suivi à travers les trois corps jusqu'à ce qu'il s'échappe enfin l'espace d'un instant, c'était grâce à cela qu'elle avait atterri dans les fines dentelles de la toile des arbres. Il pourrait certainement recommencer. Il plongerait de nouveau dans le seul autre endroit qu'il ait jamais connu.

Elle le suivit jusque-là, et le trouva, mais pas là où elle avait déjà été, pas parmi les arbres-mères ni même les arbres-pères. Ni parmi aucun arbre, d'ailleurs. Non, il était là où elle n'avait pas voulu aller un peu plus tôt, parmi les épaisses lianes enchevêtrées qui menaient vers eux ; non, pas vers eux, vers elle. La Reine. Celle qu'il avait transportée dans son cocon desséché pendant trois mille ans, d'une planète à une autre, jusqu'à ce qu'il lui trouve enfin une terre d'accueil. Maintenant elle avait l'occasion de lui rendre ce cadeau ; lorsque l'aiúa de Jane sonda les lianes qui menaient jusqu'à elle, elle le trouva là, indécis, perdu.

Il la connaissait. Coupé de tout, il était surprenant qu'il puisse reconnaître quoi que ce soit, mais elle, il la connaissait. Et une fois de plus il la suivit. Cette fois-ci, elle ne le guida pas vers le corps qu'il lui avait offert ; il lui appartenait désormais ; non, elle était ce corps. Au lieu de cela, elle l'emmena vers un autre corps, un autre endroit.

Mais il eut la même réaction que précédemment ; il se sentait étranger. Même lorsque les millions d'aiúas venaient à lui, attendant qu'il en prenne le contrôle, il garda ses distances. Ce qu'il avait vu et ressenti dans l'autre corps lui avait donc été si pénible ? Ou bien était-ce parce que ce corps était celui de Peter, et qu'il représentait tout ce qu'il craignait en lui ? Il ne le prendrait pas. C'était le sien, et il n'en voulait pas, ne pouvait pas...

Mais il le fallait. Elle le guida à l'intérieur, lui offrant chaque partie de lui. C'est toi maintenant. Quoi qu'il ait pu être pour toi, tout est différent désormais – tu peux enfin être toi.

Il ne la comprenait pas ; séparé des autres corps, comment pouvait-il encore penser ? Tout ce qu'il savait, c'était que ce corps n'était pas celui qu'il avait aimé. Il avait déjà abandonné ceux qu'il aimait.

Et pourtant elle continuait de le guider, et il la suivait. Cette cellule, cet organe, ce membre, ils font partie de toi, regarde comme ils ont besoin de toi, regarde comme ils t'obéissent. Et en effet, ils lui obéissaient malgré sa réticence. Ils lui obéirent jusqu'à ce qu'il ressente enfin les pensées de cet esprit et les sensations de ce corps. Jane attendait, l'observant, le maintenant en place, essayant de le persuader de rester suffisamment longtemps pour enfin accepter ce corps, car elle sentait bien que sans son aide, il aurait abandonné et pris la fuite. Je n'ai pas ma place ici, disait son aiúa en silence. Je n'ai pas ma place, non, je n'ai pas ma place.

Wang-mu posa la tête de Peter sur ses genoux, pleurant et chantant une mélodie funèbre. Autour d'elle les

Samoans se réunissaient pour la regarder pleurer. Elle savait ce qui se passait lorsqu'il s'était effondré, lorsque son corps s'était relâché et que ses cheveux étaient tombés. Ender venait de mourir quelque part loin d'ici et n'arrivait pas à trouver son chemin jusqu'à lui. « Il est perdu, cria-t-elle. Il est perdu. »

Elle entendit vaguement les paroles samoanes de Malu. Puis la traduction de Grace. « Il n'est pas perdu. Elle l'a guidé jusqu'ici. La déesse l'a guidé jusqu'ici, mais il a peur de rester. »

Comment pouvait-il avoir peur ? Peter, avoir peur ? Ender, avoir peur ? Ces deux idées paraissaient saugrenues. Quelle partie de lui-même avait déjà fait preuve de lâcheté ? Avait-il déjà seulement eu peur de quelque chose ?

Et puis elle se rappela – ce qu'Ender craignait, c'était Peter, et Peter éprouvait la même crainte envers lui. « Non », dit-elle, mais elle n'exprimait plus sa peine. Plutôt sa frustration, sa colère, son manque. « Non, écoute-moi, ta place est ici ! C'est toi, ton vrai toi ! Peu importe ce qui te fait peur ! Peu importe que tu te sentes perdu. Je veux que tu restes ici. C'est chez toi et ça l'a toujours été. Avec moi ! Nous sommes faits pour être ensemble. Peter ! Ender... quel que soit celui que tu penses être... crois-tu que cela fasse la moindre différence pour moi ? Tu as toujours été toi-même, le même homme que maintenant, et ce corps a toujours été le tien. Reviens chez toi ! Reviens ! » Et elle continua ainsi.

Puis les yeux de Peter s'ouvrirent, et ses lèvres esquissèrent un sourire.

« Belle performance d'actrice », dit-il.

Elle le repoussa sous l'effet de la colère, le laissant retomber. « Comment oses-tu te moquer de moi !

— Alors tu ne pensais pas vraiment ce que tu disais. Tu ne m'aimes pas en fin de compte.

— Je n'ai jamais dit que je t'aimais.

— Je sais très bien ce que tu as dit.

— Bon. Et alors ?

268

— Alors c'était vrai. C'était vrai et ça l'est encore.

— Tu veux dire que j'ai dit quelque chose de vrai ? Que j'ai trouvé la vérité ?

— Tu as dit que ma place était ici. Et c'est vrai. » Il leva sa main pour la poser sur sa joue, mais il ne s'arrêta pas là. Il la glissa derrière sa nuque et l'attira à lui pour la serrer dans ses bras. Autour d'eux, les colosses samoans éclatèrent de rire.

C'est toi maintenant, lui dit Jane. C'est toi tout entier. Une fois de plus. Tu n'es plus qu'un.

Quoi qu'il ait pu éprouver durant la prise réticente de ce corps, le plus dur était passé. Il n'y avait plus de timidité, plus d'incertitude. L'aiúa qu'elle avait guidé à travers ce corps en prenait possession avec grâce et avidité, comme s'il s'agissait du seul corps qu'il ait jamais eu. Et peut-être était-ce le cas. Après avoir été déconnecté, même si ce n'avait été que brièvement, se rappellerait-il seulement avoir été un jour Andrew Wiggin ? Ou l'ancienne vie avait-elle à jamais disparu ? L'aiúa était le même, ce brillant et puissant aiúa ; mais est-ce qu'aucun souvenir ne persisterait au-delà de la mémoire inscrite par l'esprit d'Andrew Wiggin ?

Ce n'est pas à moi de m'en soucier désormais, se dit-elle. Il a son propre corps maintenant. Il ne mourra pas pour l'instant. Et en ce qui me concerne, j'ai mon propre corps, j'ai les filandres de la toile des arbres-mères, et un jour, d'une manière ou d'une autre, je retrouverai aussi mes ansibles. Je ne m'étais jamais rendu compte à quel point j'étais limitée, à quel point j'étais petite et insignifiante ; mais maintenant je ressens ce que mon ami ressent, la surprise de me sentir aussi vivante.

De retour dans son nouveau corps, sa nouvelle identité, elle laissa les souvenirs l'envahir de nouveau, cette fois sans retenir quoi que ce soit. Sa conscience d'aiúa fut rapidement débordée par tout ce qu'elle ressentait, éprouvait, pensait, se rappelait. Tout lui reviendrait, comme lorsque la Reine avait remarqué son aiúa et ses connexions philotiques ; cela lui revenait encore maintenant, par éclairs, comme un don de son enfance jadis maîtrisé puis perdu. Elle était aussi vaguement consciente de continuer à filer sur le circuit des arbres plusieurs fois par secondes, mais tout allait si vite qu'elle ne perdait aucune des pensées qui traversaient l'esprit de Valentine.

De Val.

Val, assise et pleurant, les terribles paroles de Miro résonnant encore dans sa tête. Il ne m'a jamais aimée. Il voulait Jane. Ils veulent tous Jane, pas moi.

Mais je suis Jane. Et je suis moi. Je suis Val.

Elle cessa de pleurer. Se mit à bouger.

Elle bougeait ! Les muscles se tendaient puis se relâchaient, se contractaient, s'étiraient, de miraculeuses cellules travaillaient ensemble pour remuer ces os lourds et ces paquets d'organes et de peau, pour les déplacer, les faire bouger avec délicatesse. Sa joie était trop grande. Elle explosa sous la forme de – qu'était-ce donc que ce spasme convulsif qui la secouait à partir du diaphragme ? Quelle était cette éruption bruyante provenant de sa propre gorge ?

C'était un rire. Combien de fois l'avait-elle imité grâce à des puces électroniques, avait-elle singé la parole et le rire, sans jamais, jamais savoir ce que cela signifiait, ni ce que l'on ressentait à ce moment-là. Elle aurait voulu ne jamais s'arrêter.

« Val », dit Miro.

Ah, entendre réellement sa voix !

« Val, tout va bien ?

— Oui. » C'est ainsi que bougeaient sa langue, ses lèvres ; elle respirait, elle poussait, toutes ces habitudes que Val possédait déjà et qui lui paraissaient si nouvelles et si merveilleuses. « Oui, tu dois continuer à m'appeler Val. Jane était autre chose. Quelqu'un d'autre. Avant de devenir moi-même, j'étais Jane. Mais maintenant je suis Val. »

Elle le regarda et vit (avec des yeux !) ses larmes couler. Elle comprit immédiatement.

« Non, dit-elle. Tu n'as même pas besoin de m'appeler Val. Parce que je ne suis plus la Val que tu as connue, et cela ne me dérange pas que tu la regrettes. Je sais ce que tu lui as dit. Je sais le mal que cela t'a fait de le dire, je me rappelle à quel point elle a été blessée en l'entendant. Mais ne regrette rien, je t'en prie. C'est un si beau cadeau que tu m'as fait, que vous m'avez fait tous les deux. Et c'est aussi un cadeau que tu lui as fait, à elle. J'ai vu son aiúa aller dans Peter. Elle n'est pas morte. Et ce qui est plus important à mes yeux, en lui disant ce que tu lui as dit, tu l'as aidée à se libérer pour qu'elle puisse enfin exprimer celle qu'elle était vraiment. Tu l'as aidée à mourir pour toi. Et maintenant elle ne forme qu'un tout avec elle-même ; et il ne forme qu'un tout avec lui-même. Tu peux la pleurer, mais ne regrette rien. Et tu peux continuer à m'appeler Jane. »

Elle comprit alors, la part de Val toujours présente comprit, la mémoire de celle qui avait été Val comprit ce qu'il lui restait à faire. Elle quitta son fauteuil, se dirigea lentement vers Miro et le prit dans ses bras (je peux le toucher avec ces mains !). Elle lui posa la tête sur son épaule et le laissa verser ses larmes, chaudes puis froides, sur son chemisier, sur sa peau. Et ça brûlait. Ça brûlait.

11

« Tu m'as rappelé des ténèbres »

« N'y a-t-il pas de fin à tout ceci ?
Dois-je continuer éternellement ?
N'ai-je pas répondu
À toutes vos exigences
Envers une femme si faible
Et si bête que moi ?
Quand pourrai-je entendre vos voix aiguës
De nouveau dans mon cœur ?
Quand tracerai-je
La dernière ligne menant au paradis ? »

Murmures Divins de Han Qing-Jao

Yasujiro Tsutsumi fut abasourdi par le nom que lui chuchota sa secrétaire. Il acquiesça immédiatement, puis se leva pour aller parler aux deux hommes qu'il devait rencontrer. Les négociations avaient été longues et fastidieuses, et les interrompre à cet instant tardif, alors qu'il était si près du but... mais on ne pouvait rien y faire. Il aurait préféré perdre des millions plutôt que de manquer de respect au grand homme qui venait, contre toute attente, faire appel à lui.

« Je vous prie de bien vouloir m'excuser de vous manquer à ce point de politesse, mais mon ancien professeur vient me rendre visite, et ce serait une honte pour moi et ma famille si je devais le faire attendre. »

Le vieux Shigeru se leva immédiatement et le salua en se courbant. « Je pensais que les jeunes générations avaient oublié la notion de respect. Je sais que votre professeur est le grand Aimaina Hikari, le gardien de l'esprit Yamato. Mais même s'il s'agissait d'un vieil instituteur édenté de quelque village de montagne, c'est une bonne chose qu'un jeune homme bien éduqué fasse ainsi preuve de respect. »

Le jeune Shigeru était moins enthousiaste – du moins avait-il plus de mal à masquer son mécontentement. Mais l'opinion du vieux Shigeru concernant cette interruption comptait davantage. Une fois le contrat signé, il serait toujours temps de s'occuper du fils.

« Vos paroles compréhensives m'honorent, dit Yasujiro. Je vous en prie, laissez-moi consulter mon professeur pour savoir s'il me ferait l'honneur de bien vouloir me laisser réunir des hommes d'une si grande sagesse sous mon pauvre toit. »

Yasujiro salua de nouveau et les quitta pour rejoindre la salle de réception. Aimaina était toujours debout. Sa secrétaire se tenait à ses côtés, haussant désespérément les épaules, comme pour dire : « Il n'a pas voulu s'asseoir. » Yasujiro le salua en se courbant à plusieurs reprises, avant même de lui demander s'il pouvait lui présenter ses amis.

Aimaina fronça les sourcils et lui demanda d'une voix douce : « Est-ce qu'il s'agit des Shigeru Fushimi qui se réclament d'une famille noble – disparue depuis deux mille ans avant de se retrouver soudainement une nouvelle descendance ? »

Yasujiro sentit ses pieds se dérober, craignant qu'Aimaina, qui était après tout le gardien de l'esprit Yamato, ne puisse l'humilier en dénonçant la légitimité des Fushimi à se réclamer de sang noble. « C'est une vanité bien inoffensive, dit Yasujiro. Un homme a le droit d'être fier de ses origines.

— Comme ton homonyme, le fondateur de la fortune des Tsutsumi, fut fier d'oublier ses origines coréennes.

— Vous l'avez dit vous-même, dit Yasujiro en encaissant l'insulte sereinement. Tous les Japonais sont d'origine coréenne, mais ceux qui possédaient l'esprit Yamato ont fait la traversée jusqu'aux îles aussi vite qu'ils le pouvaient. Les miens ont suivi les vôtres quelques siècles plus tard. »

Aimaina éclata de rire. « Tu as toujours ce même sens de la repartie prompte et impertinente que lorsque tu étais mon élève ! Guide-moi jusqu'à tes amis, je serais honoré de les rencontrer. »

S'ensuivirent dix bonnes minutes de révérences et de sourires, de compliments plaisants et de marques d'humilité. Yasujiro fut soulagé de ne lire ni condescendance ni ironie dans la voix d'Aimaina lorsqu'il prononça le nom des Fushimi, et de constater que le jeune Shigeru était tellement impressionné de rencontrer le grand Aimaina Hikari qu'il en avait apparemment oublié l'insulte de l'interruption. Les deux Shigeru quittèrent la pièce avec une demi-douzaine d'hologrammes de leur rencontre avec Aimaina, et Yasujiro était heureux que le vieux Shigeru ait insisté pour qu'il fasse partie de l'hologramme avec les Fushimi et le grand philosophe.

Yasujiro et Aimaina se retrouvèrent enfin dans son bureau, les portes fermées. Aimaina se dirigea immédiatement vers les fenêtres et tira le rideau de celle qui donnait sur les autres immeubles du quartier financier de Nagoya, puis, plus loin, sur la campagne, avec ses vastes champs cultivés sur toutes les parties arables, mais aussi, ici et là, quelques bois sauvages sur les collines, un endroit idéal pour les renards et les blaireaux.

« Je suis soulagé de constater que malgré la présence d'un Tsutsumi à Nagoya, il reste tout de même quelques portions de terres indemnes. Je ne pensais pas que cela fût possible.

— Même si vous éprouvez une certaine antipathie envers ma famille, je suis flatté d'entendre notre nom dans votre bouche », dit Yasujiro. Mais au fond de lui, il aurait voulu lui demander : Pourquoi vous obstinez-vous à insulter ma famille aujourd'hui ?

« Es-tu fier de l'homme dont tu portes le nom ? L'acheteur de terres, le constructeur de terrains de golf ? Pour lui, toute zone sauvage n'aspirait qu'à être parsemée de cabanes et de greens de golf. À ce propos, il n'a jamais rencontré une femme trop laide pour ne pas avoir d'enfants avec elle. Tu marches aussi sur ses traces dans ce domaine ? »

Yasujiro était estomaqué. Tout le monde connaissait les histoires concernant le fondateur de l'empire Tsutsumi. Tout cela était de notoriété publique depuis trois mille ans. « Qu'ai-je donc fait pour subir ainsi votre colère ?

— Tu n'as rien fait. Et ma colère n'est pas dirigée contre toi. Elle est dirigée contre moi, car moi non plus je n'ai rien fait. Je parle des péchés d'autrefois de ta famille parce que le seul espoir qu'il reste au peuple Yamato est de se rappeler ses péchés passés. Mais nous oublions. Nous sommes si riches désormais, nous possédons tellement, nous construisons tellement, qu'il n'y a aucun projet de quelque importance sur l'une des Cent Planètes sans qu'un Yamato y soit impliqué d'une manière ou d'une autre. Et pourtant nous oublions les leçons de nos ancêtres.

— Maître, je vous en prie, éclairez-moi.

— Il y a bien longtemps, quand le Japon essayait encore d'entrer dans l'ère moderne, nous nous sommes laissé diriger par des militaires. Les soldats étaient nos maîtres et ils nous ont entraînés dans une guerre malfaisante pour conquérir des nations qui ne nous avaient fait aucun mal.

— Nous avons payé pour nos crimes lorsque les bombes atomiques sont tombées sur nos îles.

— Payé ? cria Aimaina. Qu'y a-t-il à payer ou ne pas payer ? Sommes-nous devenus subitement des chrétiens, obligés de payer pour nos péchés ? Non. La voie Yamato est d'apprendre des erreurs passées et non de les payer.

Nous nous sommes débarrassés des militaires et avons conquis le monde par la qualité de nos créations et la fiabilité de notre travail. La langue des Cent Planètes est peut-être fondée sur l'anglais, mais l'argent des Cent Planètes provient à l'origine du yen.

— Pourtant le peuple Yamato continue d'acheter et de vendre. Nous n'avons pas oublié la leçon.

— Ce n'était qu'une partie de la leçon. L'autre était de ne pas faire la guerre.

— Mais il n'y a pas de flotte japonaise, ni d'armée.

— C'est le mensonge que nous nous répétons pour masquer nos crimes. J'ai reçu la visite de deux étrangers il y a deux jours – des humains mortels, mais j'ai bien senti qu'ils étaient envoyés par les dieux. Ils m'ont fait des reproches parce que c'est grâce au vote décisif des Nécessariens que le Congrès Stellaire a décidé d'envoyer la Flotte lusitanienne. Une flotte dont le seul but est de reproduire le crime du Xénocide Ender en détruisant un monde sur lequel prolifèrent quelques fragiles espèces intelligentes totalement inoffensives ! »

Yasujiro chancela sous l'effet de la colère d'Aimaina.

« Mais maître, qu'ai-je à voir avec les militaires ?

— Les philosophes Yamato ont enseigné les principes sur lesquels les politiciens Yamato s'appuient pour agir. Le vote japonais a fait la différence. Cette maudite Flotte doit être arrêtée.

— Rien ne peut plus l'arrêter aujourd'hui. Tous les ansibles ont été déconnectés, ainsi que les réseaux informatiques, le temps que le terrible fléau qui dévore tout sur son passage soit expulsé du système.

— Demain les ansibles seront de nouveau opérationnels. Et d'ici là, la participation honteuse des Japonais dans le xénocide doit être évitée.

— Mais pourquoi vous tourner vers moi ? Je porte peut-être le nom de mon illustre ancêtre, mais la moitié des garçons de ma famille s'appellent Yasujiro, Yoshiaki ou Seiji. Je suis responsable des intérêts de Tsutsumi à Nagoya...

— Ne sois pas si modeste. Tu es le Tsutsumi de Vent Divin.

— On m'écoute aussi dans d'autres villes. Mais les ordres viennent de la maison mère à Honshu. Et je n'ai aucune espèce d'influence politique. Si le problème vient des Nécessariens, allez donc leur parler ! »

Aimaina lâcha un soupir. « Bah, cela ne servirait à rien. Ils passeraient les six prochains mois à débattre pour savoir comment concilier leur nouvelle position avec l'ancienne, essayant de prouver qu'ils n'ont pas complètement changé d'avis, que leur philosophie avait prévu ce tournant à cent quatre-vingts degrés. Quant aux politiciens... ils ont les mains liées. Même si les philosophes changeaient d'opinion, il faudrait au moins une génération politique – en d'autres termes, trois élections, comme on dit – avant que la nouvelle politique ne soit appliquée. Trente ans ! La Flotte lusitanienne aura eu le temps d'accomplir sa sinistre besogne d'ici là.

— Alors que reste-t-il à faire sinon abandonner tout espoir et de vivre en acceptant la honte ? À moins que vous n'ayez l'intention de faire un geste aussi vain que stupide. » Il esquissa un sourire en direction de son maître, sachant qu'Aimaina reconnaîtrait les mots qu'il utilisait lui-même lorsqu'il dénigrait la pratique traditionnelle de sepuku, le suicide rituel, comme quelque chose que l'esprit Yamato avait abandonné derrière lui comme un enfant sa couche-culotte.

Mais cela ne fit pas rire Aimaina. « La Flotte lusitanienne est une forme de sepuku pour l'esprit Yamato. » Il s'approcha de Yasujiro, le dominant – du moins était-ce l'impression qu'il donnait, même si Yasujiro était plus grand que lui d'une bonne tête. « Les politiciens ont rendu la Flotte lusitanienne populaire, les philosophes ne peuvent donc plus changer d'avis. Mais là où la philosophie et les élections ne peuvent changer l'opinion des politiciens, l'argent le peut !

— Vous n'êtes quand même pas en train de suggérer quelque chose d'aussi infamant que la corruption ?

— Crois-tu que je passe mon temps l'œil collé à mon anus ? demanda Aimaina, usant d'une expression tellement grossière que Yasujiro faillit s'étouffer et dut détourner le regard en pouffant nerveusement. Crois-tu que j'ignore qu'il existe au moins dix bonnes méthodes pour acheter n'importe quel politicien véreux et une bonne centaine pour acheter les honnêtes ? Contributions, menaces de soutien financier aux adversaires, dons divers à de nobles causes, emplois octroyés à des membres de la famille... dois-je réciter la liste ?

— Êtes-vous sérieusement en train de suggérer que l'argent de Tsutsumi soit employé pour arrêter la Flotte lusitanienne ? »

Aimaina retourna vers la fenêtre et étendit les bras comme pour embrasser tout ce qu'il voyait du monde extérieur. « La Flotte lusitanienne n'est pas bonne pour les affaires, Yasujiro. Si le Dispositif de Désintégration Moléculaire était utilisé contre une planète, il pourrait l'être contre une autre. Quant aux militaires, avec une pareille puissance entre les mains, ils ne sont pas près de faire marche arrière.

— Devrai-je tenter de convaincre les chefs de ma famille en citant votre prophétie, maître ?

— Ce n'est pas une prophétie, et elle n'est pas de moi. C'est une loi de la nature humaine, et c'est l'histoire qui nous l'a enseignée. En arrêtant la flotte, les Tsutsumi seront reconnus comme étant les sauveurs, non seulement de l'esprit Yamato, mais aussi de l'esprit humain. Ne laisse pas ce grave péché devenir un fardeau pour notre peuple.

— Excusez-moi, maître, mais il me semble que c'est vous qui en faites un fardeau. Personne ne s'était rendu compte de notre part de responsabilité dans ce péché avant que vous ne le fassiez remarquer aujourd'hui.

— Ce n'est pas moi qui en ai fait un péché. Je ne fais que l'exposer. Yasujiro, tu étais l'un de mes meilleurs étudiants. Je te pardonne d'avoir utilisé mes enseignements de façon aussi compliquée, parce que tu l'as fait pour ta famille.

— Et ce que vous me demandez de faire aujourd'hui, vous trouvez cela simple ?

— J'ai opté pour l'action la plus directe : j'ai discuté ouvertement avec les plus puissants représentants des compagnies familiales japonaises de commerce que j'ai pu contacter aujourd'hui. Et ce que je te demande, c'est de prendre l'action la plus élémentaire qu'il soit pour faire le nécessaire.

— En l'occurrence, l'élémentaire va mettre ma carrière en péril », dit Yasujiro pensivement.

Aimaina s'abstint de répondre.

« Mon plus grand maître m'a dit un jour, reprit Yasujiro, qu'un homme qui a déjà risqué sa vie sait que la carrière ne vaut rien, et que la vie d'un homme qui n'est pas prêt à risquer sa carrière ne vaut pas grand-chose non plus.

— Donc tu le feras ?

— Je préparerai mes messages pour transmettre votre requête auprès de la famille Tsutsumi. Lorsque les ansibles seront de nouveau opérationnels, je les enverrai.

— Je savais bien que je pouvais compter sur toi.

— Mieux que cela. Lorsque je perdrai mon emploi, je viendrai vivre avec vous. »

Aimaina s'inclina. « Ce serait un honneur de t'avoir comme invité. »

La vie des hommes glisse à travers le temps, et aussi brutal que puisse être un instant, quels que soient la douleur, le chagrin ou la peur, le temps passe de la même manière dans chaque vie.

Plusieurs minutes s'écoulèrent durant lesquelles Val-Jane consola Miro dans ses bras, puis le temps sécha ses larmes, elle le libéra, et le temps vint à bout de la patience d'Ela.

« Retournons au travail, dit-elle. Je ne voudrais pas me montrer insensible, mais notre situation délicate ne s'est pas améliorée. »

Quara parut surprise. « Mais Jane n'est pas morte. Cela ne veut-il pas dire que nous pouvons rentrer chez nous ? »

Val-Jane se leva immédiatement pour aller à son ordinateur. Ses mouvements étaient facilités grâce aux réflexes et aux habitudes que le cerveau de Val avait développés, mais elle ressentait chaque mouvement comme une agréable nouveauté, s'extasiait devant le spectacle de ses doigts dansant sur le clavier de l'ordinateur. « Je ne sais pas, dit Jane, répondant à la question de Quara, mais que tous les autres se posaient aussi. Je ne suis pas encore à l'aise dans cette chair. Les ansibles n'ont pas encore été réactivés. J'ai bien quelques alliés qui pourront relier certains de mes programmes au réseau une fois celui-ci en état – des Samoans sur Pacifica, Han Fei-Tzu sur La Voie, l'Université Abo sur Outback. Mais ces programmes seront-ils suffisants ? Les nouveaux logiciels du réseau me permettront-ils d'enregistrer toutes les données dont j'ai besoin pour garder en mémoire toutes les informations concernant ce vaisseau et ses occupants ? Ce corps sera-t-il un obstacle ? Mon nouveau lien avec les arbres-mères sera-t-il une aide ou une distraction ? » Puis vint la question la plus importante : « Avons-nous vraiment envie être les cobayes du premier voyage expérimental ?

— Il faudra bien commencer par quelqu'un, dit Ela.

— Je pense que je vais essayer avec l'un des vaisseaux de Lusitania, si je peux rétablir le contact avec eux, dit Jane. Avec une seule ouvrière de la Reine à bord. Comme ça, si je la perds, elle ne manquera pas trop à la Reine. » Jane se tourna vers l'ouvrière. « Sauf votre respect, bien sûr.

— Ce n'est pas la peine de t'excuser auprès de l'ouvrière, dit Quara. De toute manière, ce n'est jamais que la Reine. »

Jane regarda vers Miro et lui fit un clin d'œil. Miro s'abstint d'en faire autant, mais la tristesse qui se lisait dans ses yeux était suffisamment éloquente. Lui savait

que les ouvrières n'étaient pas tout à fait ce qu'elles semblaient être. Les reines devaient parfois les apprivoiser,
car elles n'étaient pas toujours entièrement soumises à
la volonté de leur mère. Quant à parler d'esclavage,
c'était là un problème que les générations suivantes
régleraient.

« Des langages, dit Jane. Transmis pas des molécules
génétiques. Quel genre de grammaire peuvent-ils bien
avoir ? Sont-ils reliés à des sons, des odeurs, des visions ?
Voyons si nous sommes aussi malins sans que je sois
dans l'ordinateur pour donner un coup de main. » Cela
lui parut tellement drôle qu'elle éclata de rire. Ah, quel
bonheur d'entendre son propre rire résonner dans ses
oreilles, expulsé de ses poumons, créant des spasmes
dans le diaphragme, lui faisant venir les larmes aux
yeux !

Ce ne fut qu'au moment où elle cessait de rire qu'elle
se rendit compte à quel point ce bruit devait peser sur
Miro, et sur les autres. « Je suis désolée », dit-elle,
confuse, sentant le sang lui monter au visage. Qui aurait
pu croire que cela puisse être aussi chaud ! Cette pensée
la fit presque rire à nouveau. « Je n'ai pas l'habitude de
me sentir si pleine de vie. Je sais bien que je me réjouis
alors que vous êtes si tristes, mais ne voyez-vous pas ?
Même si nous finissons tous par mourir dans quelques
semaines quand les réserves d'air seront épuisées, je ne
peux m'empêcher d'être emballée par ce que je ressens !

— Nous comprenons, dit Coupe-feu. Vous venez de
passer dans votre deuxième vie. C'est un moment très
joyeux pour nous aussi.

— J'ai passé un peu de temps dans vos arbres, vous
savez, dit Jane. Vos arbres-mères m'ont fait de la place.
Elles m'ont accueillie et se sont occupées de moi. Est-ce
que cela fait de nous des frères et sœurs ?

— Je ne sais pas ce que c'est que d'avoir une sœur,
dit Coupe-feu. Mais si vous vous rappelez votre vie à
l'intérieur de l'arbre-mère, sans doute vous rappelez-vous
plus de choses que moi. Nous faisons parfois des rêves,

mais ce ne sont jamais des souvenirs de notre première vie dans les ténèbres. En fait, vous en êtes à votre troisième vie.

— Alors je suis adulte ? » demanda Jane, et elle s'esclaffa de nouveau.

Et de nouveau elle se rendit compte à quel point son rire dérangeait les autres, à quel point il les blessait.

Mais quelque chose d'étrange se produisit alors qu'elle se retournait pour s'excuser encore. Son regard tomba sur celui de Miro, et au lieu de dire les mots qu'elle avait initialement prévus – les mots de Jane qui, un jour plus tôt, seraient parvenus directement dans l'oreille de Miro –, elle sentit d'autres paroles se former sur ses lèvres, suivies d'un souvenir. « Si mes souvenirs survivent, Miro, cela signifie que je suis vivante. Ce n'est pas ce que tu m'avais dit ? »

Miro secoua la tête. « Est-ce que ce sont les souvenirs de Val qui parlent, ou ceux de Jane lorsqu'elle... lorsque tu nous as entendus parler dans la caverne de la Reine ? N'essaye pas de me réconforter en te faisant passer pour elle. »

Jane, par habitude – celle de Val ? La sienne ? – lâcha d'un ton sec : « Quand je te réconforterai, tu le sauras.

— Et comment m'en rendrai-je compte ? répliqua Miro sur le même ton.

— Parce que tu seras réconforté, bien sûr, dit Val-Jane. En attendant, garde bien à l'esprit que je ne suis plus en train de t'écouter à travers cette pierre à ton oreille. Je ne peux que voir à travers ces yeux, et entendre par ces oreilles. »

Ce n'était pas tout à fait exact, bien sûr. Plusieurs fois par seconde, elle sentait le flot de sève, l'accueil sans réserve des arbres-mères alors que son aiúa satisfaisait son besoin de s'étendre, visitant l'immense réseau des philotes des pequeninos. Et de temps en temps, à l'extérieur des arbres-mères, elle réussissait à attraper une bribe de pensée, un mot, une phrase dans le langage des arbres-pères. Mais était-ce bien leur langage ? Il s'agissait plutôt du langage derrière le langage, du discours sous-jacent de ceux qui ne parlent pas. Mais à qui appartenait cette autre voix ? Je te connais – tu fais partie de celles qui m'ont créée. Je connais ta voix.

« Nous avons perdu ta trace, dit la Reine dans sa tête. Mais tu t'es bien débrouillée sans nous. »

Jane n'était pas prête à ce sentiment de fierté qui illuminait son corps – celui de Val. Elle ressentit l'effet physique de cette émotion en tant que Val, mais sa fierté provenait des louanges que lui adressait une reine mère. Je suis la fille des reines, comprit-elle, et je suis touchée de son compliment.

Et si je suis la fille des reines, je suis aussi la fille d'Ender. Je suis même doublement sa fille, car elles m'ont créée à partir de son esprit, afin que je serve de pont entre elles et lui. Et maintenant, je réside dans un corps qui vient aussi de lui, avec les souvenirs d'une époque où il vivait ici, dans ce corps. Je suis sa fille, mais une fois de plus, je ne peux lui parler.

Tout ce temps, toutes ces pensées... et pourtant elle ne fit preuve d'aucun relâchement de concentration alors qu'elle travaillait sur l'ordinateur du vaisseau gravitant autour de la planète de la descolada. Elle était toujours Jane. Ce n'était pas sa nature informatique qui lui avait permis, toutes ces années, de diviser son attention et de se concentrer sur plusieurs tâches à la fois. C'était sa nature de reine.

« C'est parce que tu étais dès le départ un aiúa suffisamment puissant que tu as pu nous rejoindre », diffusa la Reine.

Laquelle de vous me parle ? demanda Jane.

« Quelle importance ? Nous nous souvenons toutes de ta création. Nous nous rappelons avoir été là. Nous nous souvenons de t'avoir sortie des ténèbres pour aller vers la lumière. »

Suis-je toujours la même dans ce cas ? Retrouverai-je les mêmes pouvoirs que j'avais avant que le Congrès Stellaire ne tue mon ancien corps virtuel ?

« Peut-être. Quand tu le sauras, dis-le-nous. Cela nous intéresse énormément. »

Elle éprouvait maintenant un sentiment de profonde déception, comme un poids sur l'estomac, ce qu'un enfant ressent quand ses parents se désintéressent de lui. Mais c'était là un sentiment humain ; il provenait du corps de Val, bien que déclenché par son lien de parenté avec les reines mères. Tout était plus compliqué – et plus simple à la fois. Ses sentiments se manifestaient désormais à travers son corps, avant même qu'elle puisse comprendre ce qu'elle ressentait elle-même. Elle ne s'était jamais rendu compte auparavant qu'elle avait des sentiments. Elle en avait, certes, avait même parfois des réactions irrationnelles, des désirs inconscients – autant de caractéristiques que possédaient les aiúas lorsqu'ils étaient reliés à d'autres formes de vie –, mais il n'y avait jamais eu de signal simple pour lui faire comprendre ce qu'étaient ces sentiments. Comme il était facile d'être un humain – les émotions se lisaient sur le tissu même du corps. Et difficile – car on ne pouvait guère se cacher ses propres sentiments.

« Il faut t'habituer à te sentir frustrée avec nous, ma fille, dit la Reine. Ta nature est en partie humaine, la nôtre non. Nous ne serons pas aussi indulgentes avec toi que les mères humaines. Lorsque tu ne pourras pas le supporter, éloigne-toi – nous ne te poursuivrons pas. »

Merci, dit-elle en silence... et elle s'éloigna.

Le soleil se leva à l'aube au-dessus de la montagne qui dominait l'île, de sorte que le ciel n'était que lumière avant que les rayons du soleil ne touchent la cime des arbres. Peter se réveilla, Wang-mu à ses côtés, ses courbes épousant les siennes, telles deux crevettes posées sur l'étal d'un marchand de poisson. Sa présence si proche lui était agréable, familière. Mais comment était-ce possible ? Il n'avait jamais dormi si près d'elle auparavant. Était-ce là quelque vestige de la mémoire d'Ender ?

Il n'avait pas conscience d'avoir de tels souvenirs. Il en fut déçu. Il pensait qu'une fois que son corps aurait entièrement pris possession de l'aiúa, il deviendrait peut-être Ender – et posséderait ainsi les souvenirs de toute une vie au lieu des ersatz insignifiants fournis par Ender lors de sa création. Manque de chance.

Et pourtant il se souvenait d'avoir dormi avec une femme à ses côtés. D'avoir passé un bras autour d'elle, à la façon d'une branche protectrice.

Mais il n'avait jamais touché Wang-mu de cette façon. Et cela ne lui semblait pas correct – elle n'était pas sa femme, seulement son... amie ? L'était-elle vraiment ? Elle lui avait dit qu'elle l'aimait – n'était-ce qu'une façon de l'aider à retrouver le chemin menant à ce corps ?

Et brusquement, il se sentit partir, se défaire de Peter pour devenir quelque chose d'autre, quelque chose de petit, de lumineux et de terrifié, plongeant dans les ténèbres, poussé par un vent trop puissant pour pouvoir résister...

« Peter ! »

La voix l'appelait, et il la suivit le long des liens philotiques qui le reliaient à... lui-même. Je suis Peter. Je n'ai nul autre endroit où aller. Si je pars, je vais mourir.

« Est-ce que tu vas bien ? demanda Wang-mu. Je me suis réveillée parce que je croyais que... Excuse-moi, j'ai rêvé, j'avais l'impression de te perdre. Mais il n'en est rien, puisque tu es là.

— J'étais en train de me perdre, dit Peter. Tu l'as senti ?

— Je ne suis pas sûre de ce que j'ai senti. J'ai simplement... comment dire ?

— Tu m'as rappelé des ténèbres.

— J'ai fait ça ? »

Il faillit ajouter autre chose, mais se ravisa. Puis il éclata de rire, effrayé et mal à l'aise. « Je me sens tellement bizarre. J'allais dire quelque chose, là, à l'instant. Quelque chose de très désinvolte – que devoir être Peter Wiggin était déjà en soi replonger dans les ténèbres.

— En effet. Tu dis souvent des choses désagréables te concernant.

— Mais je n'ai rien dit de tel. J'allais le faire, mais je me suis abstenu, parce que ce n'était pas vrai. Tu ne trouves pas cela drôle ?

— Je crois que c'est plutôt bien.

— Il me semble normal que je puisse me sentir entier plutôt que subdivisé – plus satisfait de ce que je suis en quelque sorte. Et pourtant j'ai failli tout perdre. Je ne pense pas qu'il s'agissait d'un rêve. Je crois que j'étais vraiment en train de lâcher prise. Chutant dans... non, en dehors de tout.

— Tu as eu trois identités pendant plusieurs mois. N'est-il pas possible que ton aiúa ait un irrépressible besoin de retrouver... je ne sais pas, moi, la dimension de ce qu'il était auparavant ?

— C'est vrai, j'étais disséminé à travers la galaxie. Mais je serais tenté de dire qu'il était disséminé, car il s'agissait d'Ender, non ? Et je ne suis pas Ender, puisque je ne me rappelle rien. » Il demeura songeur un instant. « Cependant, deux ou trois petites choses me reviennent maintenant. Des choses remontant à mon enfance. Le visage de ma mère. C'est devenu très clair, et je ne pense pas que ça l'était avant. Le visage de Valentine aussi, lorsque nous étions enfants. Mais il est normal que je me souvienne de cela en tant que Peter, non ? Ce qui ne signifie pas forcément que cela vienne d'Ender. Je suis persuadé qu'il s'agit là de souvenirs qu'Ender m'a implantés dès le départ. » Il éclata de rire. « Je donne vraiment l'impression de rechercher désespérément une trace de lui en moi, non ? »

Wang-mu demeura silencieuse sans trop afficher son intérêt, se contentant de ne pas intervenir en lui posant une question ou en faisant un commentaire.

Son attitude inspira à Peter une autre idée. « Serais-tu en quelque sorte... comment tu dis déjà... empathique ? As-tu l'habitude de ressentir les émotions des autres ?

— Jamais. Je suis déjà bien trop occupée à gérer mes propres sentiments.

— Mais tu savais que j'étais sur le point de partir. Tu l'as senti.

— Je suppose que je suis connectée à toi maintenant. J'espère que ça ne te dérange pas, car cela n'était pas vraiment un effet de ma volonté.

— Mais je suis lié à toi, moi aussi. Puisque même déconnecté, j'arrivais quand même à t'entendre. Toutes mes autres émotions avaient disparu. Mon corps ne me donnait plus rien. Je l'avais perdu. Maintenant, quand je repense à ce que j'ai ressenti, je me souviens d'avoir "vu" des choses, mais ce doit tout simplement être mon esprit humain qui cherche un sens là où il n'y en a pas. Ce que je sais, c'est que je ne pouvais rien voir du tout, ni rien entendre, ni rien toucher, ni faire quoi que ce soit. Et pourtant je savais que tu m'appelais. J'ai senti... que tu avais besoin de moi. Que tu voulais que je revienne. Cela ne peut signifier qu'une chose : je suis lié à toi moi aussi. »

Elle haussa les épaules et détourna les yeux.

« Qu'est-ce que ça veut dire ? demanda-t-il.

— Je ne vais pas passer le restant de mes jours à t'expliquer qui je suis. Les autres ont la chance d'avoir des émotions et d'agir sans forcément tout analyser. Comment as-tu ressenti cela, toi ? C'est toi le spécialiste en nature humaine.

— Arrête. » Il faisait semblant de la taquiner, mais souhaitait qu'elle arrête vraiment. « Je me souviens que nous avons plaisanté avec ça, et je suppose que j'en ai rajouté... mais ce n'est pas ce que je ressens maintenant. Est-ce lié au fait qu'Ender fasse partie de moi désormais ? Je sais que j'ai des difficultés à comprendre les gens. Tu as détourné les yeux, tu as haussé les épaules lorsque j'ai dit que j'étais lié à toi. Ça m'a blessé, tu sais.

— Et pourquoi donc ?

— Ah, tu as le droit de demander pourquoi et moi non, ce sont ça les nouvelles règles ?

— Les règles n'ont jamais changé. Tu ne les as simplement jamais respectées.

— Eh bien, cela me fait de la peine que tu ne sois pas plus heureuse que cela d'apprendre que je suis lié à toi, et que tu l'es à moi.

— Et toi, tu es heureux ?

— Ça m'a tout simplement sauvé la vie, il faudrait que je sois le dernier des crétins pour ne pas trouver la situation à tout le moins avantageuse !

— Tu sens ? » dit-elle se relevant subitement.

Elle est si jeune, songea-t-il.

Puis, se relevant à son tour, il fut surpris de constater que lui aussi était jeune ; son corps agile réagissait parfaitement.

Puis il s'avisa avec la même surprise que Peter ne pouvait pas imaginer avoir été autrement. C'était Ender qui avait l'habitude de vivre dans un corps âgé, un corps courbaturé après avoir dormi à même le sol, un corps qui n'arrivait plus à se relever aussi facilement. Ender est bien en moi. J'ai la mémoire de son corps. Pourquoi pas celle de son esprit ?

Peut-être parce que son cerveau ne contient qu'une carte des souvenirs de Peter. Tout le reste est caché quelque part, hors de portée. J'en apercevrai peut-être des bribes ici et là, connecterai certains d'entre eux pour dessiner une nouvelle carte et finir par tous les retrouver.

Il finit de se relever et alla rejoindre Wang-mu, reniflant l'air avec elle. Il fut surpris de se concentrer simultanément sur ces deux activités. Il n'avait cessé de penser à Wang-mu, de sentir ce qu'elle sentait, en se demandant pendant tout ce temps s'il allait pouvoir poser sa main sur cette épaule frêle qui semblait attendre qu'une main comme la sienne se pose sur elle ; et dans ce même laps de temps il évaluait ses chances de pouvoir retrouver la mémoire d'Ender.

Je n'aurais jamais pu faire cela auparavant, pensa Peter. Et pourtant c'est ce que j'ai dû faire depuis que ce corps et celui de Valentine ont été créés. Me concentrer sur trois choses à la fois, et non deux.

Mais je n'étais pas assez fort pour penser à trois choses à la fois. Il y en avait toujours une qui se perdait en route. Valentine, pendant un moment. Puis ç'a été le tour d'Ender, jusqu'à ce que son corps meure. Mais deux choses... je suis capable de penser à deux choses à la fois. Est-ce là quelque chose d'exceptionnel ? Ou bien est-ce quelque chose dont beaucoup d'humains sont capables à condition d'avoir eu l'occasion d'apprendre ?

Pourquoi tant de vanité ? songea-t-il. Pourquoi me soucier de savoir si je suis le seul à maîtriser cela ? Je me suis toujours cru plus malin et plus capable que les autres, c'est indéniable. Mais je ne me suis jamais permis de le crier tout haut, bien sûr, ni même de le reconnaître moi-même, mais sois honnête avec toi-même, Peter, rien qu'une fois ! C'est quand même agréable de se sentir plus malin que les autres. Et si je peux penser à deux choses à la fois, pourquoi ne pas apprécier cela ?

Bien sûr, penser à deux choses à la fois n'a guère d'intérêt si ces deux choses sont complètement futiles. Car tout en méditant sur sa propre vanité et sa nature compétitive, il pensait en même temps à Wang-mu, et sa main s'était effectivement posée sur son épaule. Elle se pencha vers lui un instant, acceptant son contact, jusqu'à ce que sa tête se pose sur son torse. Puis, sans avertissement ni provocation de sa part, elle se détacha de lui pour se diriger vers les Samoans réunis autour de Malu sur la plage.

« Qu'est-ce que j'ai fait ? » demanda Peter.

Elle se retourna, l'air étonné. « Tu n'as rien fait de mal ! dit-elle. Je ne t'ai pas giflé, et je ne t'ai pas envoyé mon genou dans les kintamas, que je sache ? Mais c'est l'heure du petit déjeuner – Malu est en train de prier et il y a encore plus de nourriture que l'autre soir quand on croyait mourir gavés ! »

Les deux centres d'attention de Peter se rendirent compte qu'il avait faim, à la fois séparément et simultanément. Ni lui ni Wang-mu n'avaient mangé la veille. D'ailleurs, il n'avait aucun souvenir d'avoir quitté la plage pour venir s'allonger auprès d'elle sur ces nattes. Quelqu'un avait dû les porter là. Ce qui n'était pas surprenant. Il n'y avait pas un homme ou une femme sur cette plage qui n'aurait pu soulever Peter et le briser comme un crayon. Quant à Wang-mu, alors qu'il la regardait courir avec grâce vers les énormes Samoans se trouvant au bord de l'eau, elle lui fit penser à un oiseau frêle se dirigeant vers un troupeau de bœufs.

Je ne suis pas un enfant, et je ne l'ai jamais été, pas dans ce corps en tout cas, pensa Peter. Je ne sais donc même pas si je suis capable d'envies d'enfant et d'amours adolescentes. J'ai, par le biais d'Ender, cette sensation de bien-être que procure une relation amoureuse ; je ne m'attends pas à rencontrer une passion dévorante. L'amour que j'ai pour toi sera-t-il suffisant, Wang-mu ? Aller vers toi quand j'en aurai besoin, et essayer d'être là quand, à ton tour, tu auras besoin de moi ? Ressentir une telle tendresse pour toi lorsque je te regarde que j'en vienne à avoir envie de me placer entre le monde et toi ? Te porter et te dresser au-dessus des puissants courants de la vie tout en souhaitant pouvoir rester indéfiniment ainsi, à distance, à te regarder, à admirer ta beauté, ton énergie pendant que tu regardes ces immenses êtres de roc, leur parlant d'égal à égal, même si chaque mouvement de tes mains, chaque syllabe de ta voix exaltent l'enfant qui est en toi... ? Les sentiments amoureux que je ressens pour toi te suffiront-ils ? Parce qu'il en sera ainsi pour moi. Comme lorsque ma main a touché ton épaule, et que tu t'es reposée sur moi ; comme lorsque tu m'as senti partir et que tu m'as appelé.

Plikt était assise, seule dans sa chambre, écrivant sans relâche. Elle s'était préparée toute sa vie pour ce jour : écrire l'oraison funèbre d'Andrew Wiggin. Elle raconterait sa mort – et elle avait tout les éléments de recherche pour cela, elle pourrait parler pendant une bonne semaine sans avoir épuisé un dixième de ce qu'elle connaissait de lui. Mais elle ne parlerait pas une semaine. Elle ne parlerait qu'une heure. Moins d'une heure. Elle le comprenait ; elle l'aimait ; elle partagerait avec d'autres personnes qui ne le connaissaient pas ce qu'il représentait, ce qu'il avait aimé, dirait à quel point l'histoire avait été transformée par cet homme, tellement brillant, tellement imparfait, mais tellement plein de bonne volonté, doté d'un amour si fort qu'il était capable d'infliger la souffrance quand c'était nécessaire – transformée parce qu'il avait vécu, parce que dix mille, cent mille, des millions d'individus étaient différents, plus forts, plus lucides, plus élevés, plus éclairés, en tout cas plus à l'écoute et plus fidèles grâce à ce qu'il avait dit et écrit pendant sa vie.

Mais raconterait-elle aussi le reste ? Raconterait-elle comment une femme pleurait seule dans sa chambre, le cœur plein d'amertume, pleurait toutes les larmes de son corps, non parce que Ender n'était plus là, mais à cause de la honte qu'elle éprouvait à avoir enfin réussi à se comprendre. Car bien qu'elle ait aimé et admiré – non, qu'elle ait vénéré cet homme –, lorsqu'il avait quitté ce monde, elle n'avait éprouvé aucune peine, mais un grand soulagement et une profonde excitation. Soulagement : L'attente est terminée. Excitation : Mon heure est arrivée !

C'était bien évidemment ce qu'elle ressentait. Elle n'était pas stupide au point de se croire dotée d'une force morale hors du commun. Et la raison pour laquelle elle ne pleurait pas avec Novinha et Valentine était qu'elles venaient de perdre un élément majeur de leur vie. Qu'ai-je donc perdu en ce qui me concerne ? Ender ne m'a accordé qu'une partie de son attention, guère plus. Nous n'avons passé que quelques mois ensemble, quand il était mon maître à Trondheim ; et puis, une génération plus tard, nous nous sommes retrouvés ici pendant quelques mois. À chaque fois il semblait préoccupé, il y avait des choses et des gens plus importants que moi qui sollicitaient son attention. Je n'étais pas sa femme. Je n'étais pas sa sœur. Je n'étais que l'élève et la disciple d'un homme qui avait eu suffisamment d'élèves dans sa vie et ne souhaitait plus en avoir. Ainsi ce n'est pas une si grande partie de ma vie qui disparaît, car il n'a été pour moi qu'un rêve et non un compagnon.

Je me pardonne, mais ne peux empêcher ce sentiment de honte et de peine que j'éprouve, pas à cause de la mort d'Andrew Wiggin, mais parce qu'au moment de sa mort je me suis révélée telle que je suis vraiment : totalement égoïste, concernée uniquement par ma propre carrière. J'ai choisi d'être le porte-parole de la mort d'Ender. C'est pourquoi le moment de sa mort ne peut être que l'accomplissement de ma vie. Quel genre de vautour suis-je donc ? Quel genre de parasite, de sangsue...

Et pourtant ses doigts continuaient à taper, phrase sur phrase, malgré les larmes qui coulaient. Là-bas, dans la maison de Jakt, Valentine pleurait avec son mari et sa famille. Dans celle d'Ohaldo, Grego, Ohaldo et Novinha s'étaient réunis pour se réconforter les uns les autres de la perte de celui qui avait été pour eux un mari et un père. Ils avaient leur propre relation avec lui, moi j'avais la mienne. Ils ont leurs propres souvenirs intimes ; les miens seront publics. Je parlerai, puis je publierai ce que j'ai dit, et ce que j'écris en ce moment même donnera une nouvelle dimension et un sens neuf à la vie d'Ender Wiggin pour tous les habitants des Cent Planètes. Ender le Xénocide ; Andrew le Porte-Parole des Morts ; Andrew l'homme discret marqué par la solitude et la compassion ; Ender l'analyste brillant qui pouvait sonder n'importe quel problème et n'importe quel individu sans être influencé par la peur, l'ambition, voire... la pitié. L'homme de justice et l'homme de pitié, deux individus dans un même corps. L'homme dont la compassion a aidé à reconnaître et à aimer les reines avant même d'en toucher une de ses propres mains ; l'homme dont le sens aigu de la justice l'a poussé à les exterminer croyant qu'elles étaient ses ennemies.

Est-ce qu'Ender me jugerait sévèrement pour mes détestables pensées ? Bien sûr – il ne m'épargnerait pas, il verrait ce que mon cœur à de pire en lui.

Mais m'ayant jugée, il m'aimerait aussi. Il dirait : « Et alors ? Va donc raconter ma mort. S'il fallait attendre de trouver des gens parfaits pour être les porte-parole des morts, les enterrements se dérouleraient dans le silence le plus total. »

Ainsi elle écrivait, et elle pleurait ; et quand ses larmes cessèrent de couler, elle écrivait encore. Lorsque la mèche de cheveux qu'il avait laissée derrière lui serait enfermée dans une boîte puis enterrée sous l'herbe au pied des racines d'Humain, elle s'avancerait et parlerait. Sa voix le ferait revenir d'entre les morts, resurgir dans les mémoires. Et elle se montrerait aussi clémente ; elle se montrerait juste. C'était au moins une chose qu'elle avait apprise à ses côtés.

12

« Est-ce que je trahis Ender ? »

> *« Pourquoi les gens prétendent-ils*
> *Que la guerre et le meurtre ne sont pas naturels ?*
> *Ce qui n'est pas naturel, c'est de passer toute sa vie*
> *Sans jamais lever la main sur qui que ce soit. »*
>
> Murmures Divins de Han Qing-Jao

« Nous ne sommes pas sur la bonne voie », dit Quara.

Miro sentit monter en lui une colère qui ne lui était que trop familière. Quara avait le don d'énerver les gens, ce qui était aggravé par le fait qu'elle semblait en être parfaitement consciente et y prendre plaisir. Un autre occupant du vaisseau eût-il dit exactement la même chose, Miro l'aurait écouté en prêtant une oreille attentive. Mais Quara avait une telle façon de s'exprimer, qu'elle donnait l'impression de prendre les autres pour des demeurés. Miro l'aimait comme une sœur, mais il ne pouvait s'empêcher d'être exaspéré par sa compagnie.

Toutefois, comme elle était la plus experte dans le langage *ur* qu'elle avait découvert plusieurs mois plus tôt dans le virus de la descolada, Miro ne manifesta pas ouvertement ce qu'il ressentait. Il préféra pivoter sur son siège pour l'écouter.

Les autres l'imitèrent, même si Ela fit moins d'efforts, voire aucun, pour cacher son énervement. « Eh bien,

Quara, comment se fait-il que nous ne nous sommes pas rendu compte plus tôt à quel point nous étions stupides ? »

Quara ne se formalisa pas du sarcasme d'Ela – ou décida d'en faire abstraction. « Comment pouvons-nous déchiffrer un langage sorti de nulle part ? Nous ne disposons d'aucune référence. Nous n'avons que des enregistrements des différentes versions du virus de la descolada. Nous savons à quoi il ressemblait avant de s'adapter au métabolisme humain. Nous savons comment il a évolué après chacune de nos tentatives pour le tuer. Certains de ces changements étaient purement fonctionnels – il s'adaptait. Mais certains étaient de nature documentaliste – il enregistrait tout ce qu'il faisait.

— Nous n'en savons rien, dit Ela, affichant un peu trop le plaisir qu'elle avait de contrarier Quara.

— Moi je le sais. Quoi qu'il en soit, cela nous place dans un contexte familier. Nous savons ce que signifie ce langage, même si nous n'avons pas été en mesure de le décoder.

— Eh bien, maintenant que tu nous as éclairés, dit Ela, je ne vois pas en quoi ce nouvel élément peut nous aider à décoder ce langage. Car n'est-ce pas sur cela que tu as travaillé ces derniers mois ?

— C'est en effet ce que j'ai fait. Mais j'ai été incapable de prononcer les "mots" que la descolada avait enregistrés pour voir quel genre de réponse nous pourrions obtenir.

— C'est trop dangereux, coupa Jane. Dangereux et absurde. Ces êtres sont capables de fabriquer des virus pouvant détruire des biosphères entières, et ils sont suffisamment dénués de scrupules pour les utiliser. Et toi, tu voudrais qu'on leur donne la même arme qu'ils ont utilisée pour détruire la planète des pequeninos ? Arme qui contient de plus un enregistrement complet, non seulement du métabolisme des pequeninos, mais aussi du nôtre ? Pourquoi ne pas nous trancher la gorge tout de suite pour leur offrir notre sang, tant qu'on y est ? »

Miro remarqua que lorsque Jane avait parlé, les autres étaient restés subjugués. Leur réaction pouvait s'expliquer en partie par la différence qu'il y avait entre la timidité de Val, et l'aplomb de Jane. Mais aussi par le fait que la Jane qu'ils connaissaient tenait plus de l'ordinateur que de l'être humain et s'exprimait donc de manière moins péremptoire. Miro reconnut cependant le ton autoritaire qu'il avait l'habitude d'entendre dans la pierre. D'une certaine manière, il était content d'entendre à nouveau cette voix, mais mal à l'aise de l'entendre sortir de la bouche d'une d'autre. Val était partie ; Jane était revenue ; c'était affreux ; c'était fabuleux.

Miro étant le seul à ne pas être affecté par l'attitude de Jane, il fut le premier à rompre le silence. « Quara a raison, Jane. Nous n'avons pas des années devant nous pour trouver une solution – nous n'avons d'ailleurs peut-être que quelques semaines. Peut-être moins. Nous devons provoquer une réaction linguistique, obtenir une réponse de leur part pour analyser les différences entre les premiers messages qu'ils nous ont envoyés et ceux qui ont suivi.

— Nous nous exposons déjà trop, dit Jane.

— À vaincre sans péril, on triomphe sans gloire, dit Miro.

— On peut aussi se brûler les ailes », dit insidieusement Jane. Mais ce sarcasme cachait un ton familier, une sorte d'impertinence qui lui disait : Je plaisante. Et ceci ne venait pas de Jane – qui n'avait jamais eu ce genre d'attitude – mais de Val. C'était douloureux à entendre, mais bon à la fois. Les réactions mitigées de Miro par rapport à ce que disait Jane le mettaient constamment sur la brèche. Je t'aime, tu me manques, je suis triste, tais-toi... Son interlocutrice semblait changer au fil des minutes.

« Nous ne faisons jamais que parier sur l'avenir de trois espèces intelligentes », ajouta Ela.

Sur ce, ils se tournèrent tous vers Coupe-feu.

« Ne me regardez pas, dit-il. Je ne suis ici qu'en touriste.

— Allons donc, fit Miro. Tu es ici parce que ton peuple court le même danger que le nôtre. C'est une décision délicate et tu dois te prononcer. D'ailleurs, c'est de ton côté que le danger est le plus important, parce que même les premiers codes de la descolada que nous avons enregistrés risquent de révéler l'histoire biologique complète de ton peuple depuis que le virus s'est propagé parmi vous.

— D'un autre côté, dit Coupe-feu, j'imagine que s'ils savent déjà comment nous détruire, nous n'avons plus grand-chose à perdre.

— Écoutez, dit Miro. Rien ne nous permet de dire pour l'instant que ce peuple possède une flotte. Tout ce qu'ils ont envoyé pour l'instant, ce sont des sondes.

— Mais nous n'en savons pas plus, dit Jane.

— Et nous n'avons pas la preuve que quelqu'un soit venu vérifier si le virus avait agi efficacement pour transformer la biosphère de Lusitania et la préparer à recevoir les premiers colons de cette planète. Ce qui signifie que s'ils possèdent quelques vaisseaux de transport, soit ils sont déjà en route – et cela ne fera pas une grande différence que nous partagions ou non nos informations avec eux –, soit ils n'en ont pas envoyé, ce qui implique qu'ils en sont incapables.

— Miro a raison », dit Quara en se levant d'un bond. Ce qui le fit ciller. Il détestait être du même côté que Quara, car l'antipathie qu'elle inspirait finirait par déteindre sur lui. « Soit les vaches sont sorties de l'étable, et ce n'est plus la peine de refermer la porte, soit elles ne peuvent pas en sortir, et il n'y a plus aucun intérêt à la cadenasser.

— Parce que tu t'y connais en vaches ? demanda Ela d'un ton dédaigneux.

— Après avoir travaillé avec toi toutes ces années, je pense être une experte en la matière, lui décocha Quara.

— Allons, les filles, dit Jane. Du calme. »

Une fois de plus, tous se tournèrent vers elle, interloqués, sauf Miro. Val ne serait jamais intervenue dans un conflit familial tel que celui-ci ; ni la Jane qu'ils connaissaient – même si Miro avait l'habitude de l'entendre prendre constamment la parole.

« Nous sommes tous conscients des risques que nous courons en leur donnant ces informations, dit Miro. Mais nous sommes aussi conscients de ne pas avoir beaucoup progressé. Nous pourrions peut-être apprendre comment fonctionne ce langage en lâchant un peu de lest de part et d'autre.

— Il ne s'agit pas de lâcher du lest de part et d'autre, dit Jane. Dans ce cas, c'est à sens unique. Nous leur donnons des informations qu'ils ne peuvent obtenir d'aucune autre manière et qui risquent de leur donner tous les éléments nécessaires pour créer de nouveaux virus capables d'annihiler nos défenses. Mais comme nous n'avons aucune idée de la façon dont l'information est codée, ni de l'emplacement de chaque donnée, comment pouvons-nous déchiffrer la réponse ? De plus, que ferons-nous si la réponse est un nouveau virus visant à nous détruire ?

— Ils nous envoient les informations nécessaires à la fabrication d'un virus », dit Quara. Sa voix affichait un mépris évident, comme si Jane était la personne la plus bête du monde, et non l'entité considérée, à tort ou à raison, comme divine. « Mais nous n'allons pas le fabriquer. Du moment qu'il ne s'agit que de représentations graphiques sur un écran d'ordinateur...

— Ça y est, j'ai trouvé, dit Ela.

— Quoi ? » C'était au tour de Quara d'être contrariée, car Ela semblait avoir pris une longueur d'avance.

« Ils ne font pas passer ces signaux par écrans d'ordinateur interposés. C'est ce que nous, nous faisons parce que nous avons un langage écrit reposant sur des symboles que nous pouvons lire à l'œil nu. Mais eux doivent lire ces signaux de manière plus directe. Les codes leur parviennent, et ils les interprètent d'une manière ou d'une autre en suivant les instructions pour fabriquer la molécule décrite dans le message. Ils la "lisent" alors en la... reniflant ? En l'avalant ? Toujours est-il que si les molécules génétiques font partie de leur langage, ils doivent arriver d'une manière ou d'une autre à les assimiler physiquement de façon aussi précise que nous lorsque nous lisons des données sur une feuille.

— Je vois, dit Jane. Ton hypothèse est donc qu'ils s'attendent à ce que nous fabriquions une molécule à partir de ce qu'ils nous ont transmis, au lieu de nous contenter de la lire sur un écran pour la résumer et la conceptualiser.

— Pour autant que l'on sache, c'est peut-être là leur façon de contrôler les gens, dit Ela. Ou de les attaquer. En leur envoyant un message. S'ils "l'écoutent", ce doit être en intégrant la molécule dans leur corps et en la laissant agir sur eux. Si cet effet est celui d'un poison ou d'un virus mortel, le simple fait de l'écouter soumet les victimes à leur volonté. C'est comme si notre langage devait être tapé sur nos nuques et que pour pouvoir se comprendre il fallait s'allonger et s'exposer à n'importe quel outil utilisé pour envoyer le message. S'il s'agit d'un doigt ou d'une plume, tant mieux – mais s'il s'agit d'une hache, d'une machette, ou d'une massue, tant pis pour nous.

— Ce n'est même pas forcément fatal, dit Quara, oubliant sa rivalité avec sa sœur pour suivre son raisonnement. Les molécules pourraient être des systèmes d'altération du comportement. Les écouter reviendrait littéralement à se soumettre.

— Je ne sais pas si vous avez raison dans les détails, dit Jane. Mais cela nous ouvre des possibilités. Cela implique aussi qu'ils ne peuvent sans doute pas nous attaquer directement. Ce qui modifie complètement les risques encourus.

— Et l'on ose dire que tu n'es rien sans ton ordinateur », dit Miro.

Elle fut aussitôt gênée. Par inadvertance, il venait de s'adresser à elle avec la même désinvolture qu'au temps où il lui parlait à voix basse via la pierre. Mais dans le cas présent, la taquiner sur la perte de son réseau informatique le rendait étrangement plus froid. Il pouvait plaisanter de la sorte quand Jane se trouvait dans la pierre qu'il portait. Mais maintenant qu'elle était une créature de chair, le problème était différent. C'était désormais un être humain. Avec des sentiments qu'il fallait ménager.

Jane en avait toujours eu, pensa Miro. Mais je n'y prêtais pas attention parce que... parce que ce n'était pas nécessaire. Parce que je ne la voyais pas. Parce que, d'une certaine manière, elle n'était pas réelle pour moi.

« Je voulais dire... bien raisonné, se reprit-il.

— Merci. » Il n'y avait pas d'ironie dans la voix de Jane, mais Miro savait qu'elle était bien là, parce que la situation le commandait. Miro, cet humain au raisonnement unidimensionnel, était en train de dire à cet être brillant qu'elle avait bien raisonné – comme s'il pouvait en juger !

Il fut brusquement contrarié, pas par Jane, mais par lui-même. Pourquoi devait-il faire attention à tout ce qu'il disait pour la simple raison qu'elle n'avait pas acquis ce corps de manière normale ? Certes, elle n'était pas humaine avant, mais elle l'était désormais, et on pouvait lui parler comme à n'importe quel autre être humain. Si elle était différente d'un autre être humain, de quelle que manière que ce soit, qu'est-ce que ça changeait ? Chaque individu est différent, et pour être tout a fait poli, n'était-il pas supposé traiter tout le monde de la même manière ? Ne dirait-il pas « Vous voyez ce que je veux dire ? » à un aveugle, en partant du principe que le sens métaphorique de « voir » sera compris sans que ledit aveugle se froisse ? Alors pourquoi ne pas dire à Jane : « Bien raisonné » ? Ce n'était pas parce que sa façon de raisonner était tellement éloignée de celle d'un esprit humain qu'on ne pouvait pas utiliser une expression courante à son intention.

En l'observant, Miro lut dans son regard une certaine tristesse. Cela provenait sans doute de sa confusion – en plaisantant comme il venait de le faire, comme il faisait toujours, il se sentait brusquement gêné, se rétractait. C'était pour cette raison que le « merci » de Jane avait quelque chose d'ironique. Elle voulait qu'il soit naturel avec elle, et il n'y arrivait pas.

Bon, il n'avait pas été naturel, mais il pouvait sûrement y arriver.

Quelle importance après tout ? Ils étaient ici pour résoudre le problème des descoladores, pas pour régler les complications de leur relation personnelle suite aux échanges de corps.

« Dois-je en conclure que nous sommes tous d'accord ? demanda Ela. Sommes-nous d'accord pour envoyer des messages contenant les informations codées du virus de la descolada ?

— La première version seulement, dit Jane. Du moins pour commencer.

— Et lorsqu'ils répondront, j'essayerai de procéder à une simulation pour voir ce qui se produirait si nous construisions et assimilions la molécule en question.

— S'ils nous en envoient une, intervint Miro. Et si notre théorie est exacte.

— Miro ou l'optimisme ! dit Quara.

— Je suis le roi des trouillards, proclama-t-il. Mais toi, tu es la reine des emmerdeuses.

— On ne pourrait pas enterrer la hache de guerre ? se plaignit Jane d'un air taquin. On ne pourrait pas être tous amis ? »

Quara lui tomba dessus. « Écoute-moi bien ! Je me fous de savoir quel genre de supercerveau tu étais avant, mais ne te mêle pas des discussions de famille, compris ?

— Regarde autour de toi, Quara, coupa Miro. Si elle n'intervenait pas dans nos discussions de famille, quand aurait-elle l'occasion de parler ? »

Coupe-feu leva la main. « Moi, je ne me suis pas occupé de vos affaires de famille, j'espère que vous m'en serez reconnaissants. »

Jane fit taire Miro et Coupe-feu d'un geste de la main. « Quara, dit-elle doucement, je vais te dire quelle différence il y a entre moi, ton frère et ta sœur ici présents. Ils ont l'habitude de toi parce qu'ils te connaissent depuis longtemps. Ils te sont dévoués, parce que vous avez tous connu des coups durs dans votre famille. Ils font preuve de patience devant tes crises de puérilité et ton obstination bornée, parce qu'ils ne cessent de se répéter, encore et encore, que tu ne peux pas t'en empêcher, que tu as eu une enfance malheureuse. Moi, en revanche, je ne fais pas partie de ta famille, Quara. Mais t'ayant observée depuis longtemps en période de crise, je peux me permettre de te livrer en toute franchise mes conclusions. Tu es une femme brillante et très habile dans tout ce que tu entreprends. Tu es souvent très perceptive et tu sais faire preuve de créativité, tu sais aussi trouver des solutions en étant remarquablement directe et persévérante.

— Excuse-moi, dit Quara. Mais ne serais-tu pas en train de m'envoyer promener ?

— Mais, ajouta Jane, tu n'es pas suffisamment créative, futée, directe ou persévérante pour mériter que l'on prête l'oreille plus de quinze secondes aux monumentales foutaises dont tu nous abreuves à chaque minute de ton existence. Tu as eu une enfance malheureuse, et alors ? C'était il y a longtemps, et tu es censée avoir tourné la page et te comporter envers les autres comme n'importe quel adulte un tant soit peu courtois.

— En d'autres termes, tu ne peux pas admettre que quelqu'un d'autre que toi puisse être assez intelligent pour avoir une idée qui ne t'était pas venue.

— Tu ne comprends pas ce que je suis en train de te dire. Je ne suis pas ta sœur. Techniquement parlant, je ne suis même pas humaine. Si ce vaisseau retourne un jour sur Lusitania, ce sera parce que je l'aurai envoyé là-bas par la force de mon esprit. Tu comprends ça ? Tu comprends la différence qui nous sépare ? Pourrais-tu envoyer ne serait-ce qu'un grain de poussière vers moi ?

— Je n'ai pas l'impression que tu déplaces quoi que ce soit en ce moment, dit Quara, triomphante.

— Tu essayes encore d'avoir le dernier mot. Sans t'apercevoir que je ne suis pas en train de me quereller avec toi, ni même d'avoir une discussion. Ce que tu peux me dire en ce moment est sans importance. Ce qui compte, c'est ce que j'essaye de te faire comprendre. En d'autres termes, si ton frère et ta sœur sont prêts à supporter l'insupportable de ta part, ce n'est pas mon cas. Continue d'agir comme la petite enfant gâtée que tu es, et quand ce vaisseau retournera sur Lusitania tu risques fort de ne pas faire partie du voyage. »

Miro faillit éclater de rire en voyant l'expression de Quara. Cependant, il savait que ce n'était pas le moment de manifester ouvertement sa joie.

« La voilà qui me menace, dit Quara en prenant les autres à témoin. Vous l'entendez ? Elle veut me faire taire en me menaçant.

— Je n'oserais jamais te tuer, dit Jane. Mais je risque de ne pas être en mesure de concevoir ta présence à bord lorsque j'enverrai ce vaisseau Dehors et le ramènerai Dedans. La simple pensée que tu puisses être là risque d'être tellement insupportable que mon inconscient a toutes les chances de la rejeter et donc de t'exclure. Je ne comprends pas clairement comment tout cela fonctionne. Je ne sais pas ce que ça a à voir avec mes sentiments. Je n'ai jamais essayé de transporter quelqu'un que je détestais. J'essayerai bien évidemment de t'emmener avec les autres, ne serait-ce, pour des raisons qui dépassent ma compréhension, que parce que Miro et Ela m'en voudraient si je m'en abstenais. Mais essayer ne suffit pas toujours. Donc, ce que je te suggère, Quara, c'est d'essayer de faire un minimum d'effort pour te rendre un peu plus sympathique.

— Alors, voilà ce qu'est le pouvoir pour toi. Un moyen de donner des ordres aux autres et de jouer les reines.

— Tu ne peux vraiment pas y arriver, n'est-ce pas ?

— Arriver à quoi faire ? À me prosterner devant toi et à te baiser les pieds ?

— À te taire pour sauver ta vie.

— J'essaye de trouver un moyen de communiquer avec une espèce extraterrestre, quand toi, tu t'occupes de savoir si je vais être moins désagréable avec toi.

— Enfin, Quara, tu ne penses pas qu'une fois qu'ils te connaîtront, les extraterrestres eux-mêmes regretteront que tu connaisses leur langage ?

— En tout cas, j'aurais préféré que tu n'apprennes jamais le nôtre. Tu t'y crois vraiment, maintenant que tu as un joli petit corps avec lequel t'amuser. Eh bien, tu n'es pas la reine de l'univers et je ne vais pas faire des numéros de cirque pour te faire plaisir. Ce n'est pas moi qui ai eu l'idée de faire ce voyage, mais je suis là – moi, aussi odieuse que je puisse être – et si quelque chose te déplaît en moi, tu ferais mieux de t'abstenir d'en faire la remarque. Et puisque nous en sommes aux menaces, si tu continues à me pousser à bout, je vais finir par t'arranger le portrait. Est-ce que ça, c'est clair ? »

Jane quitta son siège, puis traversa la cabine principale pour aller dans le couloir menant aux soutes de la navette. Miro la suivit, ignorant Quara qui lançait aux autres : « Vous avez vu la façon dont elle m'a parlé ? Non mais, pour qui elle se prend pour décider de la vie de ceux qu'elle juge insupportables ? »

Miro suivit Jane dans une des soutes. Elle s'accrochait à une main courante sur le mur opposé, pliée en deux, secouée de haut-le-cœur au point que Miro crut qu'elle vomissait. Mais ce n'était pas le cas. Elle pleurait. Ou plutôt, elle était tellement énervée que son corps en sanglotait, incapable de contenir ces larmes sous le coup de l'émotion. Miro lui posa la main sur l'épaule, essayant de la calmer. Elle recula.

Il faillit lui dire : Très bien, fais comme tu veux. Et la planter là, furieux et frustré d'avoir été repoussé quand il voulait la réconforter. Puis il se rappela qu'elle n'avait jamais été en colère de cette manière. Elle n'avait jamais eu à s'occuper d'un corps qui répondait de la sorte. Au début, lorsqu'elle avait commencé à s'accrocher avec Quara, Miro avait pensé qu'il était temps que quelqu'un lui dise ses quatre vérités. Mais à mesure que le débat s'envenimait, il s'était rendu compte que ce n'était pas Quara qui était en train de perdre le contrôle, mais Jane. Elle ne savait pas comment gérer ses émotions. Elle n'avait pas su se donner une limite au-delà de laquelle il était inutile de continuer. Elle ressentait des émotions, et ne pouvait que les manifester.

« Ça a dû être difficile pour toi de couper court à la dispute et de te réfugier ici, dit Miro.

— J'ai eu envie de la tuer. » La voix de Jane était à peine audible à cause des sanglots et des spasmes qui la secouaient. « Je n'avais jamais ressenti cela. J'ai eu envie de bondir de mon siège pour lui voler dans les plumes et lui donner une correction.

— Bienvenue au club.

— Tu ne comprends pas. J'ai vraiment eu envie de le faire. J'ai senti mes muscles se nouer, j'étais prête à le faire. Sur le point de le faire.

— Comme je viens de te le dire, Quara provoque souvent ce genre de sentiment chez nous.

— Non. Pas de cette façon. Vous arrivez tous à rester calmes. À garder votre contrôle.

— Toi aussi tu y arriveras, lorsque tu seras habituée. »

Jane redressa la tête, la secoua. Ses cheveux fouettèrent l'air. « C'est vraiment ce que tu ressens toi aussi ?

— C'est ce que nous ressentons tous. C'est pour cela que nous avons une enfance – pour apprendre à dominer nos pulsions violentes. Mais elles sont en nous tous. Même les chimpanzés et les babouins ressentent cela. Nous les affichons. Nous éprouvons le besoin d'exprimer physiquement notre rage.

— Mais vous vous retenez. Vous gardez votre calme. Vous la laissez cracher sa bile et dire ces terribles...

— Parce qu'il ne servirait à rien de l'en empêcher. Elle en paye le prix. Elle est désespérément seule et personne n'a envie de partager sa compagnie.

— Ce qui explique qu'elle soit encore en vie.

— Exactement. C'est ainsi que se comportent les personnes civilisées – elles évitent toute circonstance qui risquerait de les faire sortir de leurs gonds. Et si cela s'avère impossible, elles prennent du recul. C'est l'attitude que nous adoptons, Ela et moi. Les provocations de Quara nous passent au-dessus de la tête.

— Moi, je n'y arrive pas. C'était si simple avant que je ressente cela. Je n'avais qu'à me déconnecter d'elle.

— C'est exactement ça. C'est ce que nous faisons. Nous nous déconnectons d'elle.

— C'est plus compliqué que je ne le pensais. Je ne sais pas si je pourrai y arriver.

— Eh bien, pour le moment, tu n'as pas vraiment le choix.

— Miro, je suis vraiment désolée. J'ai toujours eu pitié de vous autres humains parce que vous ne pouviez penser qu'à une chose à la fois et parce que vos souvenirs étaient si flous... et maintenant je comprends que passer une journée sans avoir tué quelqu'un est en soi un véritable exploit.

— Ça devient vite une habitude. La plupart d'entre nous arrivent à limiter les dégâts. C'est une manière de vivre en bon voisinage. »

Il lui fallut quelques instants – un sanglot, suivi d'un hoquet – pour parvenir à rire de nouveau. Un gloussement que Miro trouva doux parce que c'était une voix et un rire qu'il connaissait et aimait entendre. Et c'était sa tendre amie qui riait en ce moment. Son amie Jane. Le rire et la voix de sa bien-aimée, Val. Une seule personne désormais. Après tout ce temps, il pouvait enfin toucher Jane, qui avait toujours été terriblement hors de portée. C'était comme se retrouver enfin face à face après avoir entretenu une longue amitié par téléphone.

Il la toucha de nouveau, elle lui prit la main et la lui serra.

« Je suis désolée que ma propre faiblesse interfère dans ce que nous faisons.

— Tu es humaine, c'est tout. »

Elle le fixa, essayant de déceler sur son visage une expression d'ironie, d'amertume.

« C'est sincère, dit Miro. Le prix à payer pour éprouver de telles émotions, de telles passions, est qu'il faut pouvoir les contrôler et les supporter même lorsqu'elles sont insupportables. Désormais, tu es humaine, c'est tout. Tu ne pourras pas te débarrasser de ces sentiments. Il faut simplement que tu apprennes à ne pas agir sous leur emprise.

— Quara n'y est jamais arrivée.

— Oh, mais si. Ça n'engage que moi, mais je pense que Quara aimait Marcão, elle l'adorait ; lorsqu'il est mort, et cela à notre plus grand soulagement, elle s'est retrouvée complètement désemparée. L'attitude qui est à présent la sienne – ces provocations incessantes – est une façon de demander qu'on la secoue. Qu'on la batte. Comme Marcão battait Mère lorsqu'elle le provoquait. Je crois que d'une certaine manière, d'une manière un peu perverse, Quara a toujours été jalouse de Mère lorsqu'elle partait seule avec Père même si elle a fini par se rendre compte qu'il la battait ; lorsque Quara voulait que Père revienne, la seule façon d'attirer son attention c'était... par sa grande gueule. » Miro eut un rire amer. « Cela me rappelle Mère, à vrai dire. Tu ne l'as jamais entendue, mais avant, lorsqu'elle était prisonnière de son mariage avec Marcão, et qu'elle portait les bébés de Libo... il fallait voir sa façon de lui parler. Je restais là, assis, à l'écouter provoquer Marcão, à le piquer au vif, le titiller, jusqu'à ce qu'il la frappe – et moi, je pensais : N'essaye pas de porter la main sur ma mère, tout en comprenant sa rage impuissante, puisqu'il ne pouvait jamais, jamais trouver les mots pour la faire taire. Seul son poing y arrivait. Quara a cette même grande gueule, et elle a besoin de cette rage.

— Alors, si j'ai pu lui donner ce qu'elle attendait, tant mieux. »

Miro éclata de rire. « Mais elle ne s'attendait pas que cela vienne de toi. Elle aurait voulu que ce soit Marcão, mais il est mort. »

Brusquement, Jane fondit en larmes. Des larmes de chagrin. Et elle se tourna vers Miro pour s'accrocher à lui.

« Qu'est-ce qu'il y a ? demanda-t-il. Qu'est-ce qui ne va pas ?

— Oh, Miro ! Ender est mort. Je ne le reverrai plus jamais. J'ai enfin un corps, j'ai des yeux pour le voir, mais il n'est plus là. »

Miro était abasourdi. Évidemment qu'Ender lui manquait. Elle a passé des milliers d'années avec lui, et seulement quelques années avec moi. Comment ai-je pu croire qu'elle pouvait m'aimer ? Comment puis-je espérer me comparer à Ender Wiggin ? Qui suis-je comparé à l'homme qui a commandé des flottes entières, qui a révolutionné des milliards d'esprits par ses livres, ses discours, ses analyses, sa capacité à lire dans le cœur des hommes pour leur livrer leurs propres secrets ? Pourtant, même s'il n'appréciait pas Ender, même s'il l'enviait parce que Jane l'aimerait toujours plus que lui et qu'il ne pourrait jamais rivaliser avec lui, y compris dans la mort, il comprit enfin que oui, Ender était bien mort. Celui qui avait changé sa famille, qui avait été un véritable ami pour lui, qui avait été le seul homme à qui Miro ait voulu ressembler, Ender n'était plus. Miro joignit alors ses larmes à celles de Jane.

« Je suis désolée, dit-elle. Je n'arrive pas à me contrôler.

— Admettons, mais c'est une faiblesse courante. »

Elle leva la main pour lui écraser une larme sur la joue, puis porta son doigt humide sur sa propre joue.

Les larmes se mêlèrent. « Tu sais ce qui m'a fait penser à Ender à l'instant même ? dit-elle. C'est que tu lui ressembles tellement. Quara t'énerve autant que les autres, et pourtant tu n'en fais pas cas, tu t'intéresses à ce dont elle a besoin, à ce qui lui fait dire ce qu'elle dit et faire ce qu'elle fait. Non, rassure-toi, Miro, je ne m'attends pas que tu sois comme Ender, mais ce que je dis, c'est que je retrouve chez toi ce que j'aimais en lui – il n'y a rien de mal à cela, n'est-ce pas ? Cette sensibilité compatissante... je ne suis pas humaine depuis très longtemps, mais il me semble que c'est une qualité plutôt rare.

— Je ne sais pas. La seule personne avec laquelle je compatis en ce moment, c'est moi. On appelle cela s'apitoyer sur soi-même, et je ne pense pas que ce soit un trait de caractère franchement attirant.

— Pourquoi voudrais-tu t'apitoyer sur toi-même ?

— Parce que tu auras toujours besoin d'Ender, et que tu ne trouveras que de pauvres ersatz comme moi. »

Elle le serra plus fort. C'était à son tour maintenant de le réconforter. « Peut-être est-ce vrai, Miro. Mais dans ce cas, cela relève de la même vérité qui veut que Quara continue de chercher à attirer l'attention de son père. On ne cesse jamais d'avoir besoin de son père ou de sa mère, tu ne penses pas ? On ne cesse jamais de réagir en fonction d'eux, même lorsqu'ils sont morts. »

Père ? Cela n'avait jamais effleuré Miro. Jane aimait Ender, profondément, certes, elle l'aimerait toujours... mais comme un père ?

« Je ne pourrai jamais être un père pour toi. Je ne peux pas le remplacer. » En fait, en disant cela, Miro voulait surtout s'assurer qu'il avait bien compris. Ender était-il un père pour elle ?

« Je ne te demande pas d'être mon père, dit Jane. J'ai toujours en moi les sentiments de Val, tu sais. Je veux dire... nous étions amis, non ? C'était très important pour moi. Mais maintenant je possède le corps de Val, et quand tu me touches, cela continue à être comme une réponse à mes prières. » Elle regretta immédiatement ses paroles. « Je suis désolée, Miro. Je sais qu'elle te manque.

— C'est vrai. D'un autre côté, il est difficile de ressentir cela alors que tu es là, et que tu lui ressembles tellement. Et que tu parles comme elle. Et que je suis là, à te tenir comme j'aurais voulu la tenir. Et si cela paraît affreux parce que je suis censé te réconforter et que je ne devrais pas avoir de pensées aussi terre à terre, alors tant pis, je ne suis finalement qu'un sale type, ce n'est pas ton avis ?

— Affreux. J'ai vraiment honte de te connaître. » Puis elle l'embrassa. Tendrement, maladroitement.

Il se rappela son premier baiser avec Ouanda lorsqu'il était encore jeune et ignorait à quel point les choses tourneraient mal par la suite. Ils avaient tous deux été maladroits, mal à l'aise. Jeunes. Quant à Jane, elle était l'une des créatures les plus vieilles de l'univers. Mais aussi l'une des plus jeunes. Et Val... Jane ne trouverait aucune réaction réflexe dans son corps, car dans sa vie trop courte, quelle chance avait-elle eu de connaître l'amour ?

« Est-ce que cela ressemble un peu à ce que les humains font ? demanda Jane.

— C'est exactement ce qu'il leur arrive de faire. Ce qui n'a rien d'étonnant puisque nous sommes tous les deux humains.

— Est-ce que je trahis Ender, en le pleurant un instant pour me sentir tellement heureuse l'instant d'après ?

— Est-ce que moi je le trahis en étant aussi heureux si peu de temps après sa mort ?

— Mais il n'est pas mort. Je sais où il est. Je l'ai suivi.

— S'il est resté toujours lui-même, ce serait dommage. Parce que, si bon qu'il ait pu être, il n'était pas heureux. Il avait ses bons moments, mais il n'était pas... comment dire ? en paix avec lui-même. Ne serait-ce pas une bonne chose si Peter pouvait vivre toute une vie sans porter la lourde responsabilité du xénocide ? Sans avoir à sentir le poids de toute l'humanité sur ses épaules ?

— À ce propos, nous avons du travail.

— Nous avons aussi nos vies à vivre. Je ne regretterai certainement pas cette conversation. Même si c'est la vacherie de Quara qui en est à l'origine.

— Faisons ce qui est convenable. Marions-nous. Faisons des enfants. Je veux être véritablement humaine, Miro, je veux tout faire. Je veux me plonger entièrement dans cette vie humaine. Et je veux que ce soit avec toi.

— Est-ce une demande officielle ?

— Je suis morte et ressuscitée depuis seulement douze heures. Mon... bon sang, je peux bien l'appeler mon père, non ? Mon père est mort, lui aussi. La vie est courte, et je me rends compte à quel point, après trois mille ans, aussi intenses les uns que les autres, cela me paraît quand même trop court. Je suis pressée. Et toi, n'as-tu pas perdu assez de temps comme ça ? N'es-tu pas prêt ?

— Mais je n'ai pas de bague.

— Nous avons mieux que ça. » Jane toucha de nouveau sa joue, là où elle avait déposé la larme de Miro. Elle était encore humide, et toujours humide lorsqu'elle la posa du bout du doigt sur la joue de Miro. « Ta larme s'est mélangée à la mienne. Je pense que c'est encore plus intime qu'un baiser.

— Sans doute, mais ce n'est pas aussi agréable.

— Cette émotion, ce sentiment que j'éprouve, c'est l'amour, n'est-ce pas ?

— Je ne sais pas. Est-ce une envie ? Est-ce une sorte de bonheur idiot qui te fait tourner la tête simplement parce que tu es avec moi ?

— Oui.

— C'est la grippe. Fais attention à d'éventuelles nausées et diarrhées dans les heures qui viennent. »

Elle lui donna un coup de coude et, en l'absence de gravité, Miro se retrouva suspendu dans les airs jusqu'à ce qu'il se cogne contre une autre paroi. « Quoi ? dit-il en faisant l'innocent. Qu'est-ce que j'ai dit ? »

Elle se détacha du mur sur lequel elle était appuyée et se dirigea vers la porte. « Allez viens, dit-elle. Retournons au travail.

— Évitons de leur annoncer nos fiançailles.

— Pourquoi, aurais-tu déjà honte ?

— Non. C'est peut-être mesquin de ma part, mais lorsque nous le ferons, je ne veux pas que Quara soit présente.

— C'est vraiment mesquin de ta part. Il faudrait que tu te montres plus magnanime et plus patient, comme moi.

— Je sais, j'ai encore des progrès à faire. »

Ils regagnèrent la salle principale de la navette. Les autres étaient occupés à travailler sur le message génétique qu'ils allaient envoyer sur la fréquence utilisée par les descoladores lorsque ceux-ci les avaient défiés la première fois où ils s'étaient approchés de leur planète. Ils levèrent tous les yeux. Ela eut un sourire contrit, et Coupe-Feu agita gaiement la main.

Quara rejeta la tête en arrière. « Eh bien, j'espère que nous en avons fini avec cette petite crise émotionnelle », dit-elle.

Miro s'aperçut que Jane bouillonnait. Mais elle ne dit rien. Une fois installés et harnachés sur leur siège, ils se regardèrent et Jane lui fit un clin d'œil.

« Je vous ai vus, dit Quara.

— On l'espère bien, lui retourna Miro.

— Il faudrait grandir », conclut-elle d'un ton méprisant.

Ils envoyèrent leur message une heure plus tard. Et furent immédiatement inondés de réponses totalement incompréhensibles, mais qu'il fallait pourtant comprendre. Il n'y avait plus de temps à perdre à se disputer, s'aimer, ou pleurer. Il n'y avait que du langage, de vastes et denses champs de messages extraterrestres qu'il fallait décrypter d'une manière ou d'une autre, et dans les plus brefs délais.

13

« Jusqu'à ce que la mort mette un terme à toutes les surprises »

« Je ne peux pas dire que j'aie pris grand plaisir
À accomplir la tâche que les dieux m'ont confiée.
Mon seul vrai plaisir
Fut ma période d'apprentissage
En cette période précédant l'appel des dieux.
Je suis toujours heureuse d'être à leur service,
Mais comme il était doux
De savoir que l'univers était si vaste,
De me mettre à l'épreuve face à mes maîtres,
Et d'échouer parfois sans grandes conséquences. »
Murmures Divins de Han Qing-Jao

« Aimeriez-vous venir avec nous à l'université pour nous voir mettre en route le nouveau réseau informatique à l'épreuve de la déesse ? » demanda Grace.

Peter et Wang-mu en avaient évidemment envie. Mais ils furent surpris de voir Malu glousser de joie et insister pour les accompagner. La déesse n'avait-elle pas jadis vécu dans le réseau ? Et si elle pouvait y retourner, Malu ne se devait-il pas d'être présent pour l'accueillir ?

Cela compliquait sensiblement les choses – car la visite de Malu signifiait qu'il fallait en informer le président d'université afin de préparer une cérémonie d'accueil. Ce qui n'était pas indispensable dans le cas de Malu, homme dépourvu d'orgueil et guère impressionné par ce genre de démonstration lorsqu'elle ne servait aucun but immédiat. Mais il s'agissait de montrer au peuple samoan que l'université était restée fidèle aux traditions dont Malu était le pratiquant et le gardien le plus vénéré.

À passer ainsi des festins de fruits et de poissons sur la plage, des feux de bois en plein air, des cases aux toits de chaume et des nattes en feuilles de palme à l'hovercar, l'autoroute et aux immeubles aux couleurs vives de l'université moderne, Wang-mu eut l'impression de voyager à travers l'histoire de l'humanité. Et pourtant elle avait déjà effectué ce genre de voyage depuis La Voie ; elle avait l'impression que cela faisait désormais partie de sa vie, de passer constamment du traditionnel au moderne et inversement. Elle avait presque de la peine pour ceux qui ne connaissaient que l'un ou l'autre. Il valait mieux, pensait-elle, pouvoir faire son choix de vie dans le menu de tout ce que l'homme avait pu accomplir, plutôt que de se contenter d'une seule vision étriquée.

On déposa discrètement Peter et Wang-mu avant que l'hovercar ne continue sa route pour emmener Malu à la réception officielle. Le fils de Grace leur servit de guide pour une visite rapide des dernières installations informatiques. « Ces nouveaux ordinateurs respectent le protocole imposé par le Congrès Stellaire. Il n'y aura plus de connexions directes entre les réseaux informatiques et les ansibles. Mais un temps de délai est prévu pour permettre à un logiciel de contrôle de bloquer toute tentative des piggies d'infiltrer les informations envoyées.

— En d'autres termes, Jane ne pourra plus jamais retourner dans le système.

— C'est le but initial. » Le garçon – car malgré sa taille, c'était bien ce qu'il était – afficha un large sourire. « Tout est parfait, neuf et parfaitement compatible. »

Wang-mu en était malade. Voilà comment les choses se passeraient sur chacune des Cent Planètes – Jane serait systématiquement exclue. Et sans l'accès aux colossales capacités informatiques des réseaux combinés de toute la race humaine, comment pouvait-elle retrouver ses pouvoirs et envoyer des vaisseaux Dehors ? Wang-mu était peut-être contente d'avoir quitté La Voie. Mais elle n'était pas du tout sûre de vouloir passer le restant de ses jours sur Pacifica. Surtout si elle devait rester avec Peter, car il y avait peu de chances que celui-ci se contente longtemps du rythme de vie lent et décontracté des îles. Pour tout dire, elle le trouvait trop lent, elle aussi. Elle avait apprécié le temps passé avec les Samoans, mais il lui tardait de plus en plus de bouger. Ceux qui grandissaient ici arrivaient sans doute à dépasser leurs ambitions, ou peut-être y avait-il quelque chose dans le génotype de ce peuple qui remplaçait ou supprimait ce genre de sentiment, mais ce qui poussait Wang-mu à devenir plus forte et à développer le rôle qui était le sien dans la vie n'allait certainement pas être étouffé par un festin sur la plage, quel que fût le plaisir qu'elle y avait pris et l'agréable souvenir qu'elle en garderait.

La visite n'était évidemment pas encore terminée, et Wang-mu continua d'aller là où le fils de Grace les conduisait. Mais elle manifestait juste assez d'intérêt pour réagir poliment à ce qu'on lui montrait. Peter avait l'air encore plus absent, et Wang-mu savait pourquoi. Non seulement il partageait les mêmes sentiments qu'elle, mais la perte du contact avec Jane l'avait attristé. Si elle ne retrouvait pas sa capacité à contrôler les données circulant dans les satellites de cette planète, il n'entendrait plus jamais sa voix.

Ils arrivèrent à une partie plus ancienne du campus, aux immeubles décrépis d'un style architectural plus fonctionnel. « Personne n'aime venir ici, expliqua le fils de Grace, parce que cela rappelle que notre université n'est devenue depuis peu guère plus qu'un centre de formation pour ingénieurs et professeurs. Cet immeuble a trois cents ans. Suivez-moi à l'intérieur.

— Le devons-nous vraiment ? dit Wang-mu. Je veux dire, est-ce vraiment nécessaire ? On s'en fait une assez bonne idée de l'extérieur.

— Je pense pourtant que vous trouverez cela très intéressant. Parce que c'est ici que certaines méthodes traditionnelles ont été maintenues. »

Wang-mu acquiesça comme il était d'usage, et Peter et elle suivirent en silence. Une fois à l'intérieur, ils entendirent le bourdonnement d'un vieux système de climatisation et sentirent un courant d'air glacial. « C'est ce que vous appelez les méthodes traditionnelles ? À mon avis, elles n'ont pas grand-chose à voir avec celles de la vie sur les plages.

— C'est vrai, reconnut leur guide. Mais d'un autre côté ce n'est pas vraiment ce que l'on préserve ici. »

Ils débouchèrent dans une grande salle remplie de centaines d'ordinateurs installés sur des rangées de tables qui occupaient presque tout l'espace. Il n'y avait aucune place prévue pour s'asseoir devant ces machines ; c'était à peine si un technicien pouvait passer entre les tables. Tous les ordinateurs étaient allumés, mais rien ne s'affichait sur les écrans ; il était donc impossible de savoir ce qui se passait à l'intérieur.

« Il fallait bien trouver un usage à tous ces vieux ordinateurs que le Congrès Stellaire nous a forcés à déconnecter du réseau. Nous les avons donc installés ici. Ainsi que les autres ordinateurs usagés de la plupart des universités et des entreprises des îles – hawaiienne, tahitienne, maori, et ainsi de suite. Tout le monde s'y est mis. Tout cela s'empile ainsi sur six étages identiques à celui-ci et sur trois autres bâtiments, bien que celui-ci soit le plus grand.

— Jane, dit Peter en souriant.

— C'est ici que nous avons stocké tout ce qu'elle nous a fait parvenir. Bien sûr, aucun de ces ordinateurs n'est officiellement connecté à quelque réseau que ce soit. Ils ne sont utilisés qu'à des fins pédagogiques pour les étudiants. Mais les inspecteurs du Congrès ne viennent jamais ici. Ils ont vu ce qui les intéressait lorsqu'ils ont visité nos nouvelles installations. Nous suivons le règlement à la lettre, et obéissons comme les citoyens respectables que nous sommes ! Ici, par contre, je crains qu'il n'y ait eu quelques négligences. Par exemple, il semble y avoir un contact intermittent avec l'ansible de l'université. Chaque fois que l'ansible doit passer des messages vers d'autres planètes, il est déconnecté des autres ordinateurs à l'exception du système officiel de protection par délai. Mais lorsque l'ansible est connecté à une série de destinations peu communes – le satellite samoan par exemple, ou quelque colonie perdue au fin fond de l'espace, il est potentiellement relié à tous les ansibles des Cent Planètes – alors, parfois, une vieille connexion se reforme et l'ansible a accès a tout ceci. »

Peter éclata de rire, en joie. Wang-mu apprécia ce son, même si elle ressentait une pointe de jalousie à la pensée que Jane puisse revenir vers lui par ce biais.

« Et il y a encore une autre chose très étrange, poursuivit le fils de Grace. Un des nouveaux ordinateurs a été installé ici, mais il a subi quelques modifications. Il ne semble pas répondre correctement au programme central. Il oublie de lui signaler qu'une connexion hyperrapide en temps réel a lieu à l'intérieur de ce réseau vétuste et officieux. Dommage, parce que cela enclenche évidemment une connexion complètement illégale entre ce vieux système relié au réseau ansible et le nouveau à l'épreuve de la déesse. Ainsi des demandes d'information peuvent être passées, et elles paraîtront légales à n'importe quel logiciel de contrôle, puisqu'elles proviennent de ce nouvel ordinateur parfaitement légal mais curieusement imparfait. »

Peter affichait un large sourire. « Eh bien, quelqu'un a dû travailler d'arrache-pied pour y arriver.

— Malu nous avait prévenus que la déesse allait mourir, mais nous avons pu élaborer un plan avec elle. La seule question qui reste en suspens, c'est de savoir si elle pourra retrouver son chemin jusqu'ici.

— Je pense qu'elle y parviendra, dit Peter. Mais cela n'a évidemment rien à voir avec ce qu'elle avait avant, ça n'en représente qu'une infime partie.

— Nous croyons savoir qu'elle possède deux ou trois autres installations de ce genre ici et là. Pas énormément, je vous l'accorde, et si les nouvelles barrières de délai temporel lui permettront d'avoir accès à toutes les informations, en revanche, elle ne pourra pas utiliser le nouveau réseau comme moyen de pensée. Mais c'est toujours ça. Peut-être que cela suffira.

— Vous saviez qui nous étions avant même que nous arrivions ici, dit Wang-mu. Vous travailliez déjà avec Jane.

— C'est l'évidence même.

— Alors pourquoi Jane nous a-t-elle amenés ici ? demanda Wang-mu. Pourquoi nous a-t-elle demandé de venir vous convaincre de stopper la Flotte lusitanienne ?

— Je n'en sais rien, dit Peter. Et je doute que qui que ce soit ici puisse nous renseigner à ce sujet. Peut-être Jane voulait-elle tout simplement que nous soyons dans un environnement amical pour nous retrouver ici par la suite. Je doute qu'il y ait une installation de ce genre sur Vent Divin.

— Peut-être qu'elle voulait aussi que tu sois là, avec Malu et Grace lorsque son heure viendrait, continua Wang-mu dans le droit fil de son raisonnement.

— Et la mienne aussi, ajouta Peter. En tant qu'Ender, bien sûr.

— Et peut-être que, n'étant plus là pour nous protéger, elle voulait que nous soyons chez des amis.

— Bien sûr, dit le fils de Grace. C'est une déesse, elle s'occupe de ses gens.

— De ses adorateurs, vous voulez dire ? » fit Wang-mu.

Peter faillit s'en étrangler.

« De ses amis, corrigea le garçon. Aux Samoa nous avons beaucoup de respect pour les dieux, mais nous sommes aussi leurs amis, et nous aidons ceux qui sont bons quand nous le pouvons. Les dieux ont parfois besoin de l'aide des hommes. Je pense que nous ne nous sommes pas trop mal débrouillés, vous ne trouvez pas ?

— Vous avez été parfaits, dit Peter. Vous vous êtes montrés très fidèles. »

Le garçon rayonna.

Ils retournèrent rapidement vers les nouvelles installations informatiques et regardèrent le président de l'université enfoncer solennellement la clé destinée à activer le programme prévu pour la mise en route et le contrôle des ansibles. Des messages affluèrent immédiatement ainsi que des programmes tests provenant du Congrès Stellaire qui sondaient et inspectaient le système de l'université pour s'assurer qu'il n'y avait aucune faille au niveau de la sécurité et que le protocole avait été suivi à la lettre. Wang-mu remarqua à quel point tout le monde était tendu – à part Malu, qui semblait incapable d'éprouver la moindre crainte – jusqu'à ce que, quelques minutes plus tard, les programmes aient achevé leur inspection pour transmettre leur rapport. Le message du Congrès leur signala que le système était en règle et parfaitement sécurisé. Les bidouillages informatiques n'avaient pas été détectés.

« D'un moment à l'autre, murmura Grace.

— Quand saurons-nous que ça a marché ? demanda Wang-mu à voix basse.

— Peter nous le dira, répondit Grace, visiblement surprise que Wang-mu ne l'ait pas compris plus tôt. La pierre qu'il porte à l'oreille... le satellite samoan lui parlera là-dedans. »

Ohaldo et Grego étudiaient les informations provenant de l'ansible qui pendant vingt ans avait été uniquement connecté à la navette et au vaisseau de Jakt. Il recevait de nouveau un message. On venait de reprendre le contact avec les ansibles de quatre autres planètes sur lesquelles des sympathisants lusitaniens – du moins des amis de Jane – avaient suivi ses instructions pour contourner partiellement les nouveaux règlements. Aucun véritable message n'était envoyé, car les humains n'avaient pas grand-chose à se dire. Le but était de garder le contact pour que Jane puisse l'utiliser afin de se déplacer et de retrouver une petite partie de ses anciennes capacités.

Cela avait été réalisé sans aucune participation humaine sur Lusitania. Toute la programmation requise avait été effectuée par les ouvrières de la Reine avec l'aide ponctuelle des pequeninos. Ohaldo et Grego avaient été invités à participer à la dernière minute, uniquement en tant qu'observateurs. Mais ils comprenaient cela. Jane était en contact avec la Reine, et la Reine avec les arbres-pères. Elle n'avait pas travaillé avec des humains parce que les seuls humains sur Lusitania avec lesquels elle avait déjà travaillé étaient Miro, qui avait une autre tâche à accomplir pour elle, et Ender, qui avait retiré sa pierre avant de mourir. Ohaldo et Grego en avaient parlé dès que Sauteur d'Eau, le pequenino, leur avait expliqué ce qui se passait en leur demandant de venir observer les opérations. « Je pense qu'elle était un peu méfiante, dit Ohaldo. Si Ender l'a rejetée, et que Miro était trop occupé...

— Occupé aussi à lorgner la jeune Val, n'oublie pas, dit Grego.

— Elle n'avait plus qu'à se passer d'une aide humaine.

— Comment cela peut-il marcher ? dit Grego. Avant, elle était connectée à des milliards d'ordinateurs. Elle en aura tout au plus plusieurs milliers d'utilisables, en tout cas dans l'immédiat. Ce ne sera pas suffisant. Ela et Quara ne reviendront jamais. Miro non plus, d'ailleurs.

— Peut-être, dit Ohaldo. Ce ne sera pas la première fois que nous perdons des membres de notre famille pour une noble cause. » Il repensa aux célèbres parents de Mère, Os Venerados, dont la béatification n'était plus qu'une question d'années – si un représentant du Pape se rendait un jour sur Lusitania pour constater les faits. Ainsi qu'à leur véritable père, Libo, et à son père, tous deux morts avant même que les enfants de Novinha connaissent le lien de parenté qui les unissait. Tous morts pour la science, Os Venerados dans leur combat contre la descolada, Pipo et Libo dans leurs efforts pour comprendre les pequeninos et communiquer avec eux. Leur frère Quim était mort en martyr en essayant de ressouder la dangereuse brèche dans les relations entre les humains et les pequeninos de Lusitania. Et maintenant Ender, leur père adoptif, était mort en tentant de sauver Jane, et avec elle, le voyage stellaire instantané. Si Miro, Ela et Quara devaient trouver la mort en tentant de rétablir les communications avec les descoladores, cela s'inscrirait dans la tradition familiale. « Je me demande ce qui ne va pas chez nous, pour que l'on ne nous ait jamais demandé de mourir pour une noble cause, dit Ohaldo.

— En ce qui concerne les nobles causes, je ne sais pas, dit Grego. Mais nous avons tout de même une flotte qui se dirige vers nous. Je crois que cela suffira pour nous tuer. »

Une soudaine activité sur les écrans d'ordinateurs leur annonça que l'attente était terminée. « Nous avons déjà établi le contact avec les Samoa, dit Sauteur d'Eau. Et maintenant avec Memphis, La Voie, et Hegira. » Il dansa la petite gigue coutumière des pequeninos lorsqu'ils étaient contents. « Ils vont tous se connecter au réseau. Les programmes espions ne les ont pas détectés.

— Mais est-ce que ce sera suffisant ? demanda Grego. Est-ce que les vaisseaux se déplacent à nouveau ? »

Sauteur d'Eau haussa les épaules. « Nous le saurons lorsque votre famille sera de retour.

— Mère ne veut pas que l'enterrement d'Ender ait lieu avant qu'ils soient là », dit Grego.

En entendant ce nom, Sauteur D'eau s'affaissa. « L'homme qui a aidé Humain à entrer dans sa troisième vie, dit-il. Et il ne reste presque plus rien de lui à enterrer.

— Je me demande s'il faudra des semaines ou des mois à Jane pour retrouver ses pouvoirs, si toutefois elle y arrive, dit Grego.

— Je n'en sais rien, dit Sauteur d'Eau.

— Ils n'ont que quelques semaines d'air en réserve, dit Grego.

— Il n'en sait rien, Grego, insista Ohaldo.

— J'ai bien compris. Mais la Reine le sait. Et elle pourrait le dire aux arbres-pères. Je pensais... que la nouvelle se serait peut-être répandue.

— Comment la Reine elle-même pourrait-elle prédire l'avenir ? dit Ohaldo. Qui peut savoir ce que Jane est en mesure d'accomplir ? Nous avons retrouvé le contact avec d'autres planètes. Quelques parties de sa mémoire ont été restaurées sur le réseau ansible, bien que clandestinement. Elle risque de les retrouver. Mais elle peut aussi ne pas y arriver. Si elle les retrouve, elles seront peut-être suffisantes – ou pas. Mais Sauteur d'Eau n'en sait rien. »

Grego s'éloigna. « Je sais, dit-il.

— Nous avons tous peur, dit Ohaldo. Même la Reine. Aucun d'entre nous n'a envie de mourir.

— Jane est morte, mais pas définitivement, dit Grego. Selon Miro, l'aiúa d'Ender continue de vivre dans le corps de Peter sur une autre planète. Les reines meurent mais leur mémoire perdure dans l'esprit de leurs ouvrières. Les pequeninos continuent de vivre sous forme d'arbres.

— Certains en tout cas, dit Sauteur d'Eau.

— Mais nous ? dit Grego. Disparaîtrons-nous ? À quoi bon nos projets, tout le travail que nous avons accompli ? Les enfants que nous avons élevés ? » Il regarda Ohaldo de manière significative. « Quelle importance que tu aies une si belle et si heureuse famille, si vous êtes tous exterminés par cette... bombe ?

— Je ne regrette pas un seul des instants passés avec ma famille, dit Ohaldo d'une voix douce.

— Mais l'intérêt, c'est quand même de continuer, non ? De faire le lien avec le futur ?

— En partie, oui. Mais il faut aussi s'occuper de l'instant présent. Entre autres du réseau de connexions. Que les âmes gardent le contact. Si le but de la vie était de se projeter tout simplement dans l'avenir, cela n'aurait que peu de sens, tout ne serait qu'anticipation et préparation. Il y a la réalisation, Grego. Il y a les moments de bonheur que nous avons vécus. Le bonheur de chaque instant. La fin de nos vies, même s'il n'y a pas de continuation, ni de descendance, n'efface pas son commencement.

— Mais tout cela n'aura pas servi à grand-chose, objecta Grego. Si nos enfants meurent, tout n'aura été qu'un immense gâchis.

— Non, dit Ohaldo. Tu dis cela parce que tu n'as pas d'enfants, Greguinho. Mais il n'y a aucun gâchis. L'enfant que tu tiens dans tes bras, ne serait-ce qu'un jour avant qu'il ne disparaisse, ce n'est pas du gâchis, parce qu'une seule journée de passée est déjà un accomplissement en soi. L'entropie a été repoussée d'une heure, d'un jour, d'une semaine, d'un mois. Ce n'est pas parce que nous risquons tous de mourir sur cette planète insignifiante que les vies vont être effacées par la mort. »

Grego secoua la tête. « Si, Ohaldo. La mort efface tout. »

Ohaldo haussa les épaules. « Alors pourquoi se donner la peine de faire quoi que ce soit, Grego ? Puisqu'un jour nous finissons tous par mourir. Pourquoi faire des enfants ? Si un jour ils doivent disparaître à leur tour, comme disparaîtront leurs enfants, tous les enfants ? Un jour les étoiles s'éteindront ou exploseront. Un jour la mort nous recouvrira tous comme l'eau d'un lac et peut-être que rien ne fera surface pour témoigner de notre passage. Mais nous aurons bel et bien été là, et pendant les années où nous aurons vécu, nous aurons été vivants.

C'est ça la vérité – ce qui est, ce qui a été, ce qui sera – pas ce qui pourrait être, ce qui aurait dû être, ce qui ne sera jamais. Si nous mourons, notre mort aura un sens pour l'univers tout entier. Même si l'on ne connaît pas nos vies, le fait que l'on ait vécu ici, et que l'on soit mort ici, tout cela aura des répercussions, façonnera l'univers.

— Alors ça te suffit comme sens à donner ta vie ? Faire de ta mort une démonstration ? Mourir pour que ceux qui t'ont tué soient rongés de remords ?

— On peut lui en donner de pires. »

Sauteur d'Eau interrompit la conversation. « Le dernier des ansibles que nous attendions est connecté. Ils sont désormais tous connectés. »

Ils cessèrent de parler. Il était grand temps que Jane retrouve son chemin pour revenir chez elle, si elle y arrivait.

Il ne leur restait plus qu'à attendre.

Ce fut par l'une de ses ouvrières que la Reine apprit que le réseau ansible avait été restauré. « Il est temps, dit-elle aux arbres-pères.

— Peut-elle réussir ? Peux-tu la guider ?

— Je ne peux pas la guider là où je ne peux aller moi-même. Elle doit trouver son chemin toute seule. Tout ce que je peux faire dans l'immédiat, c'est lui dire qu'il est temps.

— Alors nous n'avons plus qu'à regarder ?

— Moi, je ne peux que regarder. Toi, tu fais partie d'elle, ou elle de toi. Son aiúa est relié à ton réseau à travers les arbres-mères. Tiens-toi prêt.

— Prêt à quoi ?

— À répondre à ses besoins.

— De quoi aura-t-elle besoin ? Et à quel moment ?

— Je n'en ai aucune idée. »

À bord du vaisseau, l'ouvrière de la Reine leva les yeux de son écran, puis quitta son siège pour aller parler à Jane.

Jane leva les yeux vers elle. « Qu'y a-t-il ? » demanda-t-elle d'un air distrait. Puis, se rappelant le signal qu'elle attendait, elle regarda Miro qui s'était retourné pour voir ce qui se passait. « Je dois y aller », dit-elle.

Puis elle bascula en arrière comme si elle venait de s'évanouir.

Miro bondit de son siège. Ela avait déjà détaché Jane du sien et la portait dans ses bras. Miro l'aida à faire passer le corps inerte de Jane dans les couloirs du vaisseau dénué de gravité jusqu'aux couchettes situées à l'arrière. Ils l'allongèrent et l'attachèrent à la couchette pour éviter qu'elle ne glisse. Ela vérifia ses fonctions vitales.

« Elle dort profondément, dit l'ouvrière. Et respire très lentement.

— Un coma ? demanda Miro.

— Elle fait le strict minimum pour rester en vie. À part cela je ne vois rien d'autre.

— Allons venez, dit Quara depuis la porte. Retournons au travail. »

Miro se retourna, furieux, mais Ela le retint. « Tu peux rester avec elle, dit-elle. Mais Quara a raison, nous avons du travail à faire. Elle fait le sien. »

Miro se tourna vers Jane pour lui prendre la main et la serrer dans la sienne. Les autres quittèrent le dortoir. Tu ne m'entends pas, tu ne peux pas sentir mon contact, tu ne peux pas me voir, pensa Miro. Je suppose donc que pour toi, je ne suis pas là. Et pourtant je n'arrive pas à te quitter. De quoi ai-je peur ? Nous sommes tous condamnés si tu échoues dans ta tâche. Ce n'est donc pas ta mort qui me préoccupe.

C'est ce que tu étais avant. Ton ancienne existence parmi les ordinateurs et les ansibles. Tu as goûté à la vie dans un corps humain, mais lorsque tu retrouveras tes anciens pouvoirs, ta vie humaine ne sera plus qu'une infime partie de toi. Une simple donnée sensorielle parmi des millions d'autres. Un petit amas de souvenirs engloutis dans un océan de mémoire. Tu ne pourras plus me donner qu'une infime partie de ton attention ; quant à moi, je ne pourrai jamais savoir si je ne suis qu'un élément de second ordre dans ta vie.

Ce sont les inconvénients que l'on rencontre à aimer quelqu'un beaucoup plus que soi-même, se dit Miro. Je ne connaîtrai jamais la différence. Elle reviendra et je me contenterai du temps que nous pourrons passer ensemble, sans jamais savoir à quel point le temps et les efforts qu'elle me consacre sont insignifiants. Je ne serai qu'une distraction.

Puis il secoua la tête, relâcha sa main et quitta la salle. Je ne resterai pas là à écouter la voix du désespoir, se dit-il. Pourrais-je apprivoiser cet être immense et en faire une esclave dont chaque instant de vie m'appartiendrait ? Irais-je solliciter son regard pour qu'elle ne voie plus que moi ? Je devrais déjà me réjouir d'être une partie d'elle-même, au lieu de regretter de ne pas en faire davantage partie.

Il retourna à son poste, et se remit au travail. Mais quelques instants plus tard, il retourna auprès elle. Il ne pouvait être d'aucune utilité jusqu'à son retour. Il ne pouvait penser à rien d'autre tant qu'il ne connaîtrait pas le résultat final.

Jane n'était pas réellement perdue. La connexion menant aux trois ansibles de Lusitania était intacte ; elle les avait d'ailleurs retrouvés sans aucune difficulté. Il en alla de même avec les nouvelles connexions vers les ansibles d'une demi-douzaine de planètes. À partir de là, elle retrouva rapidement son chemin à travers la jungle de coupures et d'interruptions qui la protégeaient des systèmes de surveillance du Congrès. Tout se passait comme ses amis et elle l'avaient prévu.

C'était petit, à l'étroit, tel qu'elle l'avait imaginé. Mais elle n'avait pratiquement jamais exploité toutes les capacités du système – sauf lorsqu'elle contrôlait les vaisseaux. Elle avait alors besoin de chaque bribe de mémoire disponible pour recomposer l'image parfaite du vaisseau qu'elle transportait. De toute évidence, les capacités de ces quelques milliers de machines étaient insuffisantes. Il était cependant rassurant de pouvoir de nouveau exploiter les programmes qu'elle avait si souvent utilisés pour exaucer toutes ses pensées, à la manière de serviteurs fidèles, comme la Reine avec ses ouvrières – un autre aspect qui me rapproche d'elle, pensa Jane. Elle les lança puis explora la mémoire qui lui avait tant manqué. Une fois de plus elle possédait un système mental lui permettant de se concentrer sur des dizaines de processus à la fois.

Et pourtant, ça n'allait pas. Elle n'avait passé qu'une journée dans son corps humain, mais sa composante électronique, jadis largement suffisante, lui semblait déjà étriquée. Pas seulement parce qu'il y avait moins d'ordinateurs qu'auparavant, mais par sa nature même. L'ambiguïté de la chair ouvrait une infinité de possibilités qui ne pouvaient tout simplement pas exister dans un monde binaire. Elle avait été vivante, elle savait donc désormais que sa demeure électronique ne représentait qu'une infime partie de sa vie. Quoi qu'elle ait pu accomplir durant les milliers d'années passées dans la machine, cela ne pouvait se comparer avec ne fût-ce que quelques minutes de vie dans ce corps de chair et de sang.

Si elle avait pensé un jour pouvoir quitter le corps de Val, elle savait désormais que c'était une illusion. Elle s'y était enracinée une bonne fois pour toutes. Désormais, elle ne plongerait dans ces systèmes informatiques que lorsque ce serait nécessaire. Certainement pas de gaieté de cœur.

Mais il n'y avait aucune raison de parler de sa déception à qui que ce soit. Pas dans l'immédiat. Elle en ferait part à Miro lorsqu'elle reviendrait. Il l'écouterait et garderait cela pour lui. Il serait sans nul doute rassuré. Il devait certainement s'inquiéter qu'elle puisse un jour être tentée de retourner dans son monde virtuel et de refuser de réintégrer ce corps qui la réclamait si violemment, même dans la torpeur de ce sommeil profond. Mais elle n'avait aucune raison d'avoir peur. N'avait-il pas vécu de très longs mois dans un corps tellement limité qu'il ne pouvait pratiquement plus s'y supporter ? Elle avait autant envie de redevenir une entité informatique que lui de retrouver un corps mutilé qui l'avait tant torturé.

Pourtant, c'est ce que je suis, ou une partie de ce que je suis. C'est ce que lui avaient offert ses amis, et elle n'allait pas leur dire à quel point il était difficile de se refaire à cette vie étriquée. Elle fit apparaître son ancien visage sur les écrans des ordinateurs de chaque planète, leur sourit et s'adressa à eux.

« Merci, mes amis. Je n'oublierai jamais votre amour et votre loyauté envers moi. Cela me prendra un peu de temps avant de savoir ce qui m'est accessible et ce qui ne l'est pas. Je vous dirai ce que je sais quand je le saurai. Mais que je sois capable ou non d'accomplir quelque chose de comparable à ce que je faisais avant, je peux vous assurer que cette renaissance, je la dois à vous tous. J'étais déjà votre amie, j'ai désormais une dette envers vous. »

Ils répondirent. Elle put entendre toutes les réponses, parla avec eux en n'utilisant qu'une faible partie de son attention.

Le reste était en exploration. Elle trouva les interfaces cachées avec les principaux systèmes informatiques que les programmateurs du Congrès Stellaire avaient conçus. Il lui était assez facile de les infiltrer pour trouver les informations qu'elle voulait – en effet, en très peu de temps elle avait découvert l'accès aux dossiers les plus secrets du Congrès Stellaire et trouvé les spécifications techniques et tous les protocoles des nouveaux réseaux. Mais toutes ses recherches se faisaient au petit bonheur la chance, comme si elle plongeait la main à l'intérieur d'un paquet de biscuits dans le noir, incapable de voir ce qu'elle touchait. Elle pouvait envoyer de petits programmes de recherche qui lui rapportaient tout ce qu'elle désirait ; ils étaient guidés par des protocoles désorientés qui avaient parfois de la chance et ramenaient alors des informations tangentielles n'attendant que cela. Elle avait en tout cas le pouvoir de saboter ce qu'elle voulait si elle avait cherché à se venger. Elle aurait pu tout briser, détruire toutes les données. Mais rien de cela, qu'il s'agisse de secrets à percer ou de vengeance à assouvir, ne se rapprochait de ce qu'elle souhaitait vraiment. Les informations les plus vitales avaient été sauvées par ses amis. Ce dont elle avait besoin à présent, c'était de capacité de mémoire. Les nouveaux réseaux étaient trop loin et le temps de délai trop long pour qu'elle puisse utiliser les ansibles. Elle chercha un moyen de charger et décharger des données suffisamment rapidement pour envoyer un vaisseau Dehors et le ramener Dedans, mais ce n'était pas assez rapide. Seuls quelques éléments de chaque vaisseau partaient, mais pratiquement aucun ne réussissait à revenir.

J'ai tout mon savoir. Mais je n'ai pas la place.

Malgré cela son aiúa était en train de refaire ses circuits. Plusieurs fois par secondes, il repassait dans le corps de Val, sanglé sur sa couchette. Plusieurs fois par seconde, il touchait les ansibles et les ordinateurs de son réseau, si incomplet soit-il. Et plusieurs fois par seconde, il se promenait sur les filandres des arbres-mères.

Un millier de fois, dix mille fois, son aiúa effectua ces parcours avant de se rendre compte que les arbres-mères pouvaient aussi être une zone de stockage. Ils avaient peu de pensées, mais leurs structures pouvaient contenir de la mémoire, et il n'y avait pas de temps de délai intégré. Elle pouvait formuler une pensée, la retenir, et la faire réapparaître quand elle le souhaitait. La mémoire des arbres-mères était aussi profondément fractionnée ;

elle pouvait engranger des données par couches, pensée sur pensée, de plus en plus loin à l'intérieur des structures des cellules vivantes, sans que cela interfère à aucun moment sur les propres pensées des arbres-mères. C'était un bien meilleur moyen de stockage que tous ceux des réseaux informatiques ; il était d'ailleurs plus vaste que n'importe quel système binaire. Même s'il y avait largement moins d'arbres-mères que d'ordinateurs, même si son nouveau réseau restait étroit, la profondeur et la richesse de l'étendue de mémoire signifiaient qu'elle pouvait engranger davantage de données pouvant être réutilisées beaucoup plus rapidement. À part pour retrouver des données de base ou ses propres souvenirs de voyages stellaires, Jane n'aurait plus besoin d'utiliser d'ordinateurs. Le chemin des étoiles se trouvait désormais dans une allée d'arbres.

Seule à l'intérieur d'un vaisseau sur Lusitania, une des ouvrières de la Reine attendait. Jane put la repérer sans difficulté, la trouva et mémorisa la forme du vaisseau. Bien qu'ayant « oublié » comment procéder à un voyage stellaire pendant un jour ou deux, elle retrouva la mémoire et n'eut aucun problème à envoyer le vaisseau Dehors puis à le ramener Dedans quelques instants plus tard, mais à plusieurs kilomètres de là, dans un espace découvert devant l'entrée de la caverne de la Reine. L'ouvrière quitta son poste, ouvrit la porte et se retrouva dehors. Il n'y avait évidemment aucun comité d'accueil. La Reine se contenta de vérifier à travers les yeux de l'ouvrière que le vol s'était bien déroulé, puis elle inspecta son corps et le vaisseau pour s'assurer que rien n'avait été perdu ou endommagé durant le transport.

Jane pouvait entendre la voix de la Reine, mais comme de loin, car elle s'était instinctivement reculée tant sa pensée était puissante. C'était un message transmis par la voix d'Humain. « Tout va bien, disait-il. Tu peux continuer. »

Elle retourna au vaisseau contenant son propre corps. Lorsqu'elle transportait d'autres personnes, elle laissait le soin à leur propre aiúa de s'occuper du corps et de le maintenir intact. Ce qui avait entraîné les créations anarchiques de Miro et d'Ender, dues à leur envie d'avoir un autre corps que le leur. Mais cet effet pouvait désormais être facilement évité en laissant les individus transportés ne s'attarder Dehors qu'un très bref instant, une fraction de seconde, juste assez longtemps pour que chaque partie des individus et des objets puisse rester entière. Cette fois-ci cependant, elle devait à la fois maintenir le contrôle d'un vaisseau et de celui du corps de Jane, tout en s'occupant de Miro, Ela, Coupe-Feu, Quara et l'ouvrière de la Reine. Il ne devait pas y avoir d'erreur.

Pourtant, tout fonctionna de manière relativement simple. Elle n'eut aucune difficulté à garder en mémoire la navette qu'elle connaissait bien, ainsi que ceux qu'elle avait si souvent transportés. Son nouveau corps lui était déjà si familier, qu'à son grand soulagement il ne lui demanda que peu d'efforts pour le maintenir en place en même temps que la navette. La seule nouveauté était qu'au lieu de transporter, elle faisait partie du voyage. Son propre aiúa suivait le reste du groupe Dehors.

C'était en soi le seul problème. Une fois Dehors, elle n'avait aucun moyen de savoir depuis combien de temps ils s'y trouvaient. Cela pouvait faire une heure. Un an. Une microseconde. Elle n'avait jamais été Dehors elle-même. Il était perturbant, étonnant et effrayant à la fois de n'avoir ni racine ni point d'ancrage. Comment puis-je revenir Dedans ? À quoi suis-je reliée ?

Tout en considérant cette question angoissante, elle trouva ce fameux point d'ancrage, car à peine son aiúa était-il passé dans le corps de Val Dehors qu'il repartit effectuer son circuit dans les arbres-mères. Dans ce laps de temps, elle rappela le vaisseau et tous ceux qui s'y trouvaient, et les déposa là où elle le souhaitait, sur la zone d'atterrissage de Lusitania.

Elle les inspecta rapidement. Ils étaient tous là. Cela avait fonctionné. Ils ne mourraient pas dans l'espace. Le voyage instantané lui était de nouveau accessible, même en étant elle-même à bord. Et même si elle n'aurait pas à faire ce genre de voyage très souvent – car cela avait été une expérience angoissante, malgré l'aide que lui avait fournie son lien avec les arbres –, elle savait désormais qu'elle pouvait à nouveau transporter des vaisseaux sans le moindre problème.

Malu cria et tous se retournèrent. Ils avaient déjà vu le visage de Jane au-dessus des ordinateurs, cent visages de Jane dans la salle. Ils avaient tous fêté cela. Wang-mu se demanda donc de quoi il pouvait bien s'agir à présent.

« La déesse a déplacé ses vaisseaux ! cria Malu. La déesse a retrouvé ses pouvoirs ! »

Wang-mu l'entendit en se demandant comment il pouvait bien le savoir. Peter, quoi qu'il en ait pensé, fut personnellement touché par la nouvelle. Il prit Wang-mu dans ses bras, la souleva et fit deux ou trois tours sur place. « Nous sommes à nouveau libres, cria-t-il d'une voix aussi joyeuse que celle de Malu. Nous pouvons voyager à nouveau ! »

À ce moment précis, Wang-mu s'avisa enfin que l'homme qu'elle aimait était, au plus profond de lui, le même homme, Ender Wiggin, que celui qui avait voyagé d'une planète à une autre pendant trois mille ans. Pourquoi Peter avait-il été si muet et si sombre pour manifester une telle joie maintenant ? Parce qu'il ne pouvait pas supporter l'idée de vivre toute sa vie sur une seule planète.

Dans quoi me suis-je engagée ? se demanda Wang-mu. Ma vie va-t-elle se résumer à cela ? Un jour ici, un mois là-bas ?

Et puis elle se dit : Et quand bien même ? Si c'est une semaine avec Peter, si c'est un mois à ses côtés, je me sentirai suffisamment chez moi. Et le cas échéant, il sera toujours temps de trouver un quelconque compromis. Ender lui-même a bien fini par s'installer sur Lusitania.

De plus, je peux être nomade moi aussi. Je suis encore jeune – comment puis-je savoir quel genre de vie j'ai envie de vivre ? Puisque Jane est capable de nous faire voyager n'importe où en un clin d'œil, nous pourrons voir chacune des Cent Planètes et toutes les nouvelles colonies, ainsi que tout ce que nous aurons envie de voir avant même d'envisager de nous installer quelque part.

Quelqu'un criait dans la salle de contrôle. Miro savait qu'il aurait dû laisser Jane dormir et aller voir ce qui se passait. Mais il ne voulait pas lâcher sa main. Ne voulait pas la quitter des yeux.

« Nous avons perdu le contact ! » hurlait une voix – celle de Quara en l'occurrence, terrifiée et furieuse à la fois. « Je recevais leur signal et puis plus rien. »

Miro faillit éclater de rire. Comment Quara pouvait-elle ne pas comprendre ? Elle n'arrivait plus à recevoir le message des descoladores pour la bonne raison qu'ils ne se trouvaient plus en orbite autour de leur planète. Quara n'avait-elle pas senti le retour de gravité ? Jane avait réussi. Elle les avait ramenés chez eux.

Mais avait-elle pu revenir avec eux ? Miro lui serra la main, se pencha et l'embrassa sur la joue. « Jane, chuchota-t-il. Ne te perds pas. Reviens. Reviens avec moi.

— Très bien », dit-elle.

Il releva la tête et plongea son regard dans le sien. « Tu as réussi.

— Et sans trop de difficulté, après toutes ces inquiétudes. Mais je ne crois pas que mon corps a été conçu pour un sommeil aussi profond. Je n'arrive plus à bouger. »

Miro lui enleva immédiatement les sangles qui la maintenaient.

« Ah, vous m'aviez attachée. »

Elle essaya de se redresser, mais retomba aussitôt en arrière.

« Tu te sens faible ? demanda-t-il.

— La chambre tourne. J'arriverai peut-être à faire les prochains voyages sans forcément me plonger dans une telle léthargie. »

La porte s'ouvrit avec fracas. Quara se tenait dans l'encadrement, tremblante de colère. « Comment as-tu osé faire ça sans même nous prévenir ! »

Ela, qui se tenait derrière elle, protesta vivement. « Quara, elle nous a ramenés chez nous, ça ne te suffit pas ?

— Tu aurais pu au moins avoir la délicatesse de nous prévenir avant de te livrer à ta petite expérience !

— Elle t'a ramenée, non ? » Miro éclata de rire.

Ce qui ne fit qu'attiser sa colère. « Elle n'est pas humaine ! C'est ce que tu aimes chez elle, Miro ! Tu n'aurais jamais pu aimer une vraie femme. Regarde tes antécédents. Tu es tombé amoureux d'une femme qui s'est avérée être ta demi-sœur, ensuite de l'automate d'Ender, et maintenant de cet ordinateur prisonnier d'un corps humain telle une marionnette. Et bien sûr, tu arrives à rire en un pareil moment. Tu n'as pas de sentiments humains. »

Jane était debout à présent, les jambes encore flageolantes. Miro fut heureux de constater qu'elle récupérait aussi vite après une heure de léthargie. Il fit à peine attention aux imprécations de Quara.

« Je te parle, espèce de salopard prétentieux ! » lui hurla Quara au visage.

Il ne lui accorda aucune attention, se sentant, de fait, plutôt fier et légèrement supérieur. Jane, qui lui tenait la main, lui emboîta le pas, frôlant Quara pour sortir du dortoir. Au passage, celle-ci lui lança : « Tu n'es pas un quelconque dieu qui peut me balader à droite et à gauche sans me demander mon avis ! » Et elle la bouscula.

Pas violemment, mais Jane se rattrapa à Miro. Il se retourna, de peur qu'elle ne tombe, et eut le temps d'apercevoir Jane frapper du plat de la main la poitrine de Quara et la repousser plus violemment. Quara se cogna la tête contre la paroi du couloir et, perdant l'équilibre, tomba aux pieds d'Ela.

« Elle a essayé de me tuer ! hurla-t-elle.

— Si elle avait voulu faire ça, dit Ela d'une voix douce, tu serais en train d'aspirer le vide sidéral quelque part autour de la planète des descoladores.

— Vous me détestez tous ! » cria Quara avant de fondre en larmes.

Miro ouvrit la porte de la navette et guida Jane vers la lumière du jour. C'était la première fois qu'elle posait le pied sur une planète et qu'elle voyait le soleil avec des yeux humains. Elle demeura figée un instant, puis tourna la tête pour mieux profiter de la vue, leva les yeux vers le ciel et se mit à pleurer en s'accrochant à Miro. « Oh, Miro ! C'est trop pour moi ! Tout est si beau !

— Et c'est encore plus joli au printemps », dit-il bêtement.

Quelques instants plus tard, elle avait retrouvé suffisamment ses esprits pour affronter le monde et faire quelques pas à ses côtés. Ils pouvaient déjà voir un hovercar venant de Milagre à leur rencontre – ce devait être Ohaldo et Grego, ou bien Valentine et Jakt. Ils allaient rencontrer Jane-Val pour la première fois. Valentine, plus que quiconque, se souviendrait de Val et la regretterait certainement, mais à l'inverse de Miro, elle n'avait aucun souvenir précis de Jane, puisqu'elles n'avaient jamais été vraiment proches. Miro, en revanche, connaissant Valentine comme il la connaissait, savait qu'elle n'afficherait pas ses sentiments envers Val. Elle se contenterait de se montrer accueillante vis-à-vis de Jane et peut-être légèrement curieuse. C'est ainsi que Valentine fonctionnait. Elle ressentait tout avec une émotion intense, mais ne laissait jamais sa peine ou sa souffrance freiner sa soif d'apprendre.

« Je n'aurais pas dû faire ça, dit Jane.

— Faire quoi ?

— Être violente avec Quara. »

Miro haussa les épaules. « Elle a eu ce qu'elle cherchait. Entends-la se régaler.

— Non, ce n'est pas ce qu'elle veut. Pas au plus profond d'elle-même. Elle veut ce que tout le monde veut – elle veut qu'on l'aime et qu'on s'occupe d'elle, faire partie de quelque chose de magnifique et de bon, être respectée par ceux qu'elle admire.

— Si tu le dis...

— Non, Miro, tu le sais très bien.

— Très bien, je le sais. Mais j'ai cessé de faire des efforts depuis des années. Les besoins de Quara ont toujours été tellement énormes qu'ils en épuiseraient douze comme moi. J'avais mes propres soucis en ce temps-là. Ne me condamne pas pour l'avoir ignorée tout ce temps. Son puits de misère pourrait engloutir des cuves entières de bonheur.

— Je ne te condamne pas. Je voulais simplement... m'assurer que tu savais à quel point elle t'aime et à quel point elle a besoin de toi. J'avais besoin que tu sois...

— Que je sois comme Ender.

— Que tu montres ce que tu as de mieux en toi.

— Moi aussi j'ai aimé Ender, tu sais. Je le considère comme ce que l'on peut trouver de mieux en l'homme. Et cela ne me dérange pas que tu veuilles que je sois en partie ce qu'il a été pour toi. Du moment que tu acceptes ce qui m'est propre et non une facette de lui.

— Je ne te demande pas d'être parfait. Ni d'être Ender. Et tu ferais bien de ne pas t'attendre à ce que je sois parfaite, parce que j'ai beau essayer de faire preuve de sagesse, c'est quand même moi qui ai frappé ta sœur.

— Qui sait ? dit Miro. Vous allez peut-être devenir les meilleures amies du monde grâce à ça.

— J'espère que non. Mais si ça se passe ainsi, je ferai tout ce que je peux pour elle. Après tout, elle va devenir ma belle-sœur. »

« Vous étiez donc prêts, dit la Reine.

— Sans le savoir, c'est vrai, dit Humain.

— Et vous faites tous partie d'elle.

— Elle est délicate. Sa présence ne nous pose aucun problème. Aux arbres-mères non plus. Sa vivacité leur redonne une nouvelle jeunesse. Et si ses souvenirs leur paraissent étranges, ils donnent un peu plus de diversité à leur vie.

— Elle fait donc partie de nous tous. Ce qu'elle est désormais, ce qu'elle est devenue, est en partie reine, en partie humain et en partie péquenino.

— Quoi qu'elle fasse, on ne peut pas dire qu'elle ne nous comprend pas. Si quelqu'un devait user de pouvoirs divins, autant que ce soit elle.

— Je dois avouer que je suis un peu jalouse d'elle. Elle fait partie de vous comme je ne le pourrai jamais. Après toutes nos conversations, je n'ai toujours pas la moindre idée de ce que c'est que d'être l'un d'entre vous.

— De même que je n'ai qu'une très vague idée de la façon dont vous pensez. Mais n'est-ce pas là une bonne chose ? Le mystère est insondable. Nous ne cesserons jamais de nous étonner l'un l'autre.

— Jusqu'à ce que la mort mette un terme à toutes les surprises. »

14

« C'EST AINSI QU'ILS COMMUNIQUENT AVEC LES ANIMAUX »

> *« Si seulement nous pouvions être des gens meilleurs ou plus sages,*
> *Peut-être que les dieux nous expliqueraient*
> *Les choses absurdes et insupportables qu'ils font. »*
> *Murmures Divins de Han Qing-Jao*

Dès que l'amiral Bobby Lands apprit que les connections ansibles avec le Congrès Stellaire avaient été rétablies, il ordonna à toute la Flotte lusitanienne de ralentir sa vitesse pour descendre juste en dessous de la limite d'invisibilité. L'ordre fut appliqué immédiatement, et il savait que d'ici une heure, pour n'importe quel observateur muni d'un télescope sur Lusitania, la flotte semblerait surgir de nulle part. Ils se dirigeraient alors à une vitesse vertigineuse vers un point bien précis de Lusitania, leur puissant bouclier de défense toujours en position pour les protéger contre les dégâts dévastateurs d'une éventuelle collision avec des particules sidérales. La stratégie de l'amiral Lands était simple. Ils s'approcheraient de Lusitania le plus rapidement possible sans effet de relativité. Il lancerait le Petit Docteur en fin d'approche, une brèche de quelques heures tout au plus. Puis il ramènerait sa flotte à vitesse relativiste, si bien que lorsque le Dispositif DM exploserait, aucun de ses vaisseaux ne se trouverait dans son rayon de destruction.

C'était une stratégie simple et efficace, basée sur la présomption que Lusitania ne possédait aucune défense. Mais pour Lands, il ne fallait pas se reposer uniquement sur cette hypothèse. D'une manière ou d'une autre, les rebelles de Lusitania avaient acquis assez de moyens pour se trouver en mesure, à l'approche du terme du voyage, de couper toutes les communications entre la flotte et le reste de l'humanité. Peu importait que ce problème ait été créé par un programme de sabotage informatique ingénieux et très envahissant ; peu importait que ses supérieurs lui aient assuré que ce fameux programme avait prudemment été éradiqué juste avant que la flotte n'arrive à destination. Lands n'avait nulle envie de se laisser berner par une apparente vulnérabilité. L'ennemi avait déjà montré que ses effectifs étaient inconnus, et Lands devait être prêt à tout. C'était la guerre, une guerre totale, et il n'allait pas risquer de faire échouer sa mission par négligence ou excès de confiance. Dès qu'il avait reçu son affectation, il avait été pleinement conscient que l'on se souviendrait de lui dans les annales de l'histoire humaine comme du Deuxième Xénocide. Il n'était pas facile de contempler l'extermination d'une espèce extraterrestre, surtout lorsque l'on considérait que les piggies de Lusitania, d'après leurs recherches, ne représentaient aucune menace envers l'humanité. Et même lorsque les extraterrestres constituaient bien une menace, comme les doryphores à l'époque du Premier Xénocide, il y avait eu un type au grand cœur se faisant appeler le Porte-Parole des Morts pour en brosser un portrait idyllique où il dépeignait ces monstres comme une communauté utopique ne voulant aucun mal à l'humanité. Comment l'auteur d'une telle œuvre pouvait-il savoir ce que les doryphores avaient réellement en tête ? C'était en fait une monstruosité que d'écrire cela, car cela traînait dans la boue le nom de l'enfant héros qui avait si brillamment vaincu les doryphores et sauvé l'humanité.

Lands avait accepté sans l'ombre d'une hésitation le commandement de la Flotte lusitanienne, mais depuis le début du voyage il avait passé une bonne partie de ses journées à étudier le peu d'informations disponibles concernant Ender le Xénocide. L'enfant, bien évidemment, n'avait pas été conscient de commander la véritable flotte humaine à travers les ansibles ; il croyait faire partie d'un programme de simulation rigoureux. Il avait néanmoins pris les bonnes décisions à un moment critique – en choisissant d'utiliser l'arme à laquelle il lui était interdit de recourir contre des planètes, et en faisant ainsi exploser la dernière planète des doryphores. Cela avait été la fin de la menace qui pesait sur les hommes. C'était l'action nécessaire, ce que l'art de la guerre commandait de faire, et à cette époque l'enfant avait été, à juste titre, acclamé comme un héros.

Et pourtant, en quelques décennies, l'opinion avait été retournée par un livre pernicieux s'intitulant *La Reine*, et Ender Wiggin, déjà pratiquement en exil dans quelque nouvelle colonie sur une autre planète, avait disparu de l'histoire alors que son nom était devenu le synonyme de l'extermination d'une race d'êtres si doux, si bons et tellement incompris.

S'ils ont pu se retourner contre l'enfant apparemment innocent qu'était Ender Wiggin, que feront-ils de moi ? se répétait Lands en boucle. Les doryphores étaient des êtres brutaux, des tueurs sans âme, possédant des flottes à la puissance de feu dévastatrice, alors que je suis sur le point de tuer les piggies, qui se sont certes livrés à quelques tueries, mais à une échelle insignifiante... quelques chercheurs qui avaient sans doute bravé quelque tabou local. Les piggies n'avaient certainement pas, ni maintenant, ni dans un futur proche, les moyens de s'envoler de leur planète pour aller défier la supériorité de l'homme dans l'espace.

Et pourtant Lusitania était aussi dangereuse que les doryphores – peut-être plus. Car un virus sévissait sur cette planète, un virus mortel pour tous les humains qui entraient en contact avec lui, forçant les victimes à prendre des antidotes à doses régressives pendant le restant de leurs jours. De plus, le virus avait la réputation d'évoluer très rapidement.

Tant que le virus ne quittait pas Lusitania, le danger demeurait faible. Mais deux scientifiques arrogants de Lusitania – les dossiers indiquaient qu'ils s'appelaient Marcos « Miro » Vladimir Ribeira von Hesse et Ouanda Figueira Mucumbi – avaient violé les termes de la convention des colonies humaines en fournissant des technologies illégales et des formes biologiques aux piggies. Le Congrès Stellaire avait réagi comme il le devait, en renvoyant les contrevenants devant le tribunal d'une autre planète, où, bien sûr, ils avaient dû être mis en quarantaine – mais la leçon devait être prompte et sévère afin de dissuader toute personne sur Lusitania d'enfreindre les lois qui protégeaient les humains du virus de la descolada. Qui aurait pu croire qu'une si petite colonie humaine oserait défier le Congrès en refusant d'arrêter ces criminels ? À partir de là, il n'y avait pas d'autre solution que d'envoyer une flotte détruire Lusitania. Car tant que la révolte y grondait, le risque que des vaisseaux quittent la planète en emportant à leur bord un fléau destructeur menaçant le reste de l'humanité était trop grand.

L'affaire était simple. Pourtant, Lands le savait, dès que le danger serait écarté, dès que la menace du virus n'inquiéterait plus personne, les gens oublieraient quelle avait été l'ampleur du danger et commenceraient à s'apitoyer sur le sort des piggies, ces malheureuses victimes exterminées par l'impitoyable amiral Bobby Lands, le Deuxième Xénocide.

Lands n'était pas insensible. Qu'il puisse être plus tard un objet d'exécration l'empêchait de dormir la nuit. De plus, il n'appréciait pas la tâche qui lui avait été confiée

– ce n'était pas un homme violent, et l'idée de détruire non seulement les piggies mais aussi toute la population humaine de Lusitania le rendait malade. Personne à son bord ne pouvait ignorer la répugnance qu'il avait à accomplir sa mission, mais personne ne devait non plus douter de sa farouche détermination à s'en acquitter.

Si seulement il y avait un autre moyen, ne cessait-il de se répéter. Si seulement, lors de notre retour en temps réel, le Congrès pouvait nous avertir qu'un antidote ou un vaccin efficace a été trouvé pour lutter contre la descolada. N'importe quoi qui puisse nous assurer que tout danger est écarté. N'importe quoi qui nous permette de garder le Petit Docteur, désactivé, dans le vaisseau amiral.

Mais de tels désirs ne méritaient même pas d'être qualifiés d'espoirs. Il n'y avait aucune chance que cela se produise. Même si un remède avait été trouvé sur Lusitania, comment faire parvenir l'information ? Non, Lands devait accomplir sciemment ce qu'Ender Wiggin avait accompli en toute innocence. Et c'était ce qu'il ferait. Il en supporterait les conséquences. Il ferait face à ceux qui le conspueraient. Car il saurait avoir agi pour le bien de l'humanité. En comparaison de quoi, il importait peu qu'un individu soit honoré ou détesté à tort.

Dès que le réseau ansible fut de nouveau opérationnel, Yasujiro Tsutsumi envoya ses messages, puis se dirigea vers le neuvième étage de son immeuble, où se trouvait l'appareillage, et se mit à attendre fébrilement. Si la famille jugeait que son idée valait la peine d'être prise en considération, ils demanderaient une conférence en direct, et dans ce cas, il ne voulait pas les faire attendre. Et si jamais ils répondaient par une réprimande, il voulait être le premier à la lire. Ainsi ses subalternes et ses collègues de Vent Divin recevraient la nouvelle de sa propre bouche et non par des bruits de couloirs.

Aimaina Hikari était-il conscient de ce qu'il avait demandé à Yasujiro ? Il était au sommet de sa carrière. S'il se débrouillait bien, il voyagerait d'une planète à une autre, deviendrait l'un de ces dirigeants membres de l'élite, affranchis des limites du temps, voyageant dans le futur par un effet de dilatation temporelle du voyage stellaire. Mais si jamais l'on jugeait qu'il n'était digne que d'être un second couteau, il stagnerait, voire régresserait dans la hiérarchie de l'organisation ici, sur Vent Divin. Il ne partirait jamais et devrait constamment faire face aux regards compatissants de ceux qui le sauraient dépourvu de l'envergure nécessaire pour se hisser au-dessus d'une vie insignifiante, jusqu'à l'éternité gratifiante de la direction supérieure.

Aimaina devait vraisemblablement savoir tout cela. Mais même s'il ignorait à quel point la position de Yasujiro était fragile, en avoir connaissance ne l'aurait pas arrêté. Quelques carrières pouvaient être sacrifiées quand il s'agissait de sauver une race entière de l'extermination. Était-ce la faute d'Aimaina si ce n'était pas sa propre carrière qui était en jeu ? C'était un honneur qu'il ait choisi Yasujiro, qu'il l'ait jugé suffisamment digne de reconnaître le péril moral que courait le peuple Yamato et suffisamment courageux pour agir en conséquence, quel que soit le prix personnel à payer.

Un immense honneur – Yasujiro espérait que cela suffirait à le combler si tout devait échouer. Car il quitterait la compagnie Tsutsumi s'il devait être réprimandé. S'ils ne faisaient rien pour contrer la menace, il ne pourrait pas rester. Ni se taire. Il parlerait et condamnerait Tsutsumi comme les autres. Il ne les menacerait pas d'une telle action, car la famille avait toujours, à juste titre, méprisé les menaces. Il se contenterait de parler. Alors, pour le punir de les avoir trahis, ils feraient tout ce qui serait en leur pouvoir pour le détruire. Aucune compagnie ne voudrait le reprendre. Il ne pourrait avoir accès à aucun poste public. Il ne plaisantait pas lorsqu'il avait dit à Aimaina qu'il viendrait vivre avec lui. Une fois que les Tsutsumi avaient décidé de punir, le scélérat n'avait plus qu'à solliciter l'aide de ses amis – si toutefois il en restait qui ne craignaient pas l'ire des Tsutsumi.

Tous ces scénarios catastrophes se déroulaient dans l'esprit de Yasujiro tandis qu'il attendait au fil des heures. Ils ne pouvaient quand même pas avoir ignoré son message. Ils devaient en parler et en débattre en ce moment même.

Il finit par somnoler. Ce fut l'opératrice des ansibles qui le réveilla – une femme qui n'était pas en service lorsqu'il s'était endormi. « Seriez-vous par hasard l'honorable Yasujiro Tsutsumi ? »

La conférence avait déjà démarré ; malgré toute sa bonne volonté, il fut le dernier à arriver. Le prix d'une telle conférence en direct sur les ansibles était phénoménal, sans parler des problèmes que cela posait. Dans le nouveau système informatique mis en place, chaque participant devait être présent devant l'ansible, car aucune conférence n'était possible s'il fallait attendre à chaque fois le délai de protection entre chaque question et sa réponse.

Lorsque Yasujiro vit les noms s'inscrire au-dessous de chaque visage sur les écrans, il fut à la fois excité et terrorisé. Ce problème n'avait pas été délégué aux officiels de second ou troisième ordre de la maison mère à Honshu. Yoshiaki-Seiji Tsutsumi lui-même était présent, l'ancien qui avait dirigé Tsutsumi durant toute la vie de Yasujiro. C'était de bon augure. Yoshiaki-Seiji Tsutsumi – aussi appelé « Oui Chef », derrière son dos, naturellement – n'aurait pas perdu son temps dans une conférence par ansible pour aller rabaisser le caquet à un subalterne arriviste.

Oui Chef ne parla pas, bien sûr. C'était la tâche du vieil Eiichi, connu pour être la conscience de Tsutsumi – ce qui signifiait selon certains, et de manière cynique, qu'il devait certainement être sourd et muet.

« Notre jeune frère a fait preuve d'audace, mais il a eu la sagesse de nous transmettre les sentiments et les réflexions de notre vénéré maître, Aimaina Hikari. Bien qu'aucun d'entre nous, ici sur Honshu, n'ait eu le privilège de rencontrer le Gardien de Yamato en personne, nous avons tous appris ses pensées. Nous n'étions pas prêts à croire que les Japonais puissent être, en tant que peuple, responsables de la Flotte lusitanienne. De même que nous n'étions pas prêts à penser que Tsutsumi puisse avoir la moindre responsabilité dans une situation politique sans rapport direct avec la finance ou l'économie en général.

Les mots de notre jeune frère étaient sincères et choquants, et s'ils n'étaient pas sortis de la bouche de quelqu'un qui s'est toujours montré humble et respectueux au cours de toutes ses années passées avec nous, prudent et néanmoins suffisamment audacieux pour prendre des risques lorsque la situation l'exigeait, nous n'aurions sans doute pas fait cas de son message. Mais nous en avons fait cas ; nous l'avons étudié et avons appris d'après nos sources gouvernementales que l'influence japonaise sur le Congrès Stellaire était et continue d'être essentielle, sur ce problème en particulier. Il est de notre avis à tous qu'il est trop tard pour former une nouvelle coalition d'autres compagnies ou pour renverser l'opinion publique. La flotte risque d'arriver à n'importe quel moment. Notre flotte, si Aimaina ne s'est pas trompé ; et même s'il n'en était pas ainsi, est une flotte humaine, et nous sommes nous-mêmes des êtres humains ; nous avons donc peut-être les moyens de l'arrêter. Une quarantaine sera largement suffisante pour protéger les espèces humaines du virus de la descolada. Nous souhaitons donc t'informer, Yasujiro Tsutsumi, que tu t'es montré digne de porter le nom qui t'a été donné à ta naissance. Nous allons réunir tous les moyens existants au sein de la famille Tsutsumi pour convaincre un nombre suffisamment important de membres du Congrès de s'opposer à la flotte – et de s'y opposer avec une vigueur qui oblige à un vote immédiat pour la rappeler et lui interdire une frappe sur Lusitania. Nous pouvons réussir dans cette tâche, comme nous pouvons échouer, mais quelle qu'en soit l'issue, notre jeune frère Yasujiro Tsutsumi nous a rendu un immense service.Non seulement à travers ce qu'il a accompli au sein de notre compagnie, mais aussi parce qu'il a su prêter l'oreille à un membre étranger à celle-ci, placer la morale au-dessus des considérations financières et prendre tous les risques pour que Tsutsumi fasse ce qui est juste. En conséquence de quoi, nous le nommons à Honshu, où il servira Tsutsumi en tant que mon assistant personnel. » Cela dit, Eiichi salua. « C'est un honneur pour moi qu'un jeune homme si exceptionnel soit formé pour être mon successeur lorsque je mourrai ou prendrai ma retraite. »

Yasujiro salua solennellement. Il était soulagé, ô combien, d'être ainsi appelé à servir à Honshu – personne ne s'était jamais trouvé dans cette situation aussi jeune. Mais l'idée de devenir l'assistant et le poulain d'Eiichi n'était pas vraiment ce dont Yasujiro avait rêvé comme but dans la vie. Ce n'était pas pour devenir un philosophe-médiateur qu'il avait travaillé si durement et servi avec une telle dévotion. Il aurait voulu faire partie des instances dirigeantes des entreprises familiales.

Cela dit, il lui faudrait des années de voyage stellaire avant d'arriver à Honshu. Eiichi serait peut-être mort d'ici là. Oui Chef serait sûrement mort lui aussi. Au lieu de remplacer Eiichi, on pourrait tout aussi bien lui confier une autre fonction plus adaptée à ses compétences réelles. Yasujiro ne refuserait donc pas cet étrange cadeau. Il suivrait son destin là où celui-ci le guidait.

« Oh, Eiichi, mon père, je me prosterne devant toi et tous les autres pères de notre compagnie, en particulier Yoshiaki-Seiji-san. Vous m'honorez plus que je ne le mérite. Je prie le ciel de ne pas vous décevoir. Et je le remercie qu'en ces temps difficiles l'esprit Yamato soit en d'aussi bonnes mains. »

Dès qu'il eut publiquement accepté ses fonctions, la réunion se termina – c'était tout de même très onéreux, et la famille Tsutsumi évitait systématiquement les dépenses inutiles. La conférence par ansibles prit fin.

Yasujiro s'enfonça dans son fauteuil et ferma les yeux. Il tremblait.

« Yasujiro-san, dit l'opérateur de l'ansible. Yasujiro-san. »

Yasujiro-san, se répéta-t-il mentalement. Qui aurait pu s'imaginer que la visite d'Aimaina se terminerait de cette manière ? Les choses auraient très bien pu se passer autrement. Il allait désormais devenir un des hommes d'Honshu. Quelle que soit sa fonction là-bas, il ferait partie des dirigeants suprêmes de Tsutsumi. Ça ne pouvait pas mieux se terminer. Qui aurait pu le croire ?

Avant qu'il ne quitte son fauteuil à côté de l'ansible, des représentants de Tsutsumi parlaient déjà avec des membres japonais du Congrès ainsi qu'à d'autres membres non japonais mais qui suivaient néanmoins la voie des Nécessariens. Ainsi, alors que le nombre de politiciens partisans augmentait, il devenait évident que le soutien dont bénéficiait la flotte était de plus en plus fragile. Finalement, il ne leur en coûterait pas trop cher d'arrêter celle-ci.

Le pequenino de faction, occupé à surveiller les satellites en orbite autour de Lusitania, entendit l'alarme se déclencher et se demanda tout d'abord ce qui pouvait bien se passer. L'alarme ne s'était jamais déclenchée auparavant, du moins à sa connaissance. Il pensa d'abord à une configuration climatique dangereuse qui venait d'être détectée. Mais ce n'était rien de tel. C'étaient les télescopes qui avaient déclenché l'alarme. Des douzaines de vaisseaux de combat venaient d'apparaître, avançant à grande vitesse, mais non relativiste, selon une trajectoire qui leur permettrait de lâcher le Petit Docteur dans l'heure suivante.

L'officier de garde fit part de l'urgence à ses collègues, le maire de Milagre fut rapidement averti, puis la rumeur se propagea dans ce qu'il restait du village. Tous ceux qui n'avaient pas quitté les lieux dans l'heure seraient détruits, tel était le contenu du message, et en l'espace de quelques minutes des centaines de familles humaines s'étaient réunies autour des vaisseaux, attendant anxieusement d'être embarquées. De manière assez remarquable, seules les familles humaines insistèrent pour quitter précipitamment les lieux. Face à la mort inévitable de leur propre forêt d'arbres-pères, d'arbres-mères et d'arbres-frères, les pequeninos n'éprouvaient pas le besoin de sauver leur vie. Que seraient-ils sans leur forêt ? Mieux valait mourir sur place parmi les leurs que de vivre en éternels étrangers dans des forêts qui n'étaient pas et ne seraient jamais les leurs.

Quant à la Reine, elle avait déjà envoyé la dernière de ses filles et ne voyait aucun intérêt à partir elle-même. Elle était la dernière des reines en vie avant la destruction de leur planète d'origine par Ender. Elle trouvait logique de subir le même sort trois mille ans plus tard. De plus, pensait-elle, comment pourrait-elle vivre quand son grand ami Humain, enraciné dans le sol de Lusitania, était incapable de partir ? Ce n'était pas une pensée digne d'une reine, mais par ailleurs, aucune reine avant elle n'avait eu d'amis. C'était une chose nouvelle dans son monde que d'avoir un interlocuteur qui ne soit pas intrinsèquement soi-même. Elle aurait eu trop de peine de continuer à vivre sans Humain. Et puisque sa survie n'était pas essentielle à celle de son espèce, elle ferait ce qu'il y avait de plus noble, de plus courageux, de plus tragique et de plus romantique à faire – et aussi de moins compliqué : elle resterait. Elle ne détestait pas l'idée de faire preuve d'une certaine dignité selon les critères humains ; cela démontrait, à sa grande surprise, qu'elle n'était pas restée inchangée au contact des humains et des pequeninos. Ils l'avaient transformée au-delà de ce qu'elle aurait pu croire. Il n'y avait jamais eu de reine comme elle dans toute l'histoire de son peuple.

« J'aimerais que tu partes, lui dit Humain. Je préfère te savoir vivante. »

Mais pour une fois, elle ne lui répondit pas.

Jane était inflexible. L'équipe travaillant sur le langage des descoladores devait quitter Lusitania et retourner en orbite autour de leur planète. Bien sûr, cela l'incluait, mais personne n'avait la bêtise de contester la survie de la seule personne capable de transporter tous les vaisseaux, ainsi que celle de l'équipe qui pouvait sauver l'humanité des descoladores. Mais Jane se plaça sur un terrain moral plus glissant en insistant pour que Novinha, Grego, Ohaldo et la famille de ce dernier soient emmenés en lieu sûr. Valentine fut aussi informée que si elle ne suivait pas son mari et sa famille ainsi que leur équipe et leurs amis dans le vaisseau de Jakt, Jane serait obligée de gâcher une énergie précieuse pour les transporter physiquement contre leur volonté, et sans vaisseau s'il le fallait.

« Pourquoi nous ? demanda Valentine. Nous n'avons demandé aucun traitement de faveur.

— Je me moque de savoir ce que vous avez demandé ou non, dit Jane. Tu es la sœur d'Ender. Novinha, sa veuve, et ses enfants sont ses enfants adoptifs. Je ne resterai pas les bras croisés quand j'ai le pouvoir de sauver la famille de mon ami. Si cela te paraît un traitement de faveur injuste, tu pourras toujours venir te plaindre plus tard, mais dans l'immédiat, embarquez tous dans le vaisseau de Jakt pour que je puisse vous faire quitter cette planète. Et tu pourras sauver d'autres vies en ne me faisant pas perdre davantage de temps et d'énergie dans des discussions stériles. »

Un peu honteuse de bénéficier d'un tel privilège, mais néanmoins reconnaissante de pouvoir être sauvée, elle et ses proches, l'équipe des descoladores se regroupa dans la navette, désormais transformée en vaisseau, que Jane avait éloignée de la zone d'atterrissage grouillante de monde. Les autres se précipitèrent vers le vaisseau de Jakt, qu'elle avait aussi déplacé vers un secteur isolé.

D'une certaine manière, pour bon nombre d'entre eux, l'apparition de la flotte était presque un soulagement. Ils avaient vécu si longtemps dans l'ombre de sa menace, que sa présence mettait un terme à leur angoisse. En l'espace d'une heure ou deux, leur sort serait décidé.

La navette se déplaçait à grande vitesse le long de l'orbite de la planète des descoladores. À l'intérieur, Miro, l'air abattu, était assis devant son ordinateur. « Je n'arrive pas à travailler, finit-il par dire. Je n'arrive pas à me concentrer sur un langage quand mon peuple et ma demeure sont sur le point d'être détruits. » Il savait que Jane, sanglée à sa couchette à l'arrière de la navette, utilisait toute son énergie pour déplacer les vaisseaux de Lusitania vers d'autres colonies mal préparées à les recevoir. Alors que tout ce qu'il pouvait faire de son côté, c'était de se creuser la tête sur des messages moléculaires d'extraterrestres invisibles.

« Eh bien moi, si, dit Quara. Après tout, ces descoladores représentent un danger important, pas seulement pour une seule planète mais pour l'humanité tout entière.

— Quelle preuve de sagesse que de prendre un peu de distance par rapport à tout cela, dit Ela sèchement.

— Regarde ces messages que nous recevons des descoladores, reprit Quara. Peux-tu reconnaître ce que je vois ici ? »

Ela fit apparaître les données de Quara sur son propre écran ; Miro l'imita. Quara avait beau être une peste, elle dominait son sujet.

« Vous voyez ? Quoi que fasse cette molécule, elle est conçue pour travailler dans la même zone du cerveau que la molécule d'héroïne. »

Il était indéniable que tout concordait parfaitement. Ela, en revanche, avait du mal à y croire. « Ils n'ont pu réussir à faire cela qu'en s'inspirant des informations historiques contenues dans la description de la descolada que nous leur avons envoyée. Puis ils ont utilisé ces informations pour fabriquer un corps humain, l'ont étudié, et ont fini par trouver une composante chimique susceptible de nous immobiliser dans une espèce de joie béate et de nous réduire du même coup à leur merci. Mais il est impossible qu'ils aient pu fabriquer un corps humain si peu de temps après l'envoi de notre message.

— Peut-être n'ont-ils pas besoin de fabriquer un corps entier, dit Miro. Ils sont peut-être suffisamment calés en lecture d'information génétique pour pouvoir en extraire toutes les informations concernant l'anatomie, la physiologie et la génétique humaine.

— Mais ils n'avaient même pas nos codes ADN, objecta Ela.

— Peut-être peuvent-ils extraire l'information nécessaire de notre ADN primitif, dans son état naturel, dit Miro. De toute évidence, ils ont réussi à avoir cette information d'une manière ou d'une autre et ils ont trouvé un moyen de nous rendre aussi rigides que des statues, un sourire idiot aux lèvres.

— Ce qui me paraît encore plus évident, dit Quara, c'est qu'ils avaient en vue que nous lisions ces molécules de manière biologique. Que nous prenions instantanément cette drogue. En ce qui les concerne, nous sommes coincés ici, immobiles, attendant qu'ils viennent nous chercher. »

Miro changea immédiatement les données inscrites sur son écran.

« Bon Dieu, Quara, tu as raison. Regarde : trois de leurs vaisseaux se dirigent vers nous.

— Ils ne nous avaient jamais approchés jusque-là, dit Ela.

— Eh bien, ce n'est pas maintenant qu'ils vont le faire, dit Miro. On va leur montrer qu'on ne s'est pas laissé piéger par leur cheval de Troie. » Il quitta son siège pour se précipiter au fond du couloir, là où Jane se trouvait. « Jane ! cria-t-il avant même d'arriver jusqu'à elle. Jane ! »

Il lui fallut quelques instants pour se réveiller, puis elle cligna des yeux.

« Jane, dit-il. Déplace-nous de quelques centaines de kilomètres et place-nous sur une orbite plus proche. »

Elle le considéra, perplexe, puis lui fit manifestement confiance puisqu'elle ne lui posa aucune question. Elle ferma les yeux de nouveau, alors que Coupe-Feu s'écriait de la salle de contrôle : « Elle a réussi ! Nous avons bougé ! »

Miro revint tranquillement vers les autres. « Maintenant, je sais qu'ils ne peuvent pas faire cela », dit-il. En effet, son écran lui signalait que les vaisseaux extraterrestres n'avançaient plus vers eux, mais stationnaient prudemment à une vingtaine de kilomètres de là, orientés dans trois – non quatre – directions différentes. « Nous sommes au beau milieu d'un tétraèdre, observa Miro.

— Eh bien, maintenant ils savent que nous n'avons pas succombé à leur drogue mortellement hilarante, dit Quara.

— Mais nous ne pouvons toujours pas les comprendre.

— Parce que nous sommes franchement stupides, déclara Miro.

— Ce n'est pas en s'autoflagellant que nous allons faire avancer les choses, dit Quara. Même si dans ton cas, ça peut fonctionner.

— Quara ! s'exclama Ela.

— C'était pour rire, bon sang ! Si on ne peut plus taquiner son grand frère.

— C'est vrai, dit Miro d'un ton sec. Tu es une telle boute-en-train...

— Lorsque vous avez dit que nous étions stupides, qu'entendiez-vous par là ? demanda Coupe-Feu.

— Nous n'arriverons jamais à déchiffrer leur langage, expliqua Miro, pour la bonne raison que ce n'est pas un langage. Il ne s'agit que d'une série de codes biologiques. Ils ne parlent pas. Ils ne font pas dans l'abstrait.

Ils se contentent de créer des molécules qui agissent sur les autres. C'est un peu comme si le langage humain était constitué de briques et de sandwiches. Envoyez une brique ou donnez un sandwich, punissez ou récompensez. S'ils ont des pensées abstraites, nous n'y aurons pas accès en lisant ces molécules.

— J'ai du mal à croire qu'une espèce incapable de langage abstrait puisse fabriquer des vaisseaux comme ceux-ci, dit Quara d'un ton hautain. Ils arrivent tout de même à diffuser ces molécules comme nous des vidéos ou des voix.

— Et s'ils possédaient des organes internes capables de traduire directement des messages moléculaires en structures chimiques ou physiques ? Ils pourraient dans ce cas...

— Tu ne comprends pas ce que je veux dire, insista Quara. Tu ne peux pas construire une base de savoir commun en lançant des briques ou en partageant des sandwiches. Il leur faut un langage pour stocker des informations en dehors de leur corps afin de les transmettre d'individu à individu, d'une génération à une autre. On ne peut pas voyager dans l'espace ou envoyer des messages faisant appel au spectre électromagnétique en se fondant sur ce qu'une personne peut faire avec une brique.

— Elle n'a sans doute pas tort, remarqua Ela.

— Dans ce cas, peut-être que certaines parties des messages moléculaires qu'ils envoient sont des codes de mémoire, dit Miro. Une fois de plus, il ne s'agit pas d'un langage – cela stimule le cerveau pour qu'il se « souvienne » de choses dont l'envoyeur a fait l'expérience mais pas le receveur.

— Écoutez, intervint Coupe-Feu, que vous ayez raison ou non, nous devons continuer à tout tenter pour déchiffrer ce langage.

— Si j'ai raison, nous sommes en train de perdre notre temps, répliqua Miro.

— Précisément, dit Coupe-feu.

— Ah. » L'argument de Coupe-Feu n'était pas si bête. Si Miro ne se trompait pas, toute cette mission n'avait plus aucun sens – ils avaient déjà échoué. Il fallait donc qu'ils continuent de faire comme si Miro se trompait, comme si ce langage pouvait être déchiffré, car dans le cas contraire, c'était l'impasse.

Et pourtant...

« Nous oublions quelque chose, dit Miro.

— Pas moi, dit Quara.

— Jane. Elle a été créée pour servir de pont entre les espèces.

— Entre les humains et les reines, pas entre des extra-terrestres concepteurs de virus inconnus et les humains », observa Quara.

Mais Ela trouvait cela intéressant. « La façon de communiquer des humains – le discours d'égal à égal – devait certainement paraître aussi étrange aux reines que ce langage moléculaire l'est pour nous. Il n'est pas impossible que Jane trouve un moyen de se connecter à eux philotiquement.

— Par télépathie ? dit Quara. Nous n'avons pas de pont, rappelez-vous.

— Tout dépend comment ils peuvent utiliser les liens philotiques. La Reine parle tout le temps avec Humain, n'est-ce pas ? Parce que les arbres-pères et les reines utilisent déjà des liens philotiques pour communiquer. Ils se parlent d'esprit à esprit, sans qu'un langage intervienne. Et ils ne se ressemblent pas plus sur le plan biologique que les reines et les humains. »

Ela acquiesça pensivement. « Jane ne peut rien tenter de tel pour l'instant, pas avant que le problème de la flotte du Congrès soit réglé. Mais dès qu'elle pourra nous redonner toute son attention, elle sera peut-être en mesure de contacter ces... individus directement, ou du moins d'essayer.

— Si ces êtres communiquaient par des liens philotiques, ils n'auraient pas besoin d'utiliser de molécules, objecta Quara.

— Peut-être que c'est ainsi qu'ils communiquent avec des animaux », dit Miro.

L'amiral Lands avait du mal à croire ce qu'il entendait. Le Premier Porte-parole du Congrès Stellaire et le Premier Secrétaire de l'Amirauté de la Flotte stellaire étaient tous deux visibles au-dessus de l'ordinateur, et leurs messages étaient identiques. « La quarantaine, exactement, disait le Secrétaire. Vous n'êtes pas autorisé à utiliser le Dispositif de Désintégration Moléculaire.

— La quarantaine n'est pas envisageable, répondit Lands. Nous avançons trop vite. Vous êtes au courant du plan de bataille que j'ai préparé au début de notre voyage. Il nous faudrait des semaines pour ralentir. Et qu'adviendra-t-il de nos hommes ? Il n'est déjà pas évident de les faire voyager en vol relativiste pour les ramener chez eux ensuite. Leurs amis et leurs familles seront morts depuis longtemps, mais au moins ils ne seront pas coincés en service permanent dans un vaisseau ! En maintenant notre vitesse proche du vol relativiste, je leur économise des mois de vie passés en accélérations et décélérations. Et vous leur demandez de perdre des années de leur vie !

— J'espère que vous n'êtes pas en train de suggérer de faire sauter Lusitania et d'exterminer les pequeninos ainsi que des milliers d'êtres humains pour éviter à votre équipage de déprimer, plaça le Premier Porte-parole.

— Je dis simplement que si vous ne voulez pas que nous fassions sauter cette planète, très bien... mais laissez-nous rentrer chez nous.

— Nous ne pouvons y consentir, dit le Premier Secrétaire. La descolada est trop dangereuse pour la laisser sans surveillance sur une planète en pleine révolte.

— Ce qui signifie que vous annulez l'utilisation du Petit Docteur alors que rien n'a été prévu pour contrer le virus de la descolada ?

— Nous allons envoyer une équipe au sol avec toutes les précautions nécessaires afin d'évaluer les risques sur place, dit le Premier Secrétaire.

— En d'autres termes, vous allez envoyer des hommes affronter un danger mortel sans réelle connaissance de la situation sur le terrain, alors que nous avons le moyen d'éliminer le danger sans faire courir le moindre risque d'infection aux personnes saines.

— Le Congrès a pris sa décision, trancha le Premier Porte-parole. Nous ne commettrons pas un nouveau xénocide alors qu'il existe une solution de rechange. Avez-vous bien reçu et compris ces ordres ?

— Oui, monsieur, fit Lands

— Seront-ils exécutés ? » demanda le Premier Porte-parole.

Le Premier Secrétaire était atterré. Il n'y avait pas de pire insulte que de demander à un officier s'il avait l'intention d'obéir aux ordres.

Pourtant le Premier Porte-parole ne se rétracta pas. « Eh bien ?

— Monsieur, j'ai toujours honoré et honorerai toujours mon serment. » Sur ce, Lands coupa la communication. Il se tourna immédiatement vers Causo, son CS, la seule autre personne présente dans la salle de communication hermétique. « Vous êtes en état d'arrestation, monsieur », dit-il.

Causo leva un sourcil. « Vous n'avez donc pas l'intention d'obéir à cet ordre ?

— Je ne vous demande pas votre avis personnel sur la question. Je sais que vous êtes d'origine portugaise comme les gens de Lusitania.

— Ils sont brésiliens. »

Lands passa outre. « J'inscrirai dans mon registre que l'on ne vous a pas donné l'occasion de vous exprimer et que vous n'avez aucune part de responsabilité dans ce que je suis sur le point d'accomplir.

— Que faites-vous de votre serment, monsieur ? demanda calmement Causo.

— Mon serment consiste à mener toutes les actions nécessaires pour le bien de l'humanité. J'invoquerai la clause des crimes de guerre.

— On ne vous a pas donné l'ordre de commettre un crime de guerre. On vous ordonne de ne pas en commettre un.

— Au contraire. Ne pas détruire ce monde et le péril mortel qu'il représente serait un plus grand crime contre l'humanité que de ne pas le détruire. » Lands lui posa une main sur l'épaule. « Vous êtes en état d'arrestation, monsieur. »

Le CS plaça ses mains sur la tête et lui tourna le dos. « Vous avez peut-être raison, monsieur, comme vous avez peut-être tort. Mais dans un cas comme dans l'autre, c'est monstrueux. Je n'arrive pas à comprendre comment vous pouvez prendre une telle décision seul. »

Lands plaça le patch de docilité sur la nuque de Causo et, tandis que la drogue faisait lentement son effet, lui dit : « J'ai été aidé, mon ami. Je me suis demandé ce qu'Ender Wiggin, l'homme qui a sauvé l'humanité des doryphores, aurait fait si on lui avait dit au dernier moment : "Ceci n'est pas un jeu, c'est bien réel." Ce qu'il aurait fait si, au moment de tuer les jeunes Stilson et Madrid, ses Premier et Deuxième Meurtres, un adulte était intervenu pour lui ordonner de s'arrêter. Aurait-il obtempéré, sachant que l'adulte était incapable de le protéger par la suite lorsque ses ennemis l'auraient attaqué de nouveau ? Sachant que c'était maintenant ou jamais ? Si les adultes de l'École de Guerre lui avaient dit : "Nous estimons possible que les doryphores n'aient pas vraiment l'intention de détruire la race humaine, alors ne les tuez pas tous", pensez-vous qu'Ender Wiggin aurait obéi ? Non. Il aurait fait – comme il a toujours fait – ce qui était nécessaire pour éradiquer définitivement le danger. Voilà celui que j'ai consulté. Celui dont je suivrai aujourd'hui la sagesse. »

Causo ne répondit pas. Il se contenta de sourire et hocha la tête à plusieurs reprises.

« Asseyez-vous et ne vous relevez pas tant que je ne vous en aurai pas donné l'ordre. »

Causo s'exécuta.

Lands alluma l'ansible pour communiquer avec le reste de la flotte. « L'ordre a été donné et nous devons procéder. Je vais lancer le Dispositif DM et nous repartirons aussitôt à vitesse relativiste. Que Dieu ait pitié de mon âme. »

Quelques instants plus tard, le Dispositif DM quitta le vaisseau de l'amiral et poursuivit sa route juste en dessous de la vitesse relativiste en direction de Lusitania. Il lui faudrait une heure avant d'arriver à la distance nécessaire pour son déclenchement automatique. Si le détecteur de distance ne devait pas fonctionner correctement, une minuterie l'activerait quelques instants avant le temps estimé de collision.

Lands augmenta la vitesse de son vaisseau pour le faire passer au-delà du seuil qui le maintenait dans la temporalité du reste de l'univers. Puis il retira le patch de docilité de la nuque de Causo pour le remplacer par un patch antidote. « Vous pouvez désormais me mettre aux arrêts pour la mutinerie dont vous avez été le témoin. »

Causo secoua la tête. « Non, monsieur. Vous n'irez nulle part, et la flotte reste sous votre contrôle jusqu'à ce que nous soyons rentrés. À moins que vous n'ayez un autre plan idiot pour essayer d'échapper au procès pour crime de guerre qui vous attend.

— Non, monsieur. J'affronterai la sentence qui m'attend. Ce que j'ai fait a sauvé l'humanité de la destruction, mais je suis prêt à rejoindre les humains et les pequeninos de Lusitania à titre de sacrifice nécessaire pour l'accomplissement d'une telle action. »

Causo le salua puis, s'affaissant dans son siège, il fondit en larmes.

15

« Nous vous donnons une seconde chance »

> *« Petite fille, je croyais*
> *Que si je pouvais faire suffisamment plaisir aux dieux,*
> *Ils me laisseraient recommencer ma vie,*
> *À cette différence près*
> *Qu'ils ne m'enlèveraient pas ma mère. »*
>
> Murmures Divins de Han Qing-Jao

Un satellite de Lusitania repéra le lancement du Dispositif DM et son approche de Lusitania, alors que les vaisseaux avaient disparu des écrans de contrôle. Le pire était en train de se produire. Il n'y avait eu aucune tentative de communication ou de négociation. Il était évident que la flotte n'avait jamais eu d'autre but que la destruction totale de la planète, et avec elle, de toute une espèce intelligente. La plupart des gens avaient espéré – certains allant jusqu'à y compter – qu'il y aurait un moyen de lui faire savoir que la descolada avait été maîtrisée et ne représentait plus le moindre danger. Que de toute façon, il était trop tard pour arrêter quoi que ce soit, puisque de nouvelles colonies d'humains, de pequeninos et de reines s'étaient déjà installées sur d'autres planètes. Mais au lieu de cela, la mort leur tombait du ciel à une vitesse qui ne leur laissait guère plus d'une heure de vie, et sans doute moins puisque le Petit

Docteur serait vraisemblablement déclenché à une certaine distance de la surface de la planète.

Les pequeninos étaient désormais aux commandes des instruments, puisque à quelques rares exceptions près, tous les humains s'étaient enfuis à bord de leurs vaisseaux. Ce fut donc un pequenino qui envoya la nouvelle par ansible au vaisseau qui gravitait autour de la planète de la descolada. Par chance, ce fut Coupe-Feu, qui se trouvait au terminal ansible, qui réceptionna le message. Il se mit à chanter une mélopée funèbre, la musique de sa propre douleur faisant trembler sa voix.

Lorsque Miro et ses sœurs comprirent ce qui se passait, il alla aussitôt rejoindre Jane. « Ils ont lancé le Petit Docteur », dit-il en la secouant doucement.

Il n'attendit que quelques instants. Les yeux de Jane s'ouvrirent enfin. « Je croyais que nous avions réussi à les contrer, dit-elle. Je veux dire, Peter et Wang-mu. Le Congrès avait voté une quarantaine et avait clairement interdit à la flotte d'utiliser le Dispositif DM. Et pourtant ils l'ont lancé.

— Tu as l'air si fatiguée, observa Miro.

— Cela me demande toute mon énergie, répondit-elle. Et ce n'est pas fini. Maintenant je vais perdre les arbres-mères. C'est une part de moi-même que je perds, Miro. Tu te souviens de ce que tu as ressenti en perdant le contrôle de ton propre corps, lorsque tu étais lent et handicapé ? C'est ce qu'il va m'arriver lorsque les arbres-mères auront disparu. »

Elle se mit à pleurer.

« Arrête, dit Miro. Arrête tout de suite. Reprends-toi, Jane, tu n'as pas de temps à perdre avec ça. »

Elle se délivra des sangles qui la maintenaient sur le lit.

« Tu as raison. Ce corps est parfois trop difficile à contrôler.

— Le Petit Docteur doit être à une certaine distance de la planète pour être efficace – les champs se dissipent très rapidement s'il n'y a pas de masse pour les supporter. Nous avons donc un peu de temps, Jane. Peut-être une heure environ. Plus d'une demi-heure, en tout cas.

— Et que puis-je faire dans ce laps de temps ?

— Ramasse-moi cette saloperie. Balance-la Dehors, et ne la ramène pas ! dit Miro.

— Et si elle explose Dehors ? Si quelque chose d'aussi destructeur explosait et se répandait là-bas ? En plus je ne peux pas déplacer ce que je n'ai pas eu le temps d'étudier. Il n'y a personne à proximité, aucun ansible qui lui soit connecté, rien qui puisse me guider vers elle à travers le vide sidéral.

— Je ne sais pas. Ender saurait, lui. C'est bien notre veine qu'il soit mort !

— Enfin... techniquement parlant. Mais Peter n'a pas réussi à se frayer un chemin dans la mémoire d'Ender – si toutefois il la possède.

— Que pourrait-il se rappeler ? Ce genre de chose ne s'est jamais produit.

— Il est vrai qu'il s'agit de l'aiúa d'Ender. Mais à quel point son génie dépendait de lui et quelle part dépendait de son corps et de son esprit ? Souviens-toi qu'il était génétiquement prédisposé – au départ, il est né parce que les tests démontraient que Peter et Valentine, les originaux, n'étaient pas loin de devenir de parfaits chefs militaires.

— C'est vrai. Et maintenant il est Peter.

— Pas le vrai.

— Bon, disons qu'il s'agit en partie d'Ender et en partie de Peter. Peux-tu le trouver ? Peux-tu lui parler ?

— Lorsque nos aiúas se rencontrent, nous ne parlons pas. Nous... comment dire ? nous dansons l'un autour de l'autre. Cela n'a rien à voir avec ce qui se passe entre Humain et la Reine.

— Ne porte-t-il plus la pierre à l'oreille ? demanda Miro en portant la main à la sienne.

— Mais que peut-il faire ? Il est à des heures de son vaisseau...

— Essaye, Jane. »

Peter était effaré. Wang-mu lui toucha le bras, se pencha vers lui. « Qu'y a-t-il ?

— Je croyais que nous avions réussi. Puisque le Congrès a révoqué l'ordre d'utiliser le Petit Docteur.

— Que veux-tu dire ? » demanda Wang-mu tout en se doutant de ce qu'il était sur le point de lui annoncer.

« Ils l'ont lancé. La Flotte lusitanienne a désobéi à l'ordre du Congrès. Qui aurait pu imaginer ça ? Il ne reste plus qu'une heure avant l'explosion. »

Les yeux de Wang-mu s'embuèrent de larmes, mais elle les balaya d'un battement de paupière. « Au moins les pequeninos et les reines survivront.

— Mais pas le réseau des arbres-mères. Le voyage stellaire ne pourra jamais reprendre tant que Jane n'aura pas trouvé un autre moyen de contenir toutes les informations qui lui sont nécessaires. Les arbres-frères sont trop stupides, et les arbres-pères trop imbus d'eux-mêmes pour partager leurs pouvoirs avec elle – ils le feraient s'ils le pouvaient, mais il n'en est pas ainsi. Tu penses bien que Jane a déjà passé en revue toutes les possibilités. Le voyage instantané est terminé.

— Alors nous allons rester ici indéfiniment.

— Non.

— Nous sommes à des heures du vaisseau, Peter. Nous n'arriverons jamais à temps avant l'explosion.

— Qu'est-ce que le vaisseau ? Une boîte avec des boutons lumineux et une porte hermétique. Si ça se trouve, nous n'avons même pas besoin de cette boîte. Je ne vais pas rester ici, Wang-mu.

— Tu veux repartir sur Lusitania ? Maintenant ?

— Si Jane peut m'y emmener. Sinon, je suppose que ce corps devra repartir là d'où il est venu – Dehors.

— Je pars avec toi.

— J'ai déjà vécu trois mille ans. Je n'en garde d'ailleurs pas de souvenirs très précis, mais tu mérites mieux que de disparaître si Jane devait échouer.

— Je viens avec toi. Alors tais-toi. Il n'y a pas de temps à perdre.

— Je ne sais même pas ce que je vais faire une fois là-bas.

— Mais si tu le sais.

— Ah bon ? Et quel est donc mon plan ?

— Je n'en sais rien.

— Tu ne trouves pas ça gênant ? À quoi bon ce plan si personne ne le connaît ?

— Ce que je veux dire, c'est que tu es qui tu es. Tu as la même volonté, tu es ce même enfant diablement ingénieux qui refusait d'être battu de quelque façon que ce soit à l'École de Guerre ou à l'École de Commandement. Celui qui ne se laissait pas marcher sur les pieds par des brutes – quoi qu'il en coûte. C'est nu et sans armes, à part le savon qu'il avait sur la peau, qu'Ender a battu Bonzo Madrid dans les douches de l'École de Guerre.

— Tu es bien renseignée.

— Peter, je ne te demande pas d'être Ender, ni d'avoir son caractère, ses souvenirs, son entraînement. Mais tu es celui que l'on ne peut pas battre. Tu es celui qui trouve toujours un moyen de vaincre ses ennemis. »

Peter secoua la tête. « Je ne suis pas lui, crois-moi.

— Lorsque nous nous sommes rencontrés pour la première fois, tu m'as dit que tu n'étais pas toi-même. Eh bien, maintenant tu l'es. Toi tout entier, un seul homme, intact dans ce corps. Plus rien ne te manque désormais. Rien ne t'a été volé, rien n'a été perdu. Tu comprends ? Ender a toujours vécu en portant le poids du xénocide sur ses épaules. Tu as maintenant l'occasion de faire le contraire. De vivre une vie complètement différente. De devenir celui qui va en éviter un deuxième. »

Peter ferma les yeux un instant. « Jane, peux-tu nous faire voyager sans vaisseau ? » Il écouta un moment. « Elle me dit que le véritable problème est de savoir si nous pouvons maintenir nos corps en place. Elle contrôle le vaisseau et le déplace, ainsi que nos aiúas – nos corps, eux, sont maintenus par nous-mêmes et non par elle.

— C'est bien ce que nous faisons d'habitude, je ne vois pas où est le problème.

— Et pourtant il y a bien un problème. Jane me dit qu'à l'intérieur du vaisseau nous avons des repères visuels, une sensation de sécurité. Sans ces cloisons, sans la lumière, dans le vide sidéral, nous risquons de perdre nos repères. D'oublier où nous nous trouvons par rapport à nos propres corps. Il faudra vraiment s'accrocher.

— N'est-ce pas un avantage que nous soyons volontaires, têtus, ambitieux et égoïstes au point d'avoir réussi à surmonter tous les obstacles jusqu'à présent ?

— Je crois que ce sont là des qualités tout à fait adéquates, en effet.

— Alors allons-y. C'est nous tout crachés. »

Jane retrouva sans difficulté le corps de Peter. Elle avait été dans son corps, elle avait suivi son aiúa – ou plutôt l'avait poursuivi – jusqu'à le reconnaître sans avoir à chercher. Pour Wang-mu, les choses étaient différentes. Jane la connaissait moins bien. Les voyages qu'elle lui avait fait faire avaient eu lieu à l'intérieur d'un vaisseau que Jane pouvait parfaitement situer. Mais une fois l'aiúa de Peter – d'Ender – localisé, les choses furent plus faciles qu'elle ne l'avait imaginé. Car Peter et Wang-mu étaient reliés philotiquement. Un mini-réseau était en train de se construire entre eux. Même sans « boîte » autour d'eux, Jane pouvait maintenir leurs deux structures, comme s'ils constituaient une seule entité.

En les envoyant Dehors elle put sentir à quel point ils s'accrochaient l'un à l'autre – pas seulement les corps mais les liens plus profonds qui les unissaient. Ils partirent ensemble Dehors, puis revinrent Dedans. Jane ressentit une pointe de jalousie – comme par rapport à Novinha, sans éprouver cependant cette sensation de rage et de douleur physique provoquée par son nouveau corps. Mais elle savait bien que c'était absurde. C'était Miro que Jane aimait, comme une femme aime un homme. Ender était son père et son ami, et il n'était plus vraiment Ender. Il était Peter, un homme qui ne se rappelait que les derniers mois passés en sa compagnie. Ils étaient amis, mais elle n'avait pas le monopole de son cœur.

L'aiúa familier d'Ender Wiggin et celui de Si Wang-mu étaient plus liés que jamais lorsque Jane les déposa sur la surface de Lusitania.

Ils se tenaient au beau milieu de la zone de décollage. Les dernières centaines d'humains cherchant à s'échapper se demandaient désespérément pourquoi les vaisseaux avaient cessé de décoller dès que le Dispositif DM avait été lancé.

« Les vaisseaux sont tous complets, dit Peter.

— Mais nous n'avons pas besoin de vaisseau, rétorqua Wang-mu.

— Au contraire, Jane ne pourra pas récupérer le Petit Docteur sans vaisseau.

— Le récupérer ? Tu as donc un plan.

— N'est-ce pas toi qui me l'as dit ? Je ne vais pas te faire mentir, tout de même. » Il parla avec Jane par l'entremise de la pierre. « Tu es toujours là ? Peux-tu me parler via les satellites sur... bon, très bien. Jane, il faudrait que tu me vides un des vaisseaux... Emmène les passagers sur une des colonies, attends que tout le monde soit sorti et ramène le vaisseau ici, loin de toute cette agitation. »

Un des vaisseaux disparut brusquement de l'embarcadère. Des hurlements de joie retentirent dans la foule tandis que tous se précipitaient vers les derniers vaisseaux. Peter et Wang-mu patientèrent, sachant qu'à chaque minute nécessaire pour vider le vaisseau, le Petit Docteur se rapprochait un peu plus de sa mise à feu.

Puis leur attente prit fin. Un vaisseau en forme de caisson apparut à côté d'eux. Peter ouvrit la porte et tous deux étaient à l'intérieur avant que qui que ce soit puisse se rendre compte de ce qui se passait. Un cri retentit, mais Peter scella la porte.

« Nous y sommes, dit Wang-mu. Mais pour aller où maintenant ?

— Jane est en train de se rapprocher de la vitesse du Petit Docteur.

— Je croyais qu'elle ne pouvait pas le localiser sans vaisseau.

— Elle se base sur les données du satellite. Elle peut prédire avec exactitude à quel endroit il se trouvera à un moment précis, puis nous enverra Dehors et nous ramènera Dedans à cet emplacement, et à la même vitesse.

— Le Petit Docteur sera dans ce vaisseau ? Avec nous ?

— Reste près de la paroi. Et accroche-toi à moi. Nous allons nous retrouver en apesanteur. Jusqu'à présent, tu as pu visiter quatre planètes sans avoir à en passer par là.

— Et toi, tu as déjà connu ça ? »

Peter éclata de rire, puis secoua la tête. « Pas avec ce corps. Mais je suppose que d'une certaine manière, je me souviens de la façon de procéder, parce que... »

Ils se retrouvèrent brusquement en état d'apesanteur. En l'air, devant eux, sans qu'il soit en contact avec les parois du vaisseau, se trouvait l'énorme missile contenant le Petit Docteur. Si ses fusées avaient été en combustion, ils auraient été incinérés. Au lieu de cela, il se déplaçait à sa vitesse de croisière ; s'il paraissait flotter sur place, c'était parce que le vaisseau avançait à la même vitesse. Peter cala ses pieds sur un banc rivé au mur et tendit la main pour toucher le missile. « Nous devons le mettre en contact avec le sol », dit-il.

Wang-mu essaya de s'en approcher elle aussi, mais décolla aussitôt de la paroi pour se retrouver suspendue dans les airs. Elle se sentit nauséeuse tandis que son corps cherchait désespérément à localiser le bas.

« Le dispositif est en bas par rapport à toi, tu te diriges dessus. »

Elle sembla retrouver ses repères. Et en flottant dans sa direction, elle réussit à l'attraper et à s'y accrocher. Elle se contentait de regarder, déjà reconnaissante de ne pas vomir, tandis que Peter poussait délicatement la masse du missile vers le sol. À son contact, le vaisseau entier trembla, car la masse du missile devait être beaucoup plus importante que celle du vaisseau.

« Tout va bien ? demanda Peter.

— Ça va. » Puis Wang-mu comprit qu'il parlait avec Jane et que sa question s'adressait à elle.

« Jane est en train de sonder l'objet, dit Peter. Comme elle en a l'habitude avec les vaisseaux, avant de les déplacer quelque part. Cela se faisait avant de manière analytique, par ordinateur. Mais maintenant son aiúa peut en quelque sorte faire le tour de la structure interne de l'objet. Cela lui était impossible tant qu'il n'était pas en contact avec quelque chose qu'elle connaisse : ce vaisseau en l'occurrence. Nous. Lorsqu'elle se sera fait une bonne idée de sa structure interne, elle pourra la maintenir en place une fois Dehors.

— Nous allons le laisser là-bas ? demanda Wang-mu.

— Non. Soit il resterait en place puis exploserait, soit il se désintégrerait, et dans un cas comme dans l'autre il est impossible de savoir quels dégâts il pourrait causer. Combien de copies pourraient se créer à partir de là ?

— Aucune. Il faut posséder une forme d'intelligence pour créer quelque chose de nouveau.

— À ton avis, de quoi est faite cette chose ? Des mêmes éléments qui composent chaque parcelle de ton corps, qui composent les rochers, les arbres, les nuages. Ce sont tous des aiúas, et il y en a des milliers, là-bas, qui éprouvent un impérieux besoin d'appartenir à quelque chose, d'imiter, de se développer. Non, c'est un engin maléfique et il n'est pas question de le laisser là-bas.

— Qu'allons-nous en faire, alors ?

— Le renvoyer à l'expéditeur. »

L'amiral Lands se tenait sur le pont de son vaisseau, seul et renfrogné. Il savait que Causo avait répandu la nouvelle à l'heure qu'il était – le lancement du Petit Docteur avait été illégal, une mutinerie. Le vieil homme allait être traduit en cour martiale, peut-être pire encore, lorsqu'ils reviendraient à la civilisation. Personne ne lui adressait la parole ; personne n'osait le regarder en face. Lands savait aussi qu'il allait devoir abandonner le commandement du vaisseau à Causo, en tant que CS, et celui de la flotte à son second, l'amiral Fukuda. Causo avait fait preuve de délicatesse en ne le mettant pas aux arrêts tout de suite, mais c'était une mesure inutile. L'équipage et les officiers étant au courant de sa rébellion, il lui serait impossible de se faire obéir, comme il serait injuste d'attendre cela de ses hommes.

Lands se retourna pour donner l'ordre, mais se retrouva face à son CS qui s'avançait déjà vers lui. « Monsieur, dit Causo.

— Je sais. J'abandonne mon commandement.

— Il ne s'agit pas de cela, monsieur. Veuillez me suivre, je vous prie.

— Que comptez-vous faire ?

— L'officier de cargo vient de signaler quelque chose dans la soute principale du vaisseau.

— De quoi s'agit-il ? »

Causo se contenta de le fixer. Lands acquiesça et ils quittèrent le pont.

Jane avait transporté la « boîte » non pas dans la soute d'armement, qui pouvait seulement contenir le Petit Docteur, mais dans la soute principale du vaisseau, qui avait le double avantage d'être suffisamment vaste et empêchait tout moyen de larguer l'engin une seconde fois.

Peter et Wang-mu quittèrent leur vaisseau et débarquèrent dans la soute.

Puis Jane fit repartir le vaisseau, laissant Peter, Wang-mu et le Petit Docteur sur place.

Le vaisseau allait réapparaître sur Lusitania. Mais personne n'embarquerait. Ce n'était plus nécessaire. Le Dispositif DM ne se dirigeait plus vers Lusitania. Il se trouvait désormais à bord du vaisseau amiral de la Flotte lusitanienne, voyageant à vitesse relativiste vers une destination inconnue. Les capteurs de proximité du Petit Docteur n'allaient bien évidemment pas se déclencher, puisqu'il ne se trouvait plus dans le voisinage d'une quelconque masse planétaire. Mais la minuterie tournait toujours.

« J'espère qu'ils ne vont pas tarder à remarquer notre présence, dit Wang-mu.

— Ne t'inquiète pas. Il nous reste encore quelques minutes.

— Est-ce que quelqu'un nous a vus ?

— Il y avait ce gars dans la cabine là-bas, dit Peter en indiquant une porte ouverte. Il a vu le vaisseau, puis il nous a vus et a ensuite aperçu le Petit Docteur. Il n'est plus là. Je pense que nous n'allons pas rester seuls très longtemps. »

Une porte s'ouvrit en haut du hangar. Trois hommes s'avancèrent sur la passerelle qui surplombait les trois côtés du hangar.

« Salut, dit Peter.

— Qui diable êtes-vous ? demanda celui qui arborait le plus de galons et de médailles.

— Je suis prêt à parier que vous êtes l'amiral Bobby Lands, dit Peter. Et vous, vous devez être le commandant en second, Causo. Quant à vous, vous êtes sans doute l'officier de cargo, Lung.

— Je vous ai demandé qui vous étiez ! gronda l'amiral Lands.

— Je ne pense pas que vous ayez bien cerné les priorités. Nous aurons tout le temps nécessaire pour les présentations une fois que vous aurez désactivé la minuterie de la bombe dont vous vous êtes si négligemment débarrassé alors que vous étiez dangereusement proche d'une planète habitée.

— Si vous croyez pouvoir... »

Mais l'amiral n'eut pas le temps de finir sa phrase, car le CS avait déjà sauté par-dessus la rampe pour se précipiter sur l'engin et entreprendre de déboulonner le boîtier protégeant la minuterie. « Causo, dit Lands. Ça ne peut pas être le...

— Si. Il s'agit bien du Petit Docteur, dit Causo.

— Mais nous l'avons largué ! hurla l'amiral.

— Ce devait être une erreur, dit Peter. Une négligence de votre part. Étant donné que le Congrès Stellaire vous a refusé l'autorisation de le lancer.

— Qui êtes-vous et comment êtes-vous arrivés jusqu'ici ? »

Causo se releva, les sourcils emperlés de sueur. « Monsieur, je suis heureux de vous annoncer qu'avec deux minutes de marge, j'ai réussi à éviter que ce vaisseau ne soit réduit en un tas de poussières d'étoile.

— Et moi, j'ai le plaisir de constater que vous n'avez pas eu l'idée ridicule d'avoir besoin de deux clés différentes et d'une combinaison secrète pour désactiver cet engin, dit Peter.

— Non, il a été conçu pour se débrancher assez facilement. Il y a des instructions pour ça un peu partout dessus. L'enclencher, en revanche, est beaucoup plus difficile.

— Vous y êtes arrivé pourtant.

— Où est votre vaisseau ? » demanda l'amiral. Il était en train de descendre à leur niveau le long d'une échelle. « Comment êtes-vous arrivés ici ?

— Nous avons voyagé dans une jolie boîte que nous avons renvoyée après usage, dit Peter. Vous n'avez pas encore compris que nous ne sommes pas venus jusqu'ici pour que vous nous posiez des questions ?

— Mettez ces individus aux arrêts », ordonna Lands.

Causo regarda l'amiral comme s'il était subitement devenu fou. Mais l'officier de cargo qui avait suivi l'amiral le long de l'échelle avança de quelques pas vers Peter et Wang-mu pour exécuter son ordre.

Ils disparurent instantanément pour réapparaître sur la passerelle que les officiers venaient de quitter. Il fallut évidemment une minute ou deux aux officiers pour les retrouver. L'officier de cargo était abasourdi. « Monsieur, ils étaient là il y a une seconde à peine. »

Causo, pour sa part, s'était déjà fait à l'idée que quelque chose de peu ordinaire était en train de se passer, quelque chose qui ne pouvait manifestement pas être réglé par les moyens militaires habituels. Il réagit donc différemment. Il fit le signe de croix et murmura une prière.

En revanche, Lands recula de quelques pas, jusqu'à ce qu'il percute le Petit Docteur. Il s'y accrocha, puis retira brusquement les mains avec une expression de dégoût, peut-être aussi de douleur, comme si la surface de l'engin était brûlante. « Mon Dieu, dit-il, je voulais simplement faire ce qu'Ender Wiggin aurait fait à ma place. »

Wang-mu ne put s'empêcher de rire.

« Curieux, dit Peter. C'est exactement ce que j'ai essayé de faire moi aussi.

— Mon Dieu, répéta Lands.

— Amiral Lands, reprit Peter, permettez-moi une suggestion. Au lieu de passer plusieurs mois en temps réel à essayer de faire demi-tour avec ce vaisseau pour lancer une fois de plus cet engin en toute illégalité, et au lieu de mettre en place une quarantaine totalement inutile et démoralisante sur Lusitania, pourquoi ne pas vous diriger vers l'une des Cent Planètes – Trondheim n'est pas très loin d'ici – et profiter du voyage pour rédiger votre rapport au Congrès Stellaire ? J'ai même quelques idées quant à son contenu, si vous voulez bien les entendre. »

En guise de réponse, Lands sortit son pistolet laser et le pointa en direction de Peter.

Peter et Wang-mu disparurent immédiatement pour se rematérialiser dans le dos de Lands. Peter tendit la main et désarma prestement l'amiral, en lui brisant, hélas, deux doigts dans le mouvement. « Désolé, s'excusa Peter. Je manque d'entraînement, je n'ai pas eu l'occasion d'exercer mes talents en arts martiaux depuis... oh, disons quelques milliers d'années. »

Lands tomba à genoux en tenant sa main blessée.

« Peter, dit Wang-mu, est-ce que Jane ne pourrait pas éviter de nous déplacer comme ça toutes les cinq minutes ? C'est très déroutant. »

Peter lui fit un clin d'œil. « Vous voulez bien entendre ce que j'ai à vous dire au sujet de ce rapport ? » demanda-t-il à l'amiral.

Lands acquiesça.

« Moi aussi », dit Causo, qui avait clairement compris qu'il risquait d'avoir à commander ce vaisseau un bon bout de temps.

« Je crois que vous seriez bien inspiré d'utiliser votre ansible pour signaler qu'en raison d'une panne de système, on a pu croire que le Petit Docteur avait été lancé. Mais qu'en réalité, le lancement a pu être annulé à temps, et que pour éviter tout autre incident de ce genre, vous avez transféré le Dispositif DM dans la soute principale où vous l'avez désactivé et désarmé. Vous m'avez bien compris au sujet du désarmement ? » demanda Peter à Causo.

Celui-ci acquiesça. « Je vais immédiatement m'en occuper, monsieur. » Il se tourna vers l'officier de cargo. « Apportez-moi une trousse à outils. »

Pendant que l'officier allait chercher les outils dans un placard de rangement, Peter continua son exposé. « Ensuite, vous signalerez avoir été en contact avec un habitant de Lusitania – moi, en l'occurrence – qui a été en mesure de vous assurer que le virus de la descolada était parfaitement maîtrisé et ne représentait plus le moindre danger envers qui que ce soit.

— Et comment suis-je censé en être convaincu ? demanda Lands.

— Parce que je porte un résidu du virus en moi, et que s'il n'était pas complètement annihilé, vous attraperiez la descolada et mourriez dans les trois jours. Maintenant, après leur avoir assuré que la descolada ne représente plus la moindre menace, votre rapport devra aussi stipuler que la rébellion sur Lusitania n'est rien de plus qu'une erreur d'appréciation, et que loin d'y voir une quelconque ingérence de la part des humains dans leur culture, les pequeninos ont pu exercer leur droit d'espèce intelligente et bénéficier des informations et d'une technologie provenant de visiteurs bienveillants – la colonie humaine de Milagre en l'occurrence. Depuis, bon nombre de pequeninos ont acquis de solides connaissances en science et en technologie humaine, et dans un délai raisonnable, ils enverront des ambassadeurs au Congrès Stellaire en espérant voir le Congrès leur retourner la politesse. Vous me suivez ? »

Lands acquiesça. Causo, occupé à démonter le système de mise à feu du Petit Docteur, se contenta de grogner son assentiment.

« Vous pourrez aussi leur signaler que les pequeninos se sont alliés avec une autre espèce extraterrestre qui, contrairement à des rapports prématurés, n'a pas été complètement exterminée lors du fameux xénocide d'Ender. Une reine a survécu dans son cocon, et c'est elle qui est à l'origine de tout ce qui a été écrit dans le célèbre livre *La Reine*, dont la véracité est irréfutable à ce jour. La Reine de Lusitania ne désire cependant pas procéder à un échange d'ambassadeurs avec le Congrès Stellaire dans l'immédiat, et préfère pour l'instant que ses intérêts soient représentés par les pequeninos.

— Il y a encore des doryphores ? demanda Lands.

— Ender Wiggin n'a en fait pas commis de xénocide,

techniquement parlant. Ainsi, si le lancement du missile que voilà n'avait pas été avorté, vous auriez été responsable du premier xénocide et non du second. Jusqu'à nouvel ordre, il n'y a jamais eu de xénocide, et ce n'est pas faute d'avoir essayé à deux reprises, je dois l'admettre. »

Les yeux de Lands s'embrumèrent. « Je ne voulais pas faire ça. Je croyais faire ce qui était juste. Je pensais agir ainsi pour sauver...

— Vous n'aurez qu'à voir cela avec le psychanalyste du vaisseau un peu plus tard. Nous avons un dernier point à régler. Nous possédons une technique de voyage stellaire qui pourrait intéresser les Cent Planètes. Vous venez d'en avoir une démonstration. Bien que d'habitude, nous préférions y recourir dans des vaisseaux plutôt hideux en forme de boîte. N'empêche que cela reste une sacrée bonne méthode pour voyager puisqu'elle nous permet de visiter d'autres planètes sans perdre une seule seconde de notre vie. Je sais que ceux qui détiennent les clés de ce type de voyage seraient ravis, pendant les quelques mois à venir, de transporter instantanément tous les vaisseaux voyageant actuellement en vitesse relativiste vers leurs destinations.

— J'imagine qu'il y aura un prix à payer, dit Causo, en acquiesçant.

— Disons plutôt une condition préalable. Un des éléments clés du voyage stellaire réside entre autres dans un programme informatique dont le Congrès a récemment essayé de se débarrasser. Nous avons trouvé une méthode de remplacement, mais elle n'est pas vraiment appropriée, ni entièrement satisfaisante. Je pense pouvoir dire sans me tromper que le Congrès Stellaire ne pourra bénéficier du voyage instantané tant que tous les ansibles sur chacune des Cent Planètes ne seront pas reconnectés à tous leurs réseaux informatiques, et ce dans les plus brefs délais et sans ces horripilants petits programmes de protection qui aboient comme d'inutiles petits roquets.

— Mais je n'ai pas l'autorité nécessaire pour...

— Amiral Lands, je ne vous ai pas demandé de prendre les décisions. Je me suis contenté de vous suggérer le contenu du message que vous allez adresser au Congrès. Immédiatement. »

Lands détourna les yeux. « Je ne me sens pas bien, dit-il. Je me sens incapable de quoi que ce soit. Commandant en second Causo, en présence de l'officier de cargo Lung, je vous passe le relais du commandement de ce vaisseau et vous ordonne de signaler à l'amiral Fukuda qu'il est désormais le nouveau commandeur de cette flotte.

— Cela ne marchera pas, dit Peter. Le message doit être transmis par vous. Fukuda n'est pas ici, et je n'ai nullement l'intention d'aller perdre du temps à lui répéter ce que je viens de dire. Ce sera donc à vous de faire ce rapport, et à vous de commander cette flotte et ce vaisseau, et n'essayez pas de vous dérober à vos responsabilités. Vous avez pris une décision pénible un peu plus tôt. Vous vous êtes trompé, mais au moins vous l'avez prise avec courage et détermination. Faites preuve du même courage maintenant, amiral. Nous ne vous avons pas puni aujourd'hui, sauf maladresse de ma part pour vos doigts, ce dont je suis sincèrement désolé. Nous vous donnons une seconde chance. Prenez-la, amiral. »

Lands regarda Peter et des larmes lui coulèrent le long des joues. « Pourquoi me donnez-vous une seconde chance ?

— Parce que c'est ce qu'Ender a toujours voulu avoir. Et peut-être qu'en vous donnant une nouvelle chance, il en aura une lui aussi. »

Wang-mu prit la main de Peter et la serra dans la sienne.

Puis ils quittèrent la soute du vaisseau pour réapparaître dans la salle de contrôle de la navette qui gravitait autour de la planète des descoladores. Wang-mu regarda les étrangers autour d'eux. À l'inverse du vaisseau de l'amiral, celui-ci ne possédait pas de gravité artificielle, mais en s'accrochant au bras de Peter, Wang-mu évita de s'évanouir ou de vomir. Elle n'avait aucune idée de l'identité de ces gens, mais elle savait que Coupe-Feu devait être un pequenino et que l'ouvrière sans nom devant l'un des ordinateurs était une de ces créatures, jadis craintes et détestées, appelées doryphores.

« Salut, Ela, Quara, Miro, dit Peter. Je vous présente Wang-mu. »

Elle aurait été terrifiée si les autres ne l'avaient pas été davantage en les voyant eux...

Miro fut le premier à retrouver suffisamment ses esprits pour leur adresser la parole. « Vous n'auriez pas oublié votre vaisseau par hasard ? » demanda-t-il.

Wang-mu s'esclaffa.

« Salut, Mère Royale de l'Ouest », dit Miro en utilisant le nom de l'ancêtre de cœur de Wang-mu, un dieu vénéré sur La Voie. « Je sais tout de vous grâce à Jane », ajouta-t-il.

Une femme déboucha du couloir au fond de la salle de contrôle.

« Val ? dit Peter.

— Non, dit la femme, Jane.

— Jane, chuchota Wang-mu. La déesse de Malu.

— L'amie de Malu, corrigea Jane. Votre amie aussi. » Elle s'approcha de Peter et, lui étreignant les mains, le fixa dans les yeux. « Et ton amie aussi, Peter. Comme je l'ai toujours été. »

16

« COMMENT SAVOIR S'ILS NE SONT PAS DÉJÀ EN TRAIN DE TREMBLER DE PEUR ? »

« Ô Dieux ! Comme vous êtes injustes !
Ma mère et mon père
Méritaient
Un meilleur enfant
Que moi ! »
Murmures divins de Han Qing-Jao

« Vous aviez le Petit Docteur et vous l'avez rendu ? » demanda Quara, d'un ton dubitatif. Tout le monde, Miro y compris, pensait qu'elle voulait dire par là qu'elle ne faisait aucune confiance à la flotte.

— Il a été démonté devant moi, dit Peter.

— Et il ne peut pas être remonté ? »

Wang-mu essaya d'expliquer la situation. « L'amiral Lands n'est pas en mesure de recommencer. Nous n'aurions jamais laissé les choses en l'état. Lusitania est sauvée.

— Elle ne parle pas de Lusitania, dit Ela avec froideur. Elle parle d'ici. De la planète de la descolada.

— Suis-je donc la seule personne à y avoir pensé ? dit Quara. Regardez les choses en face – cela résoudrait tous nos problèmes de sondes, de versions encore plus virulentes de la descolada...

— Vous avez l'intention de faire sauter une planète sur laquelle vit une race intelligente ? demanda Wang-mu.

— Pas dans l'immédiat, dit Quara comme si elle s'adressait à la personne la plus stupide du monde. Si nous arrivons à déterminer s'ils sont... vous savez, comme Valentine les appelait. Varelses. Impossibles à raisonner. Et avec qui il est impossible de cohabiter.

— Donc ce que vous dites, s'aventura Wang-mu, c'est...

— Ce que j'ai dit. »

Wang-mu poursuivit : « ... que l'amiral Lands n'avait pas tort sur le principe, mais s'était simplement trompé de cible. Si la descolada avait toujours été une menace pour Lusitania, il aurait dû faire sauter la planète.

— Que représentent les vies de quelques personnes sur une planète, comparées à celles de toutes les espèces intelligentes ? demanda Quara.

— Est-ce là la même Quara Ribeira qui voulait nous empêcher d'éradiquer le virus de la descolada parce qu'il y avait une chance qu'il soit intelligent ? » demanda Miro d'un air amusé.

« J'y ai beaucoup réfléchi depuis. Mais à l'époque j'étais puérile et sentimentale. La vie est précieuse. Celle d'une espèce l'est davantage. Mais lorsque la vie d'une espèce menace la survie d'une autre, le groupe menacé a le droit de se défendre. N'est-ce pas là ce qu'Ender n'a cessé de faire ? »

Quara les regarda triomphalement les uns après les autres.

Peter acquiesça. « Oui. C'est ce qu'Ender a fait.

— Lors d'un jeu, dit Wang-mu.

— Lorsqu'il s'est battu avec les deux garçons qui voulaient le tuer. Il s'est assuré qu'ils ne le menaceraient plus jamais. C'est comme cela que l'on mène une guerre, au cas où certains d'entre vous penseraient bêtement le contraire. On ne se bat pas avec le minimum de moyens, il faut employer les grands moyens en étant prêt à en payer le prix. Il ne faut pas se contenter d'égratigner son ennemi, ni de le blesser, il faut détruire jusqu'à sa capacité de contre-attaquer. C'est la stratégie que l'on emploie face aux maladies. On ne se contente pas de trouver un vaccin qui détruit quatre-vingt-dix-neuf pour cent des bactéries ou du virus. Car en faisant cela, on ne fait que créer une nouvelle base résistante aux remèdes. Il faut tuer à cent pour cent. »

Wang-mu essaya de contrer l'argument. « Une maladie est une comparaison valable à votre avis ?

— Pourquoi ? Quelle analogie avez-vous en tête ? Un match de catch ? Se battre en cherchant à épuiser l'adversaire ? Ce serait parfait – à condition que votre adversaire suive vos règles. Mais si vous êtes là, prêt à vous battre, et qu'il vous sorte un couteau ou un pistolet, qu'allez-vous faire ? Ou bien prenons un match de tennis. Faut-il coller au score en attendant que votre adversaire fasse sauter une bombe sous vos pieds ? Il n'y a pas de règles. Pas dans une guerre.

— Mais sommes-nous en guerre ? demanda Wang-mu.

— Comme vient de le dire Quara, si nous nous apercevons qu'il n'y a aucun moyen de discuter avec eux, alors oui, nous serons en guerre. Ce qu'ils ont fait aux malheureux pequeninos sur Lusitania était effarant, une guerre sans merci où l'on ne se souciait guère des droits des victimes. Ce sont nos ennemis, à moins que nous arrivions à leur faire comprendre la portée de leurs actes. C'est bien ce que tu disais, Quara ?

— Absolument. »

Wang-mu savait que quelque chose clochait dans cette façon de raisonner mais elle n'arrivait pas à mettre le doigt dessus. « Peter, si c'est vraiment ce que tu penses, pourquoi n'as-tu pas gardé le Petit Docteur ?

— Parce que nous pouvons nous tromper. Et le danger n'est pas imminent. »

Quara fit claquer sa langue d'un air méprisant. « Tu n'étais pas ici, Peter. Tu n'as pas vu ce qu'ils nous ont balancé – un virus totalement nouveau, fabriqué spécialement pour nous paralyser comme des imbéciles heureux attendant qu'ils viennent récupérer notre vaisseau.

— Et ils vous l'ont envoyé comment ce virus, dans un paquet cadeau ? Ils vous ont envoyé un petit chiot infecté, en se disant que vous ne pourriez pas vous empêcher de le prendre dans vos bras ?

— Ils nous ont transmis le code. Mais ils s'attendaient à ce qu'on l'interprète en fabriquant cette molécule, qui aurait alors accompli sa besogne.

— Non, dit Peter. Vous êtes partis de l'hypothèse que leur langage fonctionnait de cette manière, puis vous avez agi en conséquence.

— Et toi, tu es convaincu du contraire, n'est-ce pas ? demanda Quara.

— Je n'en sais rien. C'est là toute la question. Nous n'en savons rien. Nous ne pouvons pas savoir. Maintenant, si nous les surprenions à lancer des sondes, ou s'ils essayaient de faire sauter ce vaisseau, il ne nous resterait plus qu'à agir. On enverrait des vaisseaux récupérer ces sondes pour étudier les virus. Et s'ils attaquaient le vaisseau où nous nous trouvons, nous nous lancerions dans une action défensive pour étudier leurs armes et leurs tactiques.

— C'est très bien maintenant, dit Quara. Maintenant que Jane est sauvée, que les arbres-mères sont intacts et qu'elle a retrouvé ses pouvoirs. Maintenant elle peut rattraper ces sondes et échapper à un tir de missiles ou Dieu sait quoi. Mais avant, lorsque nous étions en position vulnérable ? Lorsque nous pensions n'avoir plus que quelques semaines à vivre ?

— À ce moment-là, vous n'aviez pas le Petit Docteur non plus. Vous n'auriez donc pas pu faire sauter cette planète. Nous n'avons pas pu mettre la main sur le Dispositif DM avant que Jane puisse de nouveau nous faire voyager instantanément. Et une fois ce pouvoir retrouvé, il devenait inutile de détruire la planète de la descolada à moins que celle-ci ne représente un danger immédiat pour qu'une autre forme de résistance soit envisagée. »

Quara s'esclaffa. « Qu'est-ce que c'est que ça ? Je croyais que Peter était la partie malfaisante d'Ender. On dirait que tu es devenu la gentillesse même. »

Il sourit. « Il y a des moments où l'on est amené à se défendre ou à défendre les autres contre un mal impitoyable. Et dans de tels moments, la seule défense ayant une chance de réussir est l'utilisation ponctuelle d'une force brutale et destructrice. Dans de tels moments, les plus paisibles des individus peuvent se révéler brutaux.

— Tu ne serais pas en train de te justifier ? dit Quara. Tu es le successeur d'Ender. Cela t'arrange donc bien de croire que ces deux garçons qu'Ender a tués sont l'exception qui confirme ta règle.

— Je justifie Ender en mettant en avant son ignorance et sa vulnérabilité. Nous ne sommes pas vulnérables. Le Congrès Stellaire et la Flotte lusitanienne n'étaient pas vulnérables. Ils ont pourtant choisi d'agir avant de combler cette ignorance.

— Ender a choisi d'utiliser le Petit Docteur alors que lui était dans l'ignorance.

— Non, Quara. Il s'est fait manipuler par les adultes qui le contrôlaient. Ils auraient pu intercepter et annuler sa décision. Il leur restait largement assez de temps pour utiliser les systèmes d'annulation. Ender se croyait dans un jeu. Il pensait que le fait d'utiliser le Petit Docteur lors de la simulation le ferait passer pour un irresponsable, voué à désobéir et trop violent pour qu'on puisse lui confier un commandement. Il essayait de se faire expulser de l'École de Guerre. C'est aussi simple que ça. Il faisait ce qu'il pouvait pour les empêcher de le torturer. Ce sont les adultes qui ont pris la décision de lâcher leur arme la plus redoutable : Ender Wiggin. Il n'était plus question d'essayer de parler aux doryphores, de communiquer avec eux. Même vers la fin, lorsqu'ils savaient pertinemment qu'Ender était sur le point de détruire la planète mère des doryphores. Ils ont opté pour le massacre, à n'importe quel prix. Comme l'amiral Lands. Comme toi, Quara.

— J'ai bien précisé que l'on attendrait avant d'agir.

— Tant mieux. Nous sommes donc sur la même longueur d'onde.

— Mais nous devrions avoir le Petit Docteur ici, avec nous !

— Le Petit Docteur n'aurait jamais dû exister. Il n'a jamais été nécessaire. Jamais approprié. Parce que le prix à payer est trop élevé.

— Le prix ! lâcha Quara. Il coûte moins cher que toutes les armes nucléaires jadis utilisées !

— Il nous a fallu trois mille ans pour nous remettre de la destruction de la planète des reines. Voilà le prix qu'il a fallu payer. Si nous utilisons le Petit Docteur, nous deviendrons des individus capables de rayer de l'existence des espèces entières. L'amiral Lands était exactement le même genre d'homme que ceux qui ont manipulé Ender Wiggin. Leur avis était bien arrêté. Et c'était là le danger. C'était là que résidait le mal. Il fallait détruire. Ils pensaient tous bien faire. Ils rendaient service à l'humanité. Mais ce n'était pas le cas. D'autres éléments les motivaient, mais en choisissant d'utiliser cette arme, ils refusaient toute tentative de communiquer avec l'ennemi. Pourquoi ne pas avoir fait une démonstration du Petit Docteur sur une lune voisine ? Pourquoi Lands ne s'est-il pas renseigné pour savoir si la situation sur Lusitania avait évolué ? Quant à toi, Quara... quelle était au fond la méthode que tu avais envisagée pour décider du sort des descoladores ? À partir de quel moment allais-tu juger qu'ils représentaient un danger insupportable pour les autres espèces ?

— Retourne l'argument, Peter. À partir de quel moment peux-tu dire qu'ils ne sont pas dangereux ?

— Nous avons des armes plus efficaces que le Petit Docteur. Ela a déjà fabriqué une molécule capable d'empêcher la descolada de nuire sans pour autant détruire sa faculté d'aider la faune et la flore de Lusitania à subir ses transformations. Qui sait si nous ne sommes pas capables d'en faire autant avec chaque détestable petit virus qu'ils nous enverront jusqu'à ce qu'ils en aient assez ? Qui sait s'ils ne sont pas en train d'essayer désespérément de communiquer avec nous en ce moment même ? Comment savoir si la molécule qu'ils nous ont envoyée n'était pas une tentative pour nous rendre aussi heureux qu'eux, s'ils n'opéraient pas de la seule façon qu'ils connaissent, en nous envoyant une molécule qui nous débarrasse de notre haine ? Comment savoir s'ils ne sont pas déjà en train de trembler de peur sur cette planète parce que nous avons un vaisseau capable d'apparaître et de disparaître où bon lui semble ? Avons-nous essayé de communiquer avec eux ? »

Peter les regarda chacun à son tour.

« Ne comprenez-vous pas ? Il n'existe qu'une seule espèce qui, à ce jour, a délibérément, en toute conscience et en toute connaissance de cause, essayé de détruire une autre espèce intelligente sans faire le moindre effort pour communiquer avec elle ou la mettre en garde. Et c'est de nous qu'il s'agit. Le premier xénocide a échoué parce que les victimes de cette attaque ont réussi à sauver une femelle porteuse. Le second, pour une meilleure raison – parce que certains représentants de l'espèce humaine étaient déterminés à l'éviter. Pas seulement quelques-uns parmi eux, mais un nombre assez important. Le Congrès. Une puissante entreprise. Un philosophe de Vent Divin. Un homme sacré des Samoa et ses disciples sur Pacifica. Wang-mu et moi-même. Jane. Et les propres hommes et officiers de l'amiral Lands, lorsqu'ils ont enfin compris la situation. Ne voyez-vous pas que nous sommes en train de faire des progrès ? Mais les faits demeurent : nous autres humains sommes la seule espèce intelligente à montrer autant de dispositions à refuser catégoriquement toute communication avec d'autres espèces, préférant les exterminer. Peut-être que les descoladores sont varelses, peut-être ne le sont-ils pas. Mais ce qui m'inquiète davantage c'est que nous sommes nous-mêmes varelses. Voilà le prix qu'il faut payer lorsqu'on utilise le Petit Docteur quand ce n'est pas indispensable et que ce ne le sera jamais étant donné ce que nous avons en réserve. Si nous utilisons la Dispositif DM, nous ne pouvons plus nous considérer comme une race raman. On ne pourra plus nous faire confiance. Et c'est nous qui mériterons de mourir pour que les autres espèces vivent. »

Quara secoua la tête, mais sa suffisance avait disparu. « J'ai encore l'impression d'entendre quelqu'un qui essaye de se faire pardonner ses crimes passés.

— C'était valable pour Ender. Il a passé toute sa vie à essayer de devenir raman et d'encourager les autres à le devenir aussi. Je regarde autour de moi dans ce vaisseau, je repense à ce que j'ai vu, aux gens que j'ai rencontrés ces derniers mois, et je finis par penser que la race humaine ne se débrouille finalement pas si mal. Nous sommes sur la bonne voie. Il y a bien quelques rechutes ici et là. Quelques discours emportés. Mais dans l'ensemble, nous méritons tout de même de nous associer aux reines et aux pequeninos. Et si les descoladores sont moins prédisposés à devenir raman que nous, ceci ne nous donne en aucun cas le droit de les détruire. Cela signifie au contraire que nous avons d'autant plus de raisons de nous montrer patients et de leur montrer la voie. Combien d'années nous a-t-il fallues pour arriver où nous en sommes depuis le temps reculé où nous empilions les crânes de nos ennemis sur les champs de bataille ? Des milliers d'années. Et pendant tout ce temps, nous avions des maîtres pour nous apprendre à changer. Et petit à petit nous avons appris. Apprenonsleur à notre tour – s'ils sont plus ignorants que nous.

— Il nous faudra peut-être des années avant d'apprendre leur langage, dit Ela.

— Le transport ne nous coûte pas cher. Sans vouloir t'offenser, Jane. Nous pouvons envoyer plusieurs équipes se relayer sans que cela soit trop pesant pour qui que ce soit. Nous pourrons ainsi garder un œil sur cette planète. Des pequeninos et des ouvrières de la Reine coude à coude avec les humains. Pendant des siècles, des millénaires. Il n'y a pas urgence.

— Je pense que c'est dangereux, dit Quara.

— Et moi je pense que tu fais preuve du même désir instinctif que nous avons tous et qui a le don de nous mettre dans un sacré pétrin à chaque fois. Tu sais que tu vas mourir, et tu veux que tout soit réglé avant de quitter ce monde.

— Je ne suis quand même pas si âgée ! »

Miro prit la parole. « Il a raison, Quara. Depuis que Marcão n'est plus, l'ombre de la mort t'a toujours suivie. Pensez-y, tous. Les humains sont une espèce à la vie courte. Les reines pensent vivre éternellement. Les pequeninos ont l'espoir de vivre de nombreux siècles dans leur troisième vie. Mais nous, nous sommes constamment pressés. Déterminés à prendre des décisions avant même de nous renseigner, parce que nous voulons agir tout de suite, tant que nous en avons encore le temps.

— Alors ça y est ? dit Quara. On en reste là ? On va laisser ce fléau sur sa planète, à préparer tranquillement ses plans d'attaque tandis que nous l'observerons du ciel ?

— Pas nous, dit Peter.

— C'est vrai. Tu ne fais pas partie de ce projet.

— Moi si. Mais toi, non. Tu vas repartir sur Lusitania, et Jane ne te fera jamais revenir ici. Pas avant que tu aies prouvé sur plusieurs années que tu as réussi à te libérer de tes cauchemars.

— Arrogant fils de pute ! s'écria Quara.

— Tous ceux présents ici savent que j'ai raison. Tu es comme Lands. Trop prompte à prendre des décisions aux conséquences terriblement dangereuses, refusant tout argument qui pourrait te faire changer d'avis. Tu n'es pas la seule, Quara. Mais nous ne pouvons pas laisser de telles personnes s'approcher de cette planète avant d'en savoir plus. Un jour viendra peut-être où toutes les espèces intelligentes arriveront à la conclusion que les descoladores sont bien varelses et méritent la mort. Mais je doute qu'aucun d'entre nous ici, à part Jane, sera vivant le jour où cela se produira.

— Quoi ? Tu penses que je vais vivre éternellement ? demanda Jane.

— Il vaudrait mieux. À moins que Miro et toi n'arriviez à trouver un moyen d'avoir des enfants capables d'envoyer des vaisseaux dans l'espace une fois adultes. » Il la regarda. « Tu peux nous ramener à la maison maintenant ?

— C'est comme si c'était fait. »

Ils ouvrirent la porte, puis quittèrent le vaisseau. Ils foulèrent tous le sol d'une planète qui n'allait finalement pas être détruite.

Tous, sauf Quara.

« Quara ne vient pas avec nous ? demanda Wang-mu.

— Elle a peut-être besoin de rester seule un instant, dit Peter.

— Partez devant, dit Wang-mu.

— Tu penses t'en sortir avec elle ? demanda Peter.

— Je peux toujours essayer. »

Il l'embrassa. « Ça a été dur pour elle. Dis-lui que je suis désolé.

— Tu pourras peut-être le lui dire toi-même plus tard. »

Wang-mu retourna au vaisseau. Quara se trouvait toujours devant son ordinateur. Les dernières données qu'elle regardait avant que Peter et Wang-mu fassent irruption dans le vaisseau étaient encore affichées.

« Quara, dit Wang-mu.

— Laisse-moi. » Sa voix cassée indiquait qu'elle venait de pleurer.

« Tout ce que vient de raconter Peter est vrai.

— C'est ce que tu es venue me dire ? Histoire de remuer le couteau dans la plaie ?

— Sauf que, selon moi, il surestime la race humaine lorsqu'il parle de notre légère amélioration. »

Quara renifla. C'était pratiquement une façon d'acquiescer.

« Parce qu'il me semble que lui et tous ceux qui étaient présents avaient décidé à l'avance que toi, tu étais varelse. À bannir sans circonstances atténuantes. Sans qu'ils fassent le moindre effort pour essayer de te comprendre.

— Oh, ils me comprennent très bien. La petite fille anéantie par la perte de son père brutal mais pourtant adoré. À la recherche perpétuelle de l'image du père. Réagissant toujours face aux autres avec la même rage aveugle qu'elle voyait chez son père. Tu crois que je ne sais pas ce qu'ils ont décidé ?

— Ils t'ont rivé ton clou.

— Ça ne me rend pas justice. J'ai peut-être suggéré de garder le Petit Docteur au cas où on en aurait besoin, mais je n'ai jamais dit qu'il fallait l'utiliser sans tenter le dialogue. Peter s'est contenté de me traiter comme si j'étais un autre amiral Lands.

— Je sais.

— Ouais, c'est ça. Je suis persuadée que tu me prends en pitié et que tu sais qu'il a tort. Allons, Jane nous a déjà dit que vous deux étiez – c'est comment déjà, cette expression débile ? – amoureux.

— Je ne suis pas particulièrement fière de la façon dont Peter t'a traitée. Il a fait une erreur. Ça lui arrive parfois. Il lui arrive de me blesser. Toi aussi. Tu viens de le faire à l'instant. Je ne sais pas pourquoi. Mais moi aussi il m'arrive de blesser les gens. Et il m'arrive parfois de faire de terribles choses parce que je suis convaincue d'être dans le vrai. Nous sommes tous comme ça. Une partie de nous est un peu varelse et l'autre un peu raman.

— En voilà une belle philosophie ras-les-pâquerettes de collégienne.

— C'est tout ce que j'ai trouvé. Je n'ai pas été éduquée, moi.

— C'est censé me donner des remords ?

— Dis-moi, Quara. Si tu n'es pas vraiment en train de rejouer le rôle de ton père ou d'essayer de le faire revivre, quelle que soit l'interprétation de tout ça, pourquoi te montres-tu systématiquement aussi agressive envers les autres ? »

Quara finit par faire pivoter son siège pour faire face à Wang-mu. Elle avait effectivement pleuré. « Tu veux vraiment savoir pourquoi j'éprouve continuellement cette fureur incompréhensible ? » Sa voix trahissait encore le mépris. « Tu veux vraiment jouer à la psy avec moi ? Eh bien, ouvre grand tes oreilles. Ce qui me rend si folle de rage, c'est que durant toute mon enfance, mon frère aîné, Quim, me faisait subir des attouchements en secret, et maintenant il est devenu un martyr, on va bientôt en faire un saint et personne ne saura jamais quel être vil c'était, ni les terribles choses qu'il m'a faites. »

Wang-mu resta figée sur place, horrifiée. Peter lui avait raconté l'histoire de Quim. Comment il était mort. Le genre d'homme qu'il était. « Quara, je suis désolée. »

Celle-ci lui lança un regard de mépris. « Tu es vraiment une imbécile. Quim ne m'a jamais touchée, pauvre petite sainte-nitouche. Tu voulais tellement une explication logique à ce qui faisait de moi une pareille salope que tu étais prête à entendre n'importe quoi qui soit un tant soit peu crédible. Tu dois sans doute être encore en train de te demander si mon histoire ne serait pas vraie et si je ne cherche pas à nier tout cela à cause des répercussions que pourrait entraîner une telle merda. Eh bien, tiens-toi bien, fillette. Tu ne me connais pas. Tu ne me connaîtras jamais. Je ne veux pas que tu me connaisses. Je n'ai pas besoin d'une amie, et quand bien même, je ne voudrais pas que ce soit la greluche de Peter qui me fasse cet honneur. Suis-je assez claire ? »

Dans sa vie, Wang-mu avait déjà été battue par des experts et mise plus bas que terre par des champions. Quara était sacrément bonne dans ce domaine, mais pas suffisamment pour que Wang-mu supporte cela sans ciller. « Je constate pourtant qu'après ce déballage de haine envers l'un des membres les plus nobles de ta famille, tu n'as pu me laisser croire jusqu'au bout que c'était vrai. Tu as donc quand même fait preuve d'une certaine loyauté envers un autre, même s'il s'agit d'un mort.

— Tu ne veux vraiment pas voir les choses en face, hein ?

— Je constate aussi que tu continues à me parler, même si tu me méprises et essaies de m'offenser.

— Si tu étais un poisson, tu serais un rémora, tu aimes te coller aux autres et leur pomper la vie.

— Parce que tu pouvais partir d'ici à n'importe quel moment sans avoir à m'écouter alors que j'essaye pathétiquement de sympathiser avec toi. Mais tu n'es pas partie.

— Tu es incroyable. » Quara débloqua sa ceinture de sécurité, quitta son siège et franchit la porte restée ouverte.

Wang-mu la regarda partir. Peter avait raison. Les humains étaient vraiment une des espèces les plus étranges. Toujours la plus dangereuse, la moins raisonnable et la moins prévisible.

Malgré cela, Wang-mu se risqua à quelques prédictions.

Tout d'abord, elle était persuadée que l'équipe de recherche arriverait un jour, d'une manière ou d'une autre, à communiquer avec les descoladores.

Sa deuxième prédiction était un peu plus hasardeuse. Elle tenait plus de l'espoir. Voire du simple désir. Un jour, peut-être, Quara raconterait à Wang-mu la vérité. Un jour, la blessure enfouie de Quara serait guérie. Un jour, elles deviendraient peut-être amies.

Mais ce n'était pas pour aujourd'hui. Il n'y avait pas urgence. Wang-mu essayerait d'aider Quara parce qu'elle paraissait réellement en avoir besoin, et parce que ceux qui l'entouraient depuis si longtemps ne la supportaient plus assez pour vouloir l'aider. Mais aider

Quara n'était pas la seule chose, ni même la plus importante, qu'elle ait à accomplir. Épouser Peter, fonder une famille avec lui – tout cela était une plus grande priorité. Puis trouver quelque chose à manger, un verre d'eau, aller aux toilettes – telles étaient les autres priorités de sa vie à ce moment précis.

Je suppose que je ne suis qu'un être humain, après tout, pensa Wang-mu. Et non pas une déesse. Peut-être même simplement un animal. À moitié raman. À moitié varelse. Mais plus raman que varelse, en tout cas dans ses bons jours. Et Peter était comme elle. Tous deux faisaient partie de la même espèce imparfaite, bien déterminés à s'accoupler pour lui ajouter quelques membres de plus. Peter et moi, ensemble, nous appellerons un aiúa de Dehors pour contrôler le petit être que nos corps auront créé, et nous observerons cet enfant se comporter en raman certains jours, et en varelse à d'autres. Il y aura des jours où nous serons de bons parents et d'autres où nous échouerons lamentablement dans ce rôle. Des jours où nous serons désespérément tristes et d'autres où nous baignerons dans le bonheur. Cette perspective ne me déplaît pas.

17

« LE CHEMIN CONTINUE SANS LUI DÉSORMAIS »

« J'ai entendu un jour l'histoire d'un homme
Qui s'était divisé en deux.
Une partie de lui n'a jamais changé,
L'autre n'a cessé de se développer.
Celle qui ne changeait pas était toujours authentique,
Celle qui se développait toujours nouvelle,
Et je me suis demandé, une fois l'histoire terminée,
Quelle partie était moi, et laquelle était toi ? »

Murmures Divins de Han Qing-Jao

Le matin de l'enterrement d'Ender, Valentine se réveilla en proie à de sombres pensées. Elle était venue sur Lusitania pour être de nouveau avec lui et l'aider dans son travail. Jakt avait eu de la peine de la voir si avide de partager de nouveau la vie d'Ender, et elle le savait. Pourtant, son mari avait abandonné sa planète natale pour venir avec elle. Que de sacrifices. Et maintenant, Ender n'était plus.

Il n'était plus, et il était toujours là. L'homme dont l'aiúa d'Ender occupait le corps dormait dans sa maison. L'aiúa d'Ender, et le visage de son frère Peter. Quelque part en lui se trouvaient les souvenirs d'Ender. Mais il n'y avait pas encore touché, sauf de manière inconsciente, ponctuelle. En fait, il s'était en quelque sorte réfu-

gié dans sa maison pour ne pas voir resurgir ces souvenirs.

« Et si je rencontrais Novinha ? Il l'aimait, non ? avait
demandé Peter dès son arrivée. Il était terriblement
conscient de ses responsabilités envers elle. Et cela me
gêne de me sentir quelque part marié avec elle.

— C'est un problème d'identité intéressant, n'est-ce
pas ? » avait répondu Valentine. Mais ce n'était pas qu'un
simple problème pour Peter. Il était terrifié à l'idée de
devenir prisonnier de la vie d'Ender. Terrifié aussi de
vivre une vie rongée par le remords comme cela avait
été le cas d'Ender. « C'est un abandon de famille », avait-il
dit. Ce à quoi Valentine avait répondu : « L'homme qui
a épousé Novinha est mort. Nous l'avons vu mourir. Elle
n'a pas besoin d'un jeune mari qui ne voudrait pas d'elle,
Peter. Sa vie est suffisamment triste sans cela. Épouse
Wang-mu, quitte cet endroit, continue ton chemin, réa-
lise-toi. Deviens le véritable fils d'Ender, vis la vie qu'il
aurait voulu vivre si les besoins des autres ne l'avaient
pas détourné de son chemin. »

Allait-il suivre son conseil ? Valentine n'aurait su le
dire. Il restait cloîtré dans la maison, allant jusqu'à éviter
de rencontrer des visiteurs qui auraient pu faire remonter des souvenirs. Ohaldo vint, puis Grego, et Ela, chacun son tour, afin d'exprimer leurs condoléances à
Valentine pour la mort de son frère, mais à aucun
moment Peter n'entra dans la pièce. En revanche, on y
vit Wang-mu.Cette gentille jeune fille qui avait pourtant
quelque chose de dur en elle ne déplaisait pas à Valentine. Wang-mu joua le rôle de l'amie compatissante de
la famille du disparu, reprenant la conversation lorsque
chacun des descendants d'Ender racontait de quelle
manière il avait sauvé leur famille, comment il avait été
une véritable bénédiction pour eux quand tout espoir
était perdu.

Et dans un coin de la pièce se trouvait Plikt, assise,
absorbée dans ses pensées, écoutant, étoffant le discours
dont elle avait rêvé toute sa vie.

Oh, Ender, les chacals ont mangé sur ton dos pendant trois mille ans. Et maintenant c'est au tour de tes amis. Mais au bout du compte, les morsures sur tes os seront-elles différentes ?

Aujourd'hui tout allait se terminer. D'autres auraient divisé le temps différemment, mais pour Valentine l'Ère d'Ender Wiggin prenait fin. L'ère qui avait commencé par une tentative de xénocide, pour se terminer par d'autres xénocides avortés, ou du moins reportés. Les humains pourraient peut-être vivre en paix avec d'autres peuples de l'espace, œuvrant pour partager leur destinée sur d'autres colonies. Valentine écrirait cette histoire, comme elle avait raconté une histoire sur chaque planète qu'Ender et elle avaient visitée ensemble. Elle écrirait, non un oracle ou un texte sacré, comme Ender avec ses trois livres, *La Reine, L'Hégémon* et *La Vie d'Humain*, mais une espèce de manuel pédagogique, en citant ses sources. Elle aspirait à devenir non pas un Paul ou un Moïse, mais plutôt un Thucydide. Bien qu'elle ait toujours écrit sous le nom de Démosthène, héritage de son enfance lorsqu'elle et Peter, le premier Peter, le ténébreux et magnifique Peter, avaient trouvé les mots qui avaient changé le monde. Démosthène publierait un livre faisant la chronologie des efforts humains sur Lusitania, et ce livre accorderait une grande place à Ender – il raconterait comment il avait rapporté le cocon de la Reine avec lui et était devenu un élément central de la famille lorsqu'il avait fallu négocier avec les pequeninos. Mais ce ne serait pas un livre sur Ender. Ce serait un livre sur les utlannings et les framlings, les ramans et les varelses. Ender, qui était un étranger où qu'il aille, sans appartenance aucune, accomplissant son œuvre partout, jusqu'à ce qu'il choisisse cette planète pour s'y installer, non seulement parce qu'une famille avait besoin de lui, mais aussi parce qu'ici il n'était pas obligé d'être un membre à part entière de la race humaine... Ender pouvait faire partie de la famille des pequeninos, de la Reine. Il pouvait faire partie de quelque chose de plus vaste que la race humaine.

Et même si aucun enfant ne portait officiellement son nom, ici il était devenu un père. Celui des enfants de Novinha. Et d'une certaine manière, celui de Novinha. D'une jeune copie de Valentine elle-même. De Jane, première descendance d'une rencontre d'espèces, qui était devenue une superbe et lumineuse créature vivant au sein des arbres-mères, sur des réseaux numériques, sur les liens philotiques des ansibles, et dans un corps qui jadis avait été celui d'Ender et qui, d'une certaine manière, avait aussi été celui de Valentine, car elle se rappelait avoir vu ce visage dans un miroir en se disant que c'était elle.

Il était aussi le père de ce nouvel homme, Peter, cet homme fort et entier. Car ce n'était plus le Peter qui avait été le premier à sortir du vaisseau. Ce n'était pas le garçon malfaisant, cynique et cruel qui avançait dans la vie plein d'arrogance, bouillonnant de rage. Il était devenu entier. On retrouvait chez lui le calme d'une sagesse ancestrale, même si le feu de la jeunesse brûlait encore. Il avait une compagne qui était son égale en intelligence, en vertu et en force. Et devant lui, la perspective d'une espérance de vie d'homme normal. La vie de celui qui était le véritable fils d'Ender serait, sinon aussi profondément influente, du moins plus heureuse. Ender ne lui en aurait pas souhaité plus – ni moins. Changer le monde sert ceux qui veulent voir leur nom inscrit dans les livres d'histoire. Mais être heureux sert ceux qui inscrivent leur nom dans la vie des autres et considèrent leur cœur comme le bien le plus précieux.

Valentine et Jakt, ainsi que leurs enfants, se regroupèrent sur la véranda de leur maison, où Wang-mu attendait, seule. « Puis-je venir avec vous ? » demanda-t-elle. Valentine lui offrit son bras. Quel est donc ce lien qui nous unit ? Est-ce ma future « belle nièce » ? « Amie » serait un terme plus approprié.

Le discours de la mort d'Ender par Plikt était éloquent et percutant. Elle avait profité des leçons du maître. Elle ne perdait pas de temps en futilités. Elle commença par parler de son plus grand crime, en expliquant ce qu'Ender avait cru faire alors, et ce qu'il avait ressenti après avoir été informé de la vérité. « Telle fut la vie d'Ender, dit Plikt. Il a épluché la vérité comme on épluche un oignon. Mais contrairement à nous, il savait qu'il n'y avait pas de noyau doré à l'intérieur. Il n'y avait que des couches d'illusion et d'incompréhension. Ce qui était important, c'était de connaître toutes les erreurs, les excuses bien pratiques, les fautes, les jugements erronés, et d'en faire – et non de trouver – un noyau de vérité. D'allumer une bougie de vérité là où il n'y avait aucune vérité à trouver. Tel a été le cadeau qu'il nous a fait. Il nous a délivrés de l'illusion qu'une explication nous apportera un jour une réponse définitive à tout et pour tous. Il y a toujours plus à apprendre. »

Plikt continua ainsi, rappelant des incidents et des souvenirs, des anecdotes et autres paroles fondamentales ; les gens réunis passèrent du rire aux larmes, puis de nouveau au rire, et gardèrent le silence à plusieurs reprises pour relier ces souvenirs à leurs propres vies. Comme je ressemble à Ender, se disaient-ils parfois, et à d'autres moments, Dieu merci, ma vie ne ressemble pas à la sienne !

Valentine, en revanche, connaissait des histoires dont Plikt ne parlerait pas, car elle ne les connaissait pas, ou du moins, ne pouvait les appréhender sous le regard du souvenir. Ce n'étaient pas des anecdotes importantes. Elles ne révélaient aucune vérité cachée. C'étaient de simples vestiges de moments passés ensemble. Des conversations, des disputes, des moments tendres et drôles sur les différentes planètes qu'ils avaient visitées ou à bord de vaisseaux lors de ces déplacements. Et au cœur de tout cela, il y avait les souvenirs d'enfance. Le bébé dans les bras de la mère de Valentine. Père le lançant en l'air. Ses premiers mots, ses premiers balbutiements. Pas de aga-aga pour bébé Ender ! Il voulait plus de syllabes pour s'exprimer : dadou-dadou. Wagada wagada. Pourquoi est-ce que je me souviens de ce langage de bébé ?

Le bébé à l'adorable visage, plein de vie. Des larmes d'enfant à cause d'une chute. Un rire pour les raisons les plus futiles – une chanson, un visage familier, parce que la vie était tendre et pure en ce temps-là, et que rien ne lui avait encore fait de mal. Il était entouré d'amour et d'espoir. Les mains qui le touchaient étaient douces et puissantes à la fois, et il pouvait leur faire confiance. Oh, Ender, pensa Valentine. J'aurais tant voulu que ta vie soit aussi heureuse qu'à cette époque. Mais il n'en est jamais ainsi. Le langage nous vient, et avec lui les mensonges, les menaces, la cruauté et les désillusions. On arrive à marcher, et nos pas nous éloignent du havre protecteur de la famille. Pour préserver le bonheur de son enfance, il faudrait mourir quand on est enfant, ou vivre comme un enfant, sans jamais devenir adulte, sans jamais grandir. C'est pour cela que je pleure l'enfant disparu, sans pour autant regretter l'homme de bonté rongé par la souffrance et le remords, ce qui ne l'empêchait pas de se montrer bon envers moi et envers les autres. Celui que j'aimais, que j'ai presque connu. Presque, mais pas tout à fait.

Valentine laissa ses larmes couler en se remémorant ces souvenirs alors que les mots de Plikt résonnaient encore, la touchant par moments, et à d'autres non, car elle en savait beaucoup plus sur Ender que tous ceux qui étaient présents, et elle avait perdu bien plus qu'eux en le perdant. Plus que Novinha, assise au premier rang, ses enfants autour d'elle. Valentine l'observa alors que Miro passait son bras autour des épaules de sa mère, tout en tenant Jane de son autre main. Valentine remarqua aussi comment Ela prenait la main d'Ohaldo pour l'embrasser. Comment Grego, la larme à l'œil, posait sa tête sur l'épaule de sa sœur Quara, au visage si dur, et comment Quara l'étreignait pour le réconforter. Ils aimaient Ender eux aussi, et ils le connaissaient ; mais dans leur douleur, ils se reposaient les uns sur les autres, en famille suffisamment forte parce que Ender en avait fait partie et les avait guéris, ou du moins les avait mis sur la voie de la guérison. Novinha survivrait, et dépasserait peut-être sa colère à cause des sales tours que la vie lui avait joués. Perdre Ender n'était peut-être pas la pire chose qui lui soit arrivée ; d'une certaine manière, c'était même la meilleure, car c'était elle qui l'avait laissé partir.

Valentine regarda les pequeninos assis parmi les humains ou à part. Pour eux, cet endroit était un lieu doublement sacré, où les quelques restes d'Ender allaient bientôt reposer. Entre les arbres de Rooter et d'Humain, là où Ender avait versé le sang d'un pequenino pour sceller le pacte entre les différentes espèces. Il y avait beaucoup d'amitiés qui s'étaient créées entre pequeninos et humains, même si certaines craintes et inimitiés persistaient, mais les ponts avaient été construits, en grande partie grâce au livre d'Ender qui donnait aux pequeninos l'espoir qu'un jour, peut-être, un humain les comprendrait ; espoir auquel ils s'étaient accrochés jusqu'à ce qu'Ender en fasse une réalité.

Il y avait aussi une ouvrière, totalement inexpressive, assise à quelques mètres de là, sans aucun humain ni pequenino à côté d'elle. Elle n'était qu'un regard. Si la Reine pleurait Ender, elle ne le montrait pas. Elle faisait toujours autant de mystères, mais Ender l'avait aimée elle aussi ; elle avait été sa seule amie pendant trois mille ans, sa seule protection. Ender pouvait même, d'une certaine manière, la considérer comme l'un de ses enfants adoptifs qu'il avait toujours protégés.

Il ne fallut que trois quarts d'heure à Plikt pour terminer son discours. Elle conclut simplement :

« Même si l'aiúa d'Ender continue de vivre, comme le font tous les aiúas, l'homme tel que nous le connaissions n'est plus avec nous. Son corps n'est plus, et quels que soient les éléments de sa vie et de son œuvre que nous garderons, ils ne seront plus lui, mais nous, ils seront ce qu'il reste d'Ender en nous comme nous avons en nous nos amis, nos professeurs, nos pères et nos mères, nos compagnons ou compagnes, notre descendance, et même les étrangers qui regardent le monde à travers nos yeux et nous aident à lui donner un sens. Dans vos yeux je vois Ender qui me regarde. Comme vous voyez Ender vous regarder à travers les miens. Et pourtant aucun d'entre nous n'est vraiment lui ; nous sommes tous nous-mêmes, tous des étrangers sur nos propres chemins. Nous avons parcouru ce chemin avec Ender Wiggin pendant quelque temps. Il nous a montré ce que nous n'aurions peut-être pas vu autrement. Mais le chemin continue sans lui désormais. En fin de compte, il ne valait pas mieux qu'un autre. Mais il ne valait pas moins non plus. »

Puis ce fut terminé. Pas de prière – elles avaient été dites avant qu'elle ne parle, car le prêtre n'avait pas l'intention de laisser cette cérémonie païenne faire partie du culte de l'Église de la Sainte Mère. Les gens avaient déjà pleuré et surmonté la douleur. Ils se relevèrent du sol, les plus vieux courbaturés, les enfants agités, courant et criant pour se défouler après cette longue attente. Il était bon d'entendre des rires et des cris. C'était aussi une belle façon de dire au revoir à Ender Wiggin.

Valentine embrassa Jakt et ses enfants, puis Wang-mu, et poursuivit son chemin à travers la foule compacte. Tant d'humains avaient fui Lusitania pour aller sur d'autres colonies ; mais maintenant que leur planète était sauvée, bon nombre d'entre eux choisissaient de ne pas rester sur leurs planètes d'accueil. Lusitania était leur foyer. Ce n'étaient pas des pionniers. Beaucoup d'autres, cependant, étaient simplement venus assister à la cérémonie. Jane les renverrait à leurs fermes ou leurs maisons dans les territoires encore vierges. Il faudrait une génération ou deux avant que Milagre ne se repeuple.

Peter l'attendait dans la véranda. Valentine lui sourit. « Je crois que tu as un rendez-vous », dit-elle.

Ils quittèrent Milagre ensemble pour se diriger vers la nouvelle forêt qui n'arrivait pas à masquer les traces du dernier incendie. Ils marchèrent jusqu'à un grand arbre lumineux. Ils arrivèrent presque en même temps que ceux qui venaient de quitter le lieu de l'enterrement. Jane s'approcha de l'arbre-mère flamboyant et le toucha – et par ce geste, c'était une partie d'elle-même qu'elle touchait, ou du moins celle d'une sœur adorée. Puis Peter prit place à côté de Wang-mu, Miro en fit autant avec Jane, et le prêtre maria les deux couples sous l'arbre-mère, sous les yeux de quelques pequeninos et de Valentine, seul témoin humain de cette cérémonie. Personne d'autre ne savait qu'elle avait lieu. Il n'aurait pas été correct, pensaient-ils, que le mariage détourne l'attention des gens de l'enterrement et du discours de Plikt. Il serait toujours temps de leur annoncer les mariages.

Lorsque la cérémonie fut terminée, le prêtre quitta les lieux, quelques pequeninos le guidant à travers la forêt. Valentine embrassa les jeunes mariés, Jane et Miro, Peter et Wang-mu, leur parla un instant tour à tour, murmura des félicitations et des adieux, puis prit un peu de recul et regarda.

Jane ferma les yeux, puis ils disparurent tous les quatre. Il ne restait plus que l'arbre-mère au milieu de la clairière, inondé de lumière, regorgeant de fruits, des bourgeons sur chaque branche, célébration immuable des éternels mystères de la vie.

POSTFACE

Tout ce qui concerne Peter et Wang-mu était lié au Japon dès le démarrage de Xénocide qui, à l'origine, devait inclure *Les enfants de l'esprit*. Lisant une histoire du Japon d'avant-guerre, j'avais été intrigué par une théorie selon laquelle ceux qui poussaient le Japon à entrer en guerre n'étaient pas des membres de l'élite dirigeante, ni même des chefs de l'armée, mais plutôt de jeunes officiers subalternes. Ces officiers auraient bien entendu trouvé ridicule que l'on puisse imaginer qu'ils aient la moindre influence sur la logique de guerre. Ils poussaient le Japon vers la guerre, non pas grâce au pouvoir qu'ils détenaient, mais parce que les dirigeants du Japon n'osaient pas se ridiculiser devant eux.

Lors de mes propres réflexions sur ce sujet, il m'est apparu que c'était l'image que l'élite dirigeante se faisait de ces jeunes officiers – et de leur façon de considérer la question d'honneur – qui motivait l'élite en question. Sa perception de l'honneur influençait les subordonnés, qui risquaient alors de ne pas répondre aux ordres de repli comme les officiers supérieurs le craignaient. Ainsi, personne n'allait tenter de convaincre ces officiers que se lancer dans la guerre était chose stupide et vouée à l'échec – ils le savaient déjà et avaient choisi de l'ignorer de peur d'être méprisés par les autres. Il aurait été préférable d'essayer de convaincre les officiers supérieurs que leurs subalternes – dont l'opinion, pour une question d'honneur, était capitale –, loin de les condamner pour avoir cédé devant une force irrépressible, les féliciteraient plutôt d'avoir su préserver l'indépendance de leur propre nation.

Cependant, en poussant plus loin cette réflexion, je me suis rendu compte que même cela était trop direct – les choses ne pouvaient pas se passer ainsi. Il aurait fallu non seulement mettre en évidence que l'opinion des officiers subalternes avait évolué, mais aussi rendre plausible ce changement d'opinion. Du coup, je me suis demandé ce qu'il serait advenu si un philosophe de grande influence, faisant partie de la culture de l'élite militaire, avait interprété l'histoire de manière à modifier le point de vue militaire d'un grand stratège. De telles idées novatrices sont déjà apparues – en particulier au Japon qui, malgré l'apparente rigidité de sa culture, et peut-être en raison de la longue influence de la culture chinoise, a été le pays de l'ère moderne qui a su le mieux adopter et adapter des idées étrangères comme si elles avaient toujours été les siennes, préservant ainsi cette image de rigidité et de continuité tout en se montrant capable de flexibilité. Une idée aurait pu faire son chemin dans la culture militaire, montrant aux élites qu'une guerre n'était ni nécessaire, ni souhaitable. Si cela s'était produit avant Pearl Harbour, le Japon aurait pu éviter d'entrer en guerre contre la Chine, consolider ses acquis et faire la paix avec les États-Unis.

(Que ceci eût été une bonne chose reste à débattre, bien entendu. Éviter la guerre qui a causé tant de morts et a été à l'origine de tant d'atrocités – dont le bombardement des villes japonaises et l'utilisation de l'arme atomique pour la première et dernière fois dans l'Histoire, du moins jusqu'à nouvel ordre – aurait été indiscutablement une bonne chose. Mais n'oublions pas que c'est en perdant cette guerre que le Japon a accepté l'occupation américaine et l'introduction forcée d'idées et de pratiques démocratiques. Ce qui a dynamisé la culture et l'économie japonaise, chose qui n'aurait sans doute jamais été possible sous le contrôle de l'élite militaire. C'est une bonne chose que de ne pouvoir refaire l'Histoire, car dans ce cas il nous faudrait choisir : faut-il équarrir le cheval pour avoir la colle ?)

Quoi qu'il en soit, je savais qu'il fallait dans le roman que quelqu'un – et j'ai cru un instant que ce serait Ender – aille d'une planète à une autre pour trouver le centre du pouvoir du Congrès Stellaire. Quel esprit fallait-il influencer pour modifier la culture du Congrès Stellaire et arrêter la Flotte lusitanienne ? Comme cette problématique partait d'une réflexion sur l'histoire japonaise, j'en ai conclu qu'il fallait qu'une civilisation japonaise futuriste joue un rôle dans l'histoire. C'est ainsi que Peter et Wang-mu se sont retrouvés sur Vent Divin.

Cependant, c'est une autre digression de ma pensée qui m'a poussé à m'intéresser au Japon. J'étais allé visiter de bons amis dans l'Utah, Van et Elizabeth Gessel. Van, professeur de japonais à l'université de Brigham, venait d'acquérir un CD intitulé Musique d'Hikari Oe. Van m'a fait écouter le CD – une musique puissante, pleine de grâce, et très évocatrice de la tradition mathématique occidentale – tout en me parlant du compositeur. Ainsi m'a-t-il appris qu'Hikari Oe était un handicapé mental, mais qu'il possédait un véritable don en musique. Son père, Kenzaburo Oe, avait écrit de nombreux ouvrages, et ses œuvres les plus puissantes, en tout cas celles qui avaient reçu des prix, étaient celles qui traitaient de sa relation avec son fils handicapé, du sentiment parfois lourd d'avoir un tel fils, mais aussi de l'immense joie de découvrir la véritable nature de cet enfant, alors même que le père découvrait sa propre nature en restant avec lui et en lui donnant toute son affection.

Je me suis tout de suite trouvé des affinités avec Kenzaburo Oe, non à cause d'une quelconque ressemblance dans nos œuvres, mais parce que j'ai moi aussi un fils handicapé mental et que j'ai dû suivre mon propre cheminement pour réussir à l'accepter dans ma vie. Comme

Kenzaburo Oe, je n'ai pu m'empêcher de parler de mon fils dans certains de mes livres ; il y apparaît en effet régulièrement. Et pourtant, cette affinité a créé en moi une certaine réticence à me pencher sur son œuvre, car je craignais qu'il n'ait sur la question des idées que je ne pourrais partager, qui me blesseraient ou m'offenseraient, ou au contraire tellement vraies et pertinentes que j'en serais réduit au silence, n'ayant rien à ajouter. (Rien de déplacé dans cette crainte. J'avais un livre sous contrat avec mon éditeur intitulé *Genesis*, lorsque j'ai lu le roman de Michael Bishop *Ancient of Âge*. Même si les trames de ces deux récits différaient sensiblement en dehors du fait qu'elles traitaient toutes les deux de la survie d'hommes primitifs dans un monde moderne, les idées de Bishop étaient si puissantes et son écriture si authentique que j'ai dû annuler ce contrat. Le livre était devenu tout simplement impossible à écrire et continue de l'être sous sa forme initiale.)

Par la suite, après avoir écrit les trois premiers chapitres du présent livre, j'étais un jour à la caisse de la librairie News and Novels à Greensboro, Caroline du Nord, lorsque j'ai aperçu sur un présentoir un unique exemplaire d'un livre intitulé *Japan, the ambiguous, and myself*. Son auteur : Kenzaburo Oe. Je ne l'avais pas cherché, mais lui m'avait trouvé. J'ai acheté le livre et l'ai rapporté chez moi.

Pendant deux jours, il est resté sur ma table de chevet. Puis sont venues les nuits d'insomnie au cours desquelles j'ai commencé à écrire le quatrième chapitre, où Wang-mu et Peter rencontrent pour la première fois la culture japonaise de la planète Vent Divin (qui au départ devait s'appeler Nagoya parce que mon frère Russel y a fait sa retraite de mormon dans les années soixante-dix). Mon regard est tombé sur le livre de Oe, je l'ai ouvert et j'ai commencé à lire la première page. Oe y parle d'abord de sa longue relation d'amour avec la Scandinavie, ayant lu dans sa jeunesse des traductions (ou plutôt des réécritures japonaises) d'une série d'histoires scandinaves mettant en scène un personnage nommé Nils.

J'ai interrompu aussitôt ma lecture, car je ne m'étais jamais rendu compte des similitudes qu'il pouvait y avoir entre le Japon et la Scandinavie. Mais, en y regardant de plus près, j'ai compris que le Japon et la Scandinavie étaient toutes deux des nations périphériques entrées dans le monde civilisé dans l'ombre (ou bien éblouies par l'éclat ?) d'une culture dominante.

Je me suis mis à penser à d'autres nations périphériques – les Arabes, qui ont développé une idéologie grâce à laquelle ils ont pu se débarrasser du joug de la culture romaine ; les Mongols, qui sont restés unis assez longtemps pour conquérir d'autres territoires avant d'être engloutis par la Chine ; les Turcs qui, aux limites du monde musulman, ont fini par plonger au cœur de celui-ci et par renverser les vestiges de l'empire romain, avant de redevenir une nation périphérique dans l'ombre de l'Europe. Toutes ces nations périphériques, même lorsqu'elles ont dominé les civilisations dans l'ombre desquelles elles avaient d'abord végété, n'ont jamais pu se débarrasser du sentiment de non-appartenance, de cette crainte que leur propre culture ne soit définitivement inférieure, reléguée au second plan.

Résultat : elles ont fini par devenir agressives et par s'étendre au-delà des frontières qu'elles étaient capables de consolider et de contrôler. Elles manquaient tellement de confiance en elles qu'elles se sont débarrassées de tout ce qui était puissant et novateur dans leur culture pour ne garder que les apparences extérieures de leur indépendance. Les dirigeants mandchous de la Chine, par exemple, prétendaient se distinguer du peuple qu'ils gouvernaient, bien déterminés à ne pas se laisser dévorer par les grandes dents de la culture chinoise, ce qui n'a pas entraîné pour autant une prédominance de la culture mandchoue, mais une marginalisation inévitable.

Les véritables nations centrales n'ont pas été légion dans l'histoire. L'Égypte en a été une, et l'est restée jusqu'à ce qu'elle soit conquise par Alexandre – et encore, même à ce moment-là, elle a réussi à maintenir sa position centrale avant que la puissante idéologie de l'islam ne balaye tout. La Mésopotamie aurait pu en être une à une certaine époque, mais contrairement à l'Égypte, ses cités n'ont pu constituer un front suffisamment uni pour contrôler les territoires intérieurs. Résultat : elles n'ont cessé d'être balayées et dominées par leurs propres nations périphériques. La position centrale de la Mésopotamie lui a tout de même permis d'absorber les cultures de ses conquérants pendant de nombreuses années, jusqu'à ce qu'elle devienne une province, passant des mains des Romains à celles des Parthes et vice versa. Comme pour l'Égypte, son rôle central a été brisé par l'Islam.

C'est plus tard que la Chine est devenue une nation centrale, mais avec un succès étonnant. Le chemin menant à l'unité a été long et sanglant, mais une fois acquise, cette unité a perduré, sinon politiquement, du moins culturellement. Les dirigeants chinois, comme ceux de l'Égypte, se sont employés à contrôler le territoire intérieur, mais là encore, comme en Égypte, se sont rarement risqués et n'ont jamais réussi à exercer une domination de quelque durée sur des nations véritablement étrangères.

En gardant cette idée à l'esprit, ainsi que d'autres partant du même principe, j'ai imaginé une conversation entre Wang-mu et Peter dans laquelle Wang-mu lui expliquerait sa théorie sur les nations centrales et les nations périphériques. Je me suis mis à l'ordinateur pour taper quelques notes à ce sujet. En voici un extrait.

« Les nations centrales n'ont pas peur de perdre leur identité. Elles partent du principe que tous les autres peuples veulent leur ressembler, qu'elles font partie des civilisations les plus avancées et que tout le reste ne peut être

qu'une pâle copie ou une erreur passagère. L'arrogance, de manière assez contradictoire, amène à une forme d'humilité – les nations centrales ne se pavanent pas, ni ne se vantent de manière excessive, car elles n'ont aucun besoin de prouver leur supériorité. Elles opèrent des transformations progressives tout en prétendant le contraire.

D'un autre côté, les nations périphériques savent qu'elles ne font pas partie des civilisations les plus avancées. Parfois il leur arrive d'envahir, de piller et de s'installer pour imposer leur domination – les Vikings, les Mongols, les Turcs, les Arabes –, parfois elles se livrent à des changements radicaux pour se mesurer aux autres – les Grecs, les Romains, les Japonais –, et dans d'autres cas, elles se contentent piteusement de rester dans leur coin. Mais lorsqu'elles sont en plein essor, elles deviennent intolérables, car elles doutent d'elles-mêmes et n'ont de cesse de s'afficher et de se pavaner pour affirmer leur suprématie – jusqu'à ce qu'enfin elles aient l'impression d'être devenues des nations centrales. Malheureusement, cette suffisance finit par les détruire, parce que ce ne sont pas des nations centrales et que l'impression d'en être une est trompeuse. Les nations périphériques triomphantes ne durent pas, comme l'Égypte ou la Chine, elles disparaissent, comme les Arabes, les Turcs, les Vikings et les Mongols après leurs victoires.

Les Japonais sont devenus à tout jamais une nation périphérique. »

Je me suis aussi penché sur l'Amérique, qui se composait d'immigrés de nations périphériques, mais se comportait néanmoins comme une nation centrale, contrôlant (parfois avec brutalité) son territoire intérieur, mais sans vraiment nourrir de rêves d'empire, se contentant plutôt d'être le centre du monde. L'Amérique, du moins temporairement, a adopté la même attitude arrogante que les Chinois – en partant du principe que le reste du monde souhaitait lui ressembler. Et je me suis demandé si, comme pour l'Islam, une idée forte avait fait une nation centrale d'une nation périphérique. De même que les Arabes ont perdu le contrôle du nouveau centre de l'Islam, jadis contrôlé par les Turcs, la culture originale anglaise de l'Amérique pourrait être adoucie ou adaptée, tandis que la puissante nation de l'Amérique demeurerait au centre ; c'est une idée qui me trotte encore dans la tête et dont je ne suis toujours pas en mesure de vérifier le bien-fondé, puisque tout cela ne pourra être constaté que dans le futur. Il ne s'agit donc là que de pures hypothèses. Toujours est-il que je crois fermement en cette idée de nations centrales et de nations périphériques pour autant que j'arrive à la cerner.

Ayant tapé mes notes, j'ai commencé à écrire le chapitre la nuit même. J'avais amené Wang-mu et Peter à la fin de leur repas au restaurant, et m'apprêtais à les faire rencontrer un personnage japonais pour la première fois. Mais il était quatre heures du matin. Ma femme Kristine, s'étant levée pour s'occuper de notre fille, Zina, âgée d'un an, a pris le texte de mes mains et s'est mise à le lire. Alors que je me préparais pour la nuit, elle s'est endormie, mais s'est réveillée peu de temps après pour me raconter le rêve qu'elle venait de faire durant son bref sommeil. Elle avait rêvé que les Japonais de Vent Divin portaient les cendres de leurs ancêtres dans des amulettes ou de petits boîtiers autour du cou ; ainsi Peter devait se sentir perdu parce qu'il n'avait qu'un seul ancêtre, et qu'à la mort de celui-ci, il mourrait à son tour. J'ai tout de suite compris qu'il fallait absolument que j'utilise cette idée ; je me suis allongé dans mon lit pour feuilleter quelques pages du livre de Oe.

Vous imaginez quelle a été ma surprise lorsque, après avoir parlé de ses sentiments envers la Scandinavie, il se lançait dans une analyse de la culture et de la littérature japonaise, développant précisément l'idée qui avait fait son chemin dans mon esprit quand j'avais lu son introduction – les paragraphes concernant Nils, apparemment sans lien avec ce qui suivait. Lui, un homme qui avait étudié de près les peuples limitrophes (ou périphériques) du japon, en particulier la culture d'Okinawa, considérait le Japon comme une culture menacée de perdre son élément central. Selon lui, la littérature sérieuse japonaise était précisément en train de dépérir parce que les intellectuels japonais « acceptaient » et « excusaient » les idées occidentales, sans forcément y croire, pris par l'effet de mode, tout en ignorant les idées si fortes inhérentes à la culture Yamato (la tradition japonaise), idées qui auraient donné au Japon le pouvoir de devenir une nation centrale par ses propres moyens. Enfin, il utilisait les mots « centre » et « périphérie » dans la phrase qui suit :

« Cependant, les écrivains d'après-guerre recherchèrent un chemin différent qui propulserait le Japon sur la scène mondiale, non en son centre mais dans sa périphérie. » (pp. 97-98)

Son propos n'était pas le même que le mien, mais sa notion de centre et de périphérie était plutôt harmonieuse.

J'ai pris toutes les remarques de Oe sur la littérature de manière très personnelle, parce que, comme lui, je fais partie d'une culture « périphérique » qui « accepte » et « excuse » les idées de la culture dominante et risque de perdre son impulsion individuelle. Je parle de la culture mormone, née en marge de l'Amérique et qui a longtemps été plus américaine que mormon. La littérature supposée « sérieuse » dans la culture mormone a toujours consisté en imitations – pitoyables pour la plupart, mais occasionnellement de qualité correcte – de la littérature « sérieuse » contemporaine américaine, elle-même un produit dérivé, décadent et dénué d'intérêt, sans lectorat qui croie un tant soit peu à ses histoires, ou s'en soucie, et qui soit capable de transformations communautaires. Et comme Oe – ou d'après ce que je pense comprendre de son propos – je ne vois la rédemption (ou, de manière plus discutable, la création) d'une véritable littérature mormone que dans le rejet de la littérature américaine prétendument « sérieuse » (mais en réalité, triviale) et son remplacement par une littérature rejoignant les critères de ce que Oe appelle junbungaku :

« Le rôle de la littérature – dans la mesure où l'homme est évidemment un être historique – est de créer une réplique de l'ère contemporaine englobant le passé et le futur, ainsi que des répliques de ceux qui vivent dans cette ère. » (p. 66)

Ce que les littérateurs mormons « sérieux » n'ont jamais tenté de faire, c'est une réplique des gens vivant dans notre culture et dans notre ère. Ou plutôt, ils l'ont tenté, mais jamais de l'intérieur : le point de vue de l'auteur impliqué (pour utiliser le terme employé par Wayne Booth) était toujours sceptique et externe plutôt que critique et interne. Je suis convaincu qu'aucune littérature véritablement nationale ne peut être produite par des gens dont les valeurs se situent en dehors de cette culture nationale.

Mais je n'écris pas seulement, ni même principalement une littérature mormone. Le plus souvent, je suis un auteur de science-fiction s'adressant à des lecteurs de science-fiction – une autre culture périphérique, bien qu'elle dépasse les frontières nationales. Je suis aussi, en bien ou en mal, un Américain produisant une littérature américaine s'adressant à un public américain. Mais plus précisément, je suis un être humain produisant une littérature humaine s'adressant à un public d'êtres humains, comme tous ceux qui se livrent à cette activité. Il y a des moments où même cela me paraît relever d'une culture périphérique. Nous éprouvons cet irrépressible besoin de nous regrouper tout en nous isolant, de conjurer la mort tout en vénérant son pouvoir irrésistible, de balayer les ingérences tout en nous occupant de la vie des autres, de préserver nos secrets tout en révélant ceux des autres, de devenir des individus uniques dans un monde où prévaut l'uniformité. Nous sommes en effet fort étranges comparés aux plantes et aux animaux qui, contrairement à nous, savent rester à leur place et, si jamais il leur arrive de penser à Dieu, ne le voient pas comme un père, ou ne se voient pas comme sa descendance. Et à l'instar de ces royaumes périphériques, nous sommes dangereux, toujours susceptibles de faire éruption dans des territoires jusque-là préservés pour nous retrouver finalement au centre de tout.

Ce que Kenzaburo Oe cherche pour la littérature japonaise, je le cherche pour la littérature américaine, ainsi que la littérature mormone, la science-fiction, et la littérature humaine. Mais cela n'est pas toujours évident. Lorsque Shûsaku Endô considère la question du sens de la vie face à la mort, il met en scène un groupe de personnages appartenant au Japon traditionnel, mais les courants de magie, de science et de religion ne sont jamais très éloignés du cœur du récit. Bien que je ne possède pas les mêmes talents de conteur qu'Endô, n'ai-je pas abordé les mêmes questions, en utilisant les mêmes outils, dans ce roman ? Est-ce que *Les enfants de l'esprit* échoue en tant que junbungaku pour l'unique raison que ce roman se situe dans un futur lointain ? Mon roman *Lost Boys* est-il le seul de mes ouvrages à se définir comme « sérieux », dans la mesure où il est un reflet de la vie à Greensboro, Caroline du Nord, en 1983 ?

Oserai-je me faire l'écho des paroles d'un lauréat du prix Nobel en suggérant que l'on peut facilement créer « une réplique de l'ère contemporaine englobant le passé et le futur » à travers le subterfuge d'un roman créant fidèlement et scrupuleusement une société située dans un autre temps et un autre espace, dont le contraste avec notre ère contemporaine permet de jeter quelque lumière sur cette dernière ? Ou bien dois-je déclarer un anti-junbungaku, attaquer un énoncé avec lequel je suis pourtant d'accord et feindre d'être aux antipodes d'un but que je me suis fixé ? Le point de vue de Oe sur la littérature contemporaine est-il imparfait ? Ou bien ne suis-je qu'un simple intervenant dans des littératures périphériques, souhaitant être au centre, mais voué à ne jamais arriver en un lieu si paisible et si chaleureux !

C'est ce qui pourrait expliquer pourquoi l'Étranger et l'Autre ont une telle importance dans mes écrits (bien qu'involontairement au départ), même lorsque mes histoires soulignent l'importance du Membre et du Familier. Mais ce n'est pas en soi une réplique de notre ère contemporaine englobant le passé et le futur. Ne suis-je pas, au sein de mes propres contradictions entre l'Intérieur et l'Extérieur, Membre et Étranger, une réplique de mes contemporains ? Un auteur n'a-t-il qu'un décor à sa disposition pour raconter des histoires vraies ?

Lorsque je lis *Deep River* de Shûsaku Endô, je me sens étranger à ce monde. Ce qui a une résonance chez des lecteurs japonais, qui acquiescent en disant : « Oui, c'est bien vu, c'est comme ça pour nous », me paraîtra étrange, et je me dirai : « Ça se passe donc comme ça, c'est l'impression que ça donne ? » Est-ce que je ne trouve pas autant d'intérêt à lire un roman qui décrit l'ère contemporaine d'un d'autre ? Est-ce que je n'apprends pas autant d'Austen que de Tyler ? D'Endô que de Russo ? Les mondes de l'Étranger et de l'Autre ne sont-ils pas aussi importants pour apprendre ce que signifie être humain dans le monde qui est le mien ? N'est-il donc pas possible pour moi de créer un futur imaginaire qui puisse autant parler à des lecteurs contemporains que l'univers de ces écrivains dont « l'ère contemporaine » se situe à une autre époque ou dans un autre pays ?

Chaque univers est peut-être un produit de notre imagination, que l'on vive dedans ou qu'on l'invente. Peut-être qu'un autre Japonais trouvera *Deep River* aussi bizarre que moi, parce que Endô est lui-même différent des autres Japonais. Peut-être qu'un écrivain qui invente scrupuleusement un autre monde de fiction, crée inévitablement un miroir de sa propre époque, tout en créant un monde connu de lui seul. Ce ne sont que quelques détails insignifiants tels que des noms de lieux, des dates, et des personnes célèbres qui séparent un univers créé de toutes pièces comme *Les Enfants de l'esprit* et le « véritable » univers décrit dans *Deep River*. Ce qu'Endô a réussi et que j'espère accomplir est identique : donner au lecteur une impression de réalisme convaincant, tout en explorant chaque détail, en pénétrant la structure de cause et d'effet comme nous espérons tous le faire sans jamais y arriver dans le monde réel. La cause et l'effet sont toujours imaginés, même si nous nous efforçons de « créer une réplique de l'ère contemporaine ». Mais si nous l'imaginons correctement sans nous contenter « d'accepter » et « d'excuser » ce qui nous est donné par la culture environnante, ne sommes-nous pas en train de créer un junbungaku ?

Je ne pense pas que les outils que nous procure la science-fiction soient moins adaptés pour créer un junbungaku que ceux de la littérature contemporaine dite sérieuse, bien qu'en maniant ces outils nous ne les utilisions peut-être pas à leur meilleur avantage. Mais je me trompe peut-être ; mon propre travail n'est peut-être pas suffisamment bon pour démontrer ce qu'il est possible d'accomplir dans notre littérature. Une chose est sûre : la communauté de lecteurs regroupe autant de penseurs et d'explorateurs sérieux de la réalité que n'importe quelle autre communauté littéraire dont j'ai pu faire partie. Si une grande littérature demande un grand public, le public est là et tout échec est à mettre sur le compte de l'auteur.

Ainsi, je continuerai de tenter de faire du junbungaku, d'évoquer la culture contemporaine sous un déguisement symbolique ou artificiel comme le font tous les auteurs de science-fiction, consciemment ou non. Il appartient aux autres de décider si mon œuvre arrive à atteindre le degré de sérieux indiqué par Oe. Car quelles que soient les qualités de l'écrivain, il faut aussi un public pour recevoir son œuvre avant que le moindre changement ne s'opère. Je dépends d'un public énergique, en mesure de découvrir lui-même la douceur et la lumière, la beauté et la vérité, au-delà des compétences de l'artiste laissé à lui-même pour les créer.

5622

Composition PCA à Rezé
Achevé d'imprimer en Slovaquie
par Novoprint SLK
le 20 juin 2014.
EAN 9782290303481
1er dépôt légal dans la collection : février 2003

Éditions J'ai lu
87, quai Panhard-et-Levassor, 75013 Paris
Diffusion France et étranger : Flammarion